Pratique de l'anglais de A à Z

Michael SWAN, M.A. Oxon

Françoise HOUDART,
Professeur agrégé d'anglais

 HATIER

ISBN 2-218-06561-4

SOMMAIRE

Introduction

Ce livre est un guide pratique de l'anglais parlé et écrit, avec exercices pour autocorrection. Il est destiné aux élèves du second cycle (quel que soit leur niveau réel) et aux adultes ayant déjà quelques connaissances de l'anglais (Niveau *Intermediate*). Il est surtout prévu pour le travail personnel mais pourra également être utilisé en classe, sous la direction d'un professeur.

Description générale

Le livre se présente sous la forme d'un dictionnaire de A à Z. Il comporte 355 sections et 14 appendices portant principalement sur des problèmes de grammaire mais aussi sur des problèmes de vocabulaire auxquels se heurtent fréquemment les Français (ex. *dead* et *died*, *cry* et *scream*, etc.). Les appendices abordent des sujets divers comme les faux amis, la grammaire littéraire ou les différences entre anglais britannique et américain (voir liste complète, p. 3). Pour faciliter l'utilisation du livre, l'ordre alphabétique a généralement été respecté. Toutefois, lorsqu'il a semblé particulièrement utile de rapprocher certains éléments (ex. la négation et l'interronégation), cet ordre a pu être modifié.

Le choix des sections

Les problèmes traités vont des points les plus élémentaires comme les pronoms personnels ou le présent de *to be*, à des points plus avancés ou moins fréquents comme le relatif *whose* ou le subjonctif.

Les titres des sections reprennent l'énoncé des problèmes tels qu'ils se présentent aux Français. Selon les cas, il s'agira donc de mots anglais (ex. *a* et *an*, *about*, *across* et *through)*, de mots français (ex. comment traduire "encore", "ennuyer" ou "manquer" ?), ou de catégories grammaticales (comme "les adjectifs" ou "le conditionnel présent"). Lorsqu'un même mot anglais recouvre des problèmes différents (ex. *all)*, ils sont traités dans des sections séparées (ex. 18 la place de *all*, 19 *all* et *all of*, 20 *all* et *everything*, etc.).

Les points les plus complexes ont, de même, été divisés en plusieurs sections de façon à être facilement assimilables. Par exemple, on apprend d'abord séparément la forme puis l'emploi du présent simple et du présent progressif (cf. 311-314) avant de procéder à la comparaison des deux temps présents (316).

Lorsqu'un problème est réparti sur plusieurs sections (ex. l'expression du futur), son étude débute parfois par une introduction. Il est recommandé de lire cette introduction avant d'aborder l'une ou l'autre des sections (les introductions sont toujours signalées dans l'index).

Le contenu d'une section

La plupart des sections se présentent sous la forme suivante : *explications, exemples, exercice(s)*. Des *remarques* complètent parfois l'article. Elles sont placées avant les exercices lorsqu'elles leur sont directement utiles, et après, dans le cas contraire.

Certaines sections n'ont pas d'exercice : elles sont destinées uniquement à la reconnaissance passive des points traités (ex. "*-ing* adjectif" ou "structures spéciales avec *if*"), ou bien elles présentent une synthèse de problèmes traités en détail dans d'autres sections (ex. "ordre des mots, problèmes divers").

Les explications

Le français des explications est aussi proche que possible de la langue parlée quotidienne. Lorsqu'il s'est avéré nécessaire d'utiliser des termes grammaticaux, nous avons généralement opté pour les termes traditionnels connus de tous. De brèves explications ont parfois été ajoutées de façon à ce qu'il n'y ait aucune ambiguïté possible, même pour des élèves dont les notions grammaticales sont souvent tombées dans l'oubli (ex. "utilisé comme pronom = sans nom").

Les exercices

Ils ont surtout pour but de vérifier la compréhension des phénomènes traités mais permettent également d'amorcer la pratique de ces points. Pour que cette pratique débouche sur l'emploi spontané et correct des structures, elle devra être complétée par des exercices de communication en situation et des réemplois personnels (voir ci-dessous).

Les exercices sont de longueur variable selon la difficulté des points traités. Il y en a parfois plusieurs dans une section. Ils sont placés en fin de section (ex. 1) ou intégrés aux paragraphes (ex. 7). Lorsqu'ils sont situés en fin de section, ils portent sur l'ensemble de la section.

Dans certaines sections longues ou un peu difficiles, on trouvera, entre parenthèses à la fin de chaque phrase, le numéro du paragraphe auquel la phrase se rapporte (ex. 215 et 8). Ainsi on pourra travailler un paragraphe sans être obligé de lire toute la section.

Tous les corrigés d'exercices figurent à la fin du livre.

L'anglais présenté

La langue anglaise présentée est généralement le *Standard English*. Les différences stylistiques (par exemple entre langue parlée et écrite, ou entre style formel et neutre ou familier) sont indiquées lorsque c'est nécessaire. Quelques exemples d'anglais *substandard* (dit "incorrect") sont parfois mentionnés en remarque lorsqu'il s'agit de formes très courantes (ex. *ain't, like I do*). Bien entendu, les formes "non correctes" ne sont jamais pratiquées dans les exercices. Il y a parfois, également, des références à l'anglais américain mais seulement à titre d'information, en remarque, après les exercices. On trouvera dans les Appendices 5 et 6 d'autres renseignements sur les différences de grammaire et de vocabulaire entre l'anglais britannique et l'anglais américain.

Les mots barrés

Lorsque cela nous a semblé particulièrement utile, nous avons signalé, en les barrant, les erreurs fréquemment commises par les Français. Notre pratique pédagogique nous a en effet amenés à constater que c'est un bon moyen d'éviter "les circuits parallèles" : s'il n'a pas conscience de l'erreur qu'il commet, l'élève "accepte" passivement la forme correcte qui lui est présentée (ex. *He went to London*), mais continue à dire *He went at...* lorsqu'il s'exprime spontanément. Les formes barrées ont donc pour but de l'amener à prendre conscience de son erreur pour mieux y remédier.

Suggestions d'emploi

Les sections

• *Travail avec professeur*

Le professeur relève quelques fautes fréquemment commises par les élèves dans un devoir ou une discussion. Il leur rappelle l'explication et leur donne la référence des sections.

Chez eux, les élèves revoient l'explication, font l'exercice en s'inspirant des exemples de la section, puis le vérifient avec le corrigé. Enfin, ils apprennent le corrigé.

Au cours suivant, le professeur interroge certains élèves sur les exercices, livres et cahiers fermés. Ils doivent pouvoir fournir immédiatement la forme correcte.

Dans les copies, le professeur peut également mettre en marge la référence d'une section ne faisant pas partie du corrigé collectif (en indiquant soit son numéro soit le titre présumé du point ; ex : 81 ou *dead* et *died*). L'élève devra travailler ce point en plus de ceux faisant partie du corrigé collectif. Ou bien le professeur mettra plusieurs références et laissera l'élève choisir ce qu'il peut travailler en fonction du temps dont il dispose. Au cours suivant, il demandera alors à certains élèves quels points ils ont choisi de travailler et les interrogera sur ces points.

On pourra parfois consacrer un cours à une séance de révision systématique (suite à un devoir ou à une discussion, par exemple). Le professeur expliquera les points choisis, puis fera faire en classe aux élèves les exercices correspondants. Ils les interrogera aussitôt sur ce qu'ils ont écrit et leur fera retrouver leurs éventuelles erreurs — ou donnera lui-même le corrigé. Les élèves devront, comme précédemment, revoir le corrigé chez eux.

• *Travail sans professeur*

L'élève pourra se référer à son guide lorsqu'il fera un devoir chez lui et hésitera sur certaines formes. Il lui suffira de consulter l'index pour trouver l'explication qu'il cherche. Chacun des points abordés y figure sous les différentes formes qui peuvent se présenter à l'esprit : par exemple, *be able to* se trouve à *be*, à *able* et aussi à "être capable de", "pouvoir", "savoir".

Le lecteur qui souhaite améliorer ou réviser son anglais pourra revoir systématiquement tous les points traités (ou seulement ceux qui l'intéressent) tout en se rappelant que ceux qui n'ont pas d'exercice ne sont destinés qu'à la compréhension passive.

• *Dans tous les cas*

Après chaque exercice, l'élève (ou le lecteur) fera toujours lui-même une phrase personnelle de réemploi dans laquelle il utilisera le mot ou le point de grammaire présenté. Il pourra s'inspirer des exemples du livre pour rédiger des phrases correctes. Exemple, avec *ago* :

LIVRE. *She telephoned about an hour ago.*

RÉEMPLOI PERSONNEL. *My brother went out five minutes ago.*

Le professeur pourra, éventuellement, interroger aussi les élèves sur leurs phrases de réemploi.

Les appendices

Ils pourront être utilisés comme sources de références (à propos d'un mot particulier) ou comme bases d'une étude systématique. Le mode d'emploi variera selon les sections. Voici deux exemples :

• *Les faux amis*

Si un élève fait une erreur ou pose une question sur l'un des faux amis (ex. *sympathetic)*, le professeur pourra lui dire de consulter ce mot dans la liste. Dans des classes d'examen, en particulier, il pourra être utile de les apprendre systématiquement (sens anglais-français) afin d'éviter de tomber dans un piège lors d'une version. Cette étude sera alors répartie sur plusieurs mois, en abordant une dizaine de faux amis à chaque fois.

• *Les mots dérivés*

Il sera utile d'attirer l'attention des élèves sur ces points afin de leur apprendre à essayer de déduire le sens d'un mot d'après sa racine, avant de recourir au dictionnaire (ou au professeur).

Conclusion

Tout lecteur (élève, étudiant ou professeur) ayant des remarques, critiques ou suggestions à faire quant au contenu ou à l'organisation de ce livre est invité à nous écrire c/o Librairie Hatier, 59 Bd Raspail, 75006 Paris. En particulier, si certains points que vous auriez aimé trouver dans ce guide n'y figurent pas, n'hésitez pas à nous transmettre vos demandes, et nous en tiendrons compte, dans la mesure du possible, dans les prochaines éditions.

Les professeurs ou lecteurs d'un niveau avancé qui souhaiteraient trouver des explications beaucoup plus approfondies sur certains points de la langue anglaise pourront se reporter à l'ouvrage de Michael Swan, *Practical English Usage*, publié par Oxford University Press.

Quelques définitions

Dénombrables et indénombrables : ce sont les noms comptables et non-comptables (voir 214).

(Auxiliaires) modaux : il s'agit de *can, may, must,* etc. (voir 342 B). On les appelle aussi "verbes défectifs".

Particules (adverbiales) : ce sont les petits mots comme *up, down, away* qui servent à former des verbes composés. (Voir 255). On les appelle aussi "postpositions".

Style formel, etc. : en français, par exemple, "c'est fort intéressant" fait partie d'un style formel alors que "c'est très intéressant" est neutre. De même, "naguère" est formel, "autrefois" est neutre, et "avant" (au sens de "autrefois") un peu familier.

L'ANGLAIS
DE A à Z

1 A et an

1. La différence entre *a* et *an*

On emploie *a* devant une consonne et *an* devant une voyelle.

a school	a house	an animal	an Important thing
une école	*une maison*	*un animal*	*une chose importante*

Le choix entre *a* et *an* est, en fait, lié à la prononciation. C'est pourquoi on dit :

an hour [ən ˈauə(r)]
une heure

an honest man [ən ˈɔnist ˈmæen]
un homme honnête

a university [ə juːniˈvəːsəti]
une université

a useful thing [ə ˈjuːsfəl ˈθiŋ]
une chose utile

(Dans *hour* et *honest*, exceptionnellement, le *h* ne se prononce pas ; ces deux mots commencent donc phonétiquement par une voyelle. *University* et *useful* commencent phonétiquement par une consonne.)

✱ Notez que *another* s'écrit toujours en un seul mot.

2. Emploi de *a* / *an*

• En général, *a* / *an* s'emploie de la même manière que l'article indéfini "un(e)" en français.

I've got **a** dog.
J'ai un chien.

She lives in **a** small flat.
Elle habite dans un petit appartement.

• *A* / *an* n'a pas de pluriel. "Des" peut correspondre à *some* mais ce n'est pas systématique (voir 293-294)

a girl	__girls	an egg	(some) eggs
une fille	*des filles*	*un œuf*	*des œufs*

• On emploie *a* / *an* dans certains cas où le français omet l'article. (Pour les détails, voir section suivante.)

EXERCICES

1. *Mettez* a *ou* an :
1. a woman - 2. an ice-cream - 3. a horse - 4. a uniform [ˈjuːnifɔːm] - 5. an accident - 6. a horrible dream.

2. *Traduisez en anglais, sans employer* some :
Un hôtel - des hôtels - un objet - des objets - des garçons - des fleurs - un autre jour - une chose impossible.

2 A et an : cas particuliers

1. Les professions, etc.

En français, on omet souvent l'article quand on définit la profession, le rôle ou le statut de quelqu'un. En anglais, il faut employer *a / an*.

My father's **a mechanic.**
Mon père est mécanicien.

I want to be **an architect.**
Je veux être architecte.

He's **an invalid.**
Il est invalide.

She's acting as **a go-between.**
Elle agit comme intermédiaire.

2. Les prépositions

L'article *a / an* s'emploie normalement après les prépositions.

without an umbrella
sans parapluie

I used my shoe **as a** hammer.
J'ai utilisé ma chaussure comme marteau.

3. What...!

Dans les exclamations introduites par *what,* on emploie *a / an* devant les dénombrables singuliers (**voir 214**).

What a pity !
Quel dommage !

What a nice dress !
Quelle jolie robe !

EXERCICE

Traduisez en anglais :
1. Mon frère est dentiste.
2. Ne sors pas sans manteau.
3. Quelle belle journée !
4. Je travaille toujours sans dictionnaire. (= dictionary).
5. Quelle erreur ! (= mistake).
6. "Vous êtes professeur ?" "Non, je suis étudiant." (= student).

3 About (= au sujet de, sur, etc.)

About s'emploie après des mots comme *talk, think, discussion, idea, angry, sorry, book,* au sens de "au sujet de". (L'équivalent français varie selon l'expression : on trouve souvent "de", "sur" ou "à".)

We **talked about** her brother.
On a parlé de son frère.

What are you **thinking about ?**
A quoi pensez-vous ?

There was a long **discussion about** the budget.
Il y a eu une longue discussion sur le budget.

I'm **angry about** her attitude.
Je suis en colère à cause de son attitude.

a book about music
un livre sur la musique

Traduisez en anglais :

1. parler d'un projet (= a plan)
2. rêver à un voyage (= a journey).
3. Je ne sais rien sur Shakespeare.
4. un bon film sur la Chine
5. Il est toujours en colère pour quelque chose.
6. Je pense souvent à mes vacances.

4 About (= environ, etc.)

About peut signifier "environ", "à peu près", "vers".

He's **about** fifty.
Il a environ cinquante ans.

We arrived **about** four.
Nous sommes arrivés vers quatre heures.

Attention à l'ordre des mots.

...**about** three weeks
...*trois semaines, environ* (ou : *environ trois semaines*)

EXERCICE

Traduisez en anglais :

1. environ cinq minutes
2. trois jours, environ
3. à peu près six mois
4. une année, environ
5. vers six heures
6. environ cent grammes (= grams)

5 About to

About to correspond à "sur le point de".

Call back later : we're **about to** go out.
Rappelez plus tard : nous sommes (juste) sur le point de sortir.

EXERCICE

Traduisez en anglais :

1. Il est sur le point d'émigrer (= to emigrate).
2. Elle était sur le point de pleurer.
3. Nous sommes sur le point de signer le contrat (= sign the contract).
4. Le film est sur le point de commencer.
5. Nous étions sur le point d'abandonner (= give up).
6. Il était sur le point de payer.

6 Across et through

1. On emploie *across* lorsqu'il s'agit de traverser un espace à deux dimensions. Pour un espace à trois dimensions, on utilise *through*. (Il y a entre *across* et *through* le même rapport qu'entre *on* et *in*.)

across the fields
à travers champs

through the forest
à travers la forêt

Un verbe anglais suivi de *across* ou *through* se traduit souvent en français par "traverser".

> He **was walking across** the road.
> *Il traversait la rue.*

2. On emploie *across* (et non ~~through~~) lorsqu'il s'agit de traverser une rivière, un lac, etc., à la nage.

> She swam **across the Thames.**
> *Elle traversa la Tamise à la nage.*

3. On emploie *through* pour dire qu'on regarde à travers une fenêtre, un trou, etc.

> I saw Mrs Jones **through the car window.**
> *J'ai vu Madame Jones par la vitre de la voiture.*

EXERCICE

Mettez across *ou* through :

1. ... the desert
2. ... the crowd *(= la foule)*
3. ... the street
4. ... the jungle
5. ... the lake
6. ... my window

7 Adjectifs

1. L'adjectif épithète se place **avant le nom** (à quelques rares exceptions près).

a **wild animal**	the **other office**
un animal sauvage	*l'autre bureau*
a very **expensive restaurant**	the **richest man** in the town
un restaurant très cher	*l'homme le plus riche de la ville*

EXERCICE

Traduisez en anglais :

1. une opinion différente
2. une chose très importante
3. une robe longue
4. une maison blanche
5. une femme très célèbre
6. l'enfant le plus intelligent

2. Les adjectifs sont toujours **invariables** : ils ne prennent pas d'*s* lorsque le nom (ou le pronom) est au pluriel.

wild animals	the **other offices**
des animaux sauvages	*les autres bureaux*
They are **lazy.**	**We** were **happy.**
Ils sont paresseux.	*Nous étions heureux.*

EXERCICE

Traduisez en anglais :

1. de hautes montagnes
2. des livres très intéressants
3. des jeunes gens
4. Ils sont très riches.
5. les autres voitures
6. de bons résultats *(= results)*

3. Un nom employé comme adjectif épithète **ne prend pas d's,** même s'il a un sens pluriel. (Le premier terme d'un nom composé est toujours invariable.)

a **computer** exhibition   a **five-pound** note
une exposition d'ordinateurs   *un billet de cinq livres*

EXERCICE ————————————————————————————————

Transformez les expressions suivantes en utilisant un nom comme adjectif épithète : Ex. : an exhibition of computers - a computer exhibition

1. a gallery with pictures in   4. a ticket that costs three pounds
2. a shop that sells shoes   5. a garden with roses in
3. an album for photographs   6. a holiday that lasts three days

Remarques

1. Pour les cas où *other* prend un *s,* voir 238.
2. Ne confondez pas les noms composés avec le cas possessif (voir 253).

8 Adjectifs composés

Il y a plusieurs sortes d'adjectifs composés en anglais. En voici trois types très courants :

1. adjectif + nom + -ed :

dark-haired   blue-eyed   old-fashioned
aux cheveux foncés   *aux yeux bleus*   *démodé*

2. nom, adverbe ou adjectif + participe présent :

tennis-playing   fast-talking   slow-moving   nice-looking
qui joue au tennis   *qui parle vite*   *qui se déplace lentement*   *joli / beau*

3. adjectif + adjectif (couleurs) :

red-brown   blue-green   grey-green   grey-white

EXERCICE ————————————————————————————————

Construisez des adjectifs composés pour exprimer les idées suivantes :

1. with long hair (1)   5. with one eye (1)
2. who plays football (2)   6. which moves fast (2)
3. who looks stupid (2)   7. which looks interesting (2)
4. a colour between orange and   8. a colour between grey
   brown (3)   and black (3)

Remarque

La plupart des adjectifs des types 1 et 2 s'emploient surtout comme épithètes. Comparez :

a blue-eyed girl   She's got blue eyes.
a slow-moving car   It moves slowly.

Par contre, ceux du type 3 peuvent s'employer indifféremment comme épithètes ou comme attributs.

a red-brown pullover   It's red-brown.

9 Adjectifs en -ly

1. Certains mots terminés en *-ly* sont des adjectifs et non des adverbes. Les plus courants sont *friendly* et *lovely*.

> a **friendly letter**   a **lovely view**
> *une lettre amicale*   *une vue ravissante*

Les adverbes "amicalement" et "aimablement" se traduisent par *in a friendly way*.

> They were talking **in a friendly way.**
> *Ils discutaient amicalement.*

2. Les mots *daily, weekly, monthly, yearly, early* peuvent être utilisés comme adjectifs ou comme adverbes.

> a **daily paper**   They **meet daily.**
> *un journal quotidien*   *Ils se réunissent quotidiennement.*

EXERCICE

Traduisez en anglais :

1. un voyage hebdomadaire
2. une chanson ravissante.
3. une discussion amicale
4. un billet mensuel
5. Ils sont très aimables.
6. Ils me parlent toujours aimablement.

10 Adjectifs substantivés

En général, on ne peut pas utiliser un adjectif épithète sans nom en anglais. "Le pauvre !" = *(The) poor man !*, et non ~~The poor !~~ — "Un mort" = *a dead man*. Mais il y a des exceptions.

1. Certains adjectifs s'emploient avec *the*, sans nom, pour désigner toute **une catégorie.** Les principales expressions de ce genre sont :

> the dead   the sick   the blind   the rich   the poor
> *les morts*   *les malades*   *les aveugles*   *les riches*   *les pauvres*
>
> the old   the young   the unemployed
> *les vieux*   *les jeunes*   *les chômeurs*
>
> He stole from **the rich** to help **the poor.**
> *Il volait les riches pour aider les pauvres.*

2. Il est également possible (surtout dans un style littéraire ou philosophique) d'utiliser *the* devant certains adjectifs pour leur donner **un sens absolu.**

> the good   the beautiful
> *le bien*   *le beau*

3. *The* s'emploie aussi devant les adjectifs de nationalité terminés par *-sh, -ch* et *-ese*, pour désigner **la nation entière.**

the Irish	the French	the English	the Japanese
les Irlandais	*les Français*	*les Anglais*	*les Japonais*

Mais "un Irlandais" = *an Irishman* ; "un Français" = *a Frenchman*, etc.

EXERCICE ——————————————————————

Traduisez en anglais :

1. En Grande-Bretagne, les riches payent beaucoup d'impôts.
2. Il travaille dans un hôpital pour les aveugles.
3. Les Japonais fabriquent (= make) de bonnes voitures.
4. Il donna tout son argent aux pauvres.
5. Les Anglais ne boivent pas beaucoup de vin.
6. Les problèmes des vieux *(voir Remarque 1).*

Remarques

1. Le cas possessif ne s'emploie pas avec les adjectifs substantivés.

the future of the young
l'avenir des jeunes

2. On emploie plus couramment *old / young people* que *the old* ou *the young*.

---

11 And avec les adjectifs

1. *And* s'emploie rarement pour séparer les adjectifs épithètes (adjectifs qui précèdent un nom).

a long black coat
un manteau long et noir

a practical economical car
une voiture pratique et économique

On emploie *and* lorsqu'on parle des différentes parties d'un même objet.

a concrete **and** glass building
un bâtiment en béton et en verre (une partie est en béton, une autre partie en verre)

red **and** yellow socks
des chaussettes rouges et jaunes

2. *And* s'emploie presque toujours pour séparer les deux derniers adjectifs attributs (adjectifs qui suivent un verbe).

She felt lonely, tired **and** depressed.
Elle se sentait seule, fatiguée, déprimée.

EXERCICE ——————————————————————

Mettez and *lorsque c'est nécessaire :*

1. a small ... round table
2. a green ... black carpet
3. The weather was cold ... depressing.
4. a happy ... confident child
5. Her expression was cold ... enigmatic.
6. a metal ... plastic chair

---

12 After et afterwards

N'utilisez pas *after* comme adverbe. "Après la guerre" (préposition) = *after the war*, mais "Qu'est-ce qu'on fait après ?" (adverbe) = *What shall we do afterwards ?*

I've got my exams next month, and **afterwards** I'm going on holiday.

On peut parfois utiliser *then* comme équivalent de "après" (adverbe).

... and **then** I'm going on holiday.

EXERCICE ─────────────────────────

Mettez after *ou* afterwards :

1. ... dinner
2. We saw a film and went out for a drink ... .
3. They lived in Edinburgh ... the war.
4. the day ... tomorrow
5. I'll have to work now, but I'll be free ... for a few hours.
6. I'm seeing my father at four o'clock. Let's talk ... .

13 After ...-ing, etc.

Les expressions comme "après avoir vu", "après être allé" se traduisent souvent en anglais écrit par *after seeing, after going*, etc. (On emploie la forme en *-ing* après toutes les prépositions.) Il est possible d'écrire *after having seen*, etc., mais cette forme est moins courante.

After seeing Lucy, he decided to go home.
Après avoir vu Lucy, il décida de rentrer.

En anglais parlé, on préfère employer un verbe conjugué, ex. : *After I saw...* ou *After I had seen... .*

EXERCICE ─────────────────────────

Traduisez en anglais, en employant after + -ing :

1. après avoir terminé
2. après être venu
3. après avoir acheté la voiture
4. après être tombé
5. après avoir demandé
6. après avoir fermé la porte

14 Again et back

Ces deux mots correspondent souvent au français "re-". ("Revenir" = *come again* ou *come back*; "renvoyer" = *send again* ou *send back*, etc.) En règle générale, *again* exprime une répétition, tandis que *back* (ou *back again*) exprime un retour au point de départ, ou une action réciproque.

> We must **do** it **again.**
> *Il faut le refaire.*

> I'm going to **read** it **again.**
> *Je vais le relire.*

> He **gave** me **back** my money.
> *Il m'a rendu mon argent.*

> Can you **put** the plates **back** in the cupboard ?
> *Tu peux remettre les assiettes dans le placard ?*

Remarque

Notez que *again* se met généralement en fin de proposition.

> I read the letter **again.** (*Et non* I read again the letter.)
> *J'ai relu la lettre.*

EXERCICE

1. *Mettez* again *ou* back :
1. He didn't understand, so I asked ...
2. Could I hear the record ... ?
3. Put my watch ... on the table, please.
4. If you do it ..., I'll be very angry.

2. *Traduisez en anglais :*
1. Il ne rejouera pas.
2. J'ai ramené votre bicyclette. (Present perfect.)
3. N'oublie pas de renvoyer les livres.
4. Je voudrais revoir tes photos.

15 Ago

Ago correspond à "il y a" (sens temporel, **voir 161²**), mais c'est un adverbe. Il se place toujours après l'expression de temps.

> two days **ago**   a long time **ago**
> *il y a deux jours*   *il y a longtemps*

Ago s'emploie normalement avec le **prétérit.**

> She **telephoned** about an hour **ago.**
> *Elle a téléphoné il y a une heure environ.*

EXERCICE

Traduisez en anglais :
1. il y a une semaine
2. il y a des années
3. il y a deux jours
4. J'ai vu Robert il y a cinq minutes.
5. Elle est arrivée il y a une heure.
6. Je me suis levé il y a longtemps.

16 Agree

C'est un verbe. "Je suis d'accord avec vous" = *I agree with you* (et non ~~I am agree...~~).

I don't agree about the dates.
Je ne suis pas d'accord pour les dates.

I agree with Alice.
Je suis d'accord avec Alice.

Do you agree ?
Êtes-vous d'accord ?

EXERCICE ────────

Traduisez en anglais :
1. Elle n'est pas d'accord.
2. Christian est d'accord avec moi.
3. "Êtes-vous d'accord ?" "Je ne sais pas."
4. Nous sommes tous d'accord avec toi.
5. Je pense qu'il est d'accord.
6. "Je ne suis pas d'accord." "Pourquoi ?"

Remarques

1. *To agree* se rapporte à une opinion. Lorsque "être d'accord" correspond plutôt à une idée de permission (= "vouloir bien"), il se traduit autrement en anglais. Par exemple :

You can come on Sunday, my mother **doesn't mind.**
Tu peux venir dimanche, ma mère est d'accord.

2. Ne confondez pas :

I agree : *je suis d'accord*

all right : *d'accord*

I'm all right : *je vais bien*

3. *Agree* traduit le verbe "accepter" lorsqu'il est suivi d'un infinitif.

I agree to see him tomorrow. (*Et non* ~~I accept to...~~)
J'accepte de le voir demain.

17 All : sens et emploi

1. All correspond généralement à "tout" ou "tous".

all my life   I know them **all.**
toute ma vie   *Je les connais tous.*

2. Mais, contrairement à "tout" ou "tous", *all* ne s'emploie pas au sens de "chaque". Dans ce cas-là, on utilise *every* ou *each*. (Pour la différence, voir 94.)

every (ou **each**) **man**   **every day** (au singulier)
tout homme (= *chaque homme*)   *tous les jours* (= *chaque jour*)

3. Ne confondez pas : *every day* (= "tous les jours") et *all day* (= "toute la journée") ; *every morning* (= "tous les matins") et *all (the) morning* (= "toute la matinée"), etc. Comparez :

> I worked **every day**.
> *J'ai travaillé tous les jours.*

> I worked **all day**.
> *J'ai travaillé toute la journée.*

EXERCICE ———————————————————————

Traduisez en anglais :

1. tous mes amis
2. toute la famille
3. tous les ans
4. tout mon argent

5. toute la ville
6. toute femme
7. tous les après-midi
8. tout l'après-midi

Remarques

1. "Tout" peut également signifier "n'importe lequel". Il correspond alors à *any*. (Voir 26.)

> She may arrive at **any** moment.
> *Elle peut arriver à tout moment.*

2. Notez que "tous les deux" se traduit généralement par *both*. (Voir 52.)

> You're **both** late.
> *Vous êtes tous les deux en retard.*

```
——————— RAPPEL ———————
Tout / tous = l'ensemble = all
Tout / tous = chaque = every / each
Tout = n'importe lequel = any
```

18 All : position

Notez que *all* se place devant un verbe formé d'un seul mot et non après.

> My friends **all went** home. (*Et non* ... ~~went all~~...)
> *Mes amis sont tous rentrés chez eux.*

> We **all think** she's wrong.
> *Nous pensons tous qu'elle a tort.*

Exception : *all* se place après *am, are, is, was, were.*

> We **are all** tired.
> *Nous sommes tous fatigués.*

EXERCICE ———————————————————————

Traduisez en anglais :

1. Nous espérons tous...
2. Elles habitent toutes...
3. Ils parlent tous anglais.

4. Ils travaillent tous à Londres.
5. Elles savent toutes...
6. Ils ont tous...

Remarque

Lorsque le verbe comporte plusieurs mots, *all* se place, comme en français, après l'auxiliaire (après le premier auxiliaire lorsqu'il y en a plusieurs).

> We **have all** forgotten.
> *Nous avons tous oublié.*

> We **would all** have been disappointed.
> *Nous aurions tous été déçus.*

19   All et all of

1. *All* s'emploie sans *of* devant un nom utilisé dans un sens général (sans article ni adjectif possessif ni démonstratif). Comparez :

> **All men** are equal.
> *Tous les hommes (en général) sont égaux.*

> **All (of) the men** in the room are writers.
> *Tous les hommes qui se trouvent dans cette pièce sont écrivains.*

2. Dans les autres cas, on peut généralement employer *all* avec ou sans *of*. *All of* est plus courant en anglais américain.

all (of) the time	**all (of) my** friends	**all (of) this** confusion
tout le temps	*tous mes amis*	*toute cette confusion*

3. *Of* est obligatoire devant un pronom personnel : on dit *all of us / you / them*. (Mais on peut aussi dire *we all, us all, you all*, etc.

> **All of us** agree with you. *(ou* **We all** agree with you.)
> *Nous sommes tous d'accord avec vous.*

Remarque

On ne met pas *the* devant un nom pluriel utilisé dans un sens général (Cf. exemple ci-dessus *All men...*).

EXERCICE
────────────────────────────────

Traduisez en anglais :

1. Tous les animaux ont des yeux.
2. toute ma famille
3. vous tous
4. tous les pays (en général)
5. tous nos vêtements
6. Je les inviterai tous.

20 All et everything

Lorsque "tout" est employé comme pronom (= sans nom), il se traduit par *everything*, et non ~~all~~.

> I've lost **everything**. (Attention à l'ordre des mots.)
> *J'ai tout perdu.*
>
> **Everything's** fine.
> *Tout va bien.*

EXERCICE ————————————————

Traduisez en anglais :

1. Tout est parfait.
2. J'ai tout oublié.
3. Tout est prêt.

4. Dis-moi tout.
5. tout ou rien.
6. J'ai tout fini.

21 All et every : négation

Dans la négation d'une phrase qui commence par *all* ou *every* (ou un composé d'*every*), *not* se met le plus souvent devant *all* ou *every*, et le verbe reste à la forme affirmative.

> **Not all** English people **drink** tea. (*Et non* ~~All English people don't drink tea.~~)
> *Tous les Anglais ne boivent pas de thé.*
> (ou : *Les Anglais ne boivent pas tous du thé*).
>
> **Not everybody thinks** like you.
> *Tout le monde ne pense pas comme vous.*
>
> **Not everything's** ready.
> *Tout n'est pas prêt.*

EXERCICE ————————————————

Traduisez en anglais :

1. Tous les Français n'habitent pas à Paris.
2. Tous les Allemands (= German people) n'aiment pas la bière.
3. Tous les Suisses (= Swiss people) ne parlent pas français.

4. Tous les Américains ne sont pas des cowboys.
5. Tout le monde n'a pas les mêmes goûts (= tastes).
6. Tout n'est pas facile dans la vie.

22 Also, as well et too

1. En général, *also* se place à côté d'un verbe (voir 232), *too* et *as well* en fin de proposition.

> She's a good pianist, and she **also plays** the violin.
> She's a good pianist, and she plays the violin **too / as well**.
> *C'est une bonne pianiste ; elle joue aussi du violon.*

2. "Moi aussi" se traduit souvent par *me too* (anglais parlé familier), et par *I am too / I do too / I have too*, etc. (selon le verbe de la phrase précédente) en anglais parlé ou écrit.

> 'I like this film.' **'Me too.'**
> *"J'aime bien ce film." "Moi aussi."*

> My sister likes Italy. **I do too.**
> *Ma sœur aime l'Italie. Moi aussi.*

EXERCICE ───────────────────

Mettez also *ou* too / as well :

1. 'I'm hungry.' 'Me ... .'
2. His wife is a well-known dramatist. She ... writes novels.
3. 'Would you like something to drink?' 'Yes, and something to eat ... .'
4. 'Alice and Mary are coming.' 'Is Cathy coming ... ?'
5. 'I think it's disgusting.' 'Me ... .'
6. Eskimos live in Canada and Alaska. They ... live in Siberia.

Remarques

1. *As well as* = "et aussi" ("ainsi que"). L'expression peut être suivie de la forme en -*ing*.

> I speak German **as well as French.**
> *Je parle français et aussi allemand.*

> She acts **as well as dancing.**
> *Elle fait de la danse et aussi du théâtre.*

2. "Moi aussi" peut également se traduire par *so am I / so do I*, etc. en anglais parlé ou écrit (voir 307[1]).

23 Also et so

So = "alors", "donc", "aussi", "par conséquent".
Also = "aussi", "également".
Ne les confondez pas.

1. *So* se trouve généralement en tête de phrase ou de proposition.

> **So** what shall we do?
> *Alors, qu'est-ce qu'on fait ?*

> I didn't know what to do **so** I went to bed.
> *Je ne savais pas quoi faire, alors j'ai été me coucher.*

2. *Also* se place généralement à côté du verbe (voir 232).

> I like tennis. I **also like** table-tennis.
> *J'aime le tennis. J'aime aussi le ping-pong.*

EXERCICE ───────────────────

Mettez also *ou* so :

1. She speaks German, and she can ... read Spanish.
2. The weather was bad, ... we stayed at home.
3. I'd like a pound of tomatoes. I ... need some potatoes.
4. 'Everybody's gone home.' '... why are you here?'
5. He works hard, ... he gets very tired.
6. She likes music and painting. She ... goes dancing very often.

24 Always

1. *Always* se place normalement à côté du verbe. (Pour sa place exacte, voir 232.)

> I **always forget** his name !
> *J'oublie toujours son nom !*
>
> I **have always wondered** where she lived.
> *Je me suis toujours demandé où elle habitait.*

2. *Always* se place au début des phrases impératives.

> **Always use** boiling water to make tea.
> *Utilisez toujours de l'eau bouillante pour faire du thé.*

EXERCICE

Mettez always *au bon endroit :*

1. He tells the truth / always.
2. My mother has got up at six / always.
3. Wash your hands before eating / always.
4. I work well in the morning / always.
5. We go to Italy on holiday / always.
6. Put 'an' before 'hour' / always.

Remarques

1. Pour l'emploi de *always* avec le présent progressif, voir 315.

2. Attention ! "Toujours" au sens de "encore" = *still* (et non ~~always~~).

> 'Is Paul back ?' 'No, he's **still** in Italy.'
> *"Est-ce que Paul est rentré ?" "Non, il est toujours en Italie." (= Il est encore en Italie.)*

(Pour plus de détails sur l'emploi de *still,* voir 298.)

25 And après try, come, go et wait

On emploie souvent "*and* + proposition" (au lieu de "*to-infinitif*") après *try, come, go* et *wait,* surtout en anglais parlé. Le verbe qui suit *and* est à la même forme que celui qui le précède. (C'est le plus souvent un infinitif sans *to* ou un impératif.)

> I'll **try and answer** your questions.
> *J'essaierai de répondre à vos questions.*
>
> **Come and have** a drink.
> *Viens prendre un verre.*
>
> **Go and see** who it is.
> *Va voir qui c'est.*
>
> **Wait and see.**
> *Vous verrez bien.*

EXERCICE

Traduisez en anglais :

1. Essaie de comprendre.
2. Allons voir Maurice.
3. Viens déjeuner (= have lunch) avec nous demain.
4. Je veux aller voir un film.

26 Any et every (et leurs composés)

1. Ne confondez pas *any* et *every*.

Any = "n'importe quel", ou "tout" au sens de "n'importe quel".

> **You can come at any time.**
> · *Tu peux venir à n'importe quelle heure. (Ou ...à toute heure.)*

> **Any day** will suit me.
> *N'importe quel jour me conviendra.*

Every = "chaque" ou "tout / tous" au sens de "chaque" (voir 17).

> **Every man** is selfish.
> *Tout homme (= chaque homme) est égoïste.*

> He comes **every day** (*singulier*)
> *Il vient tous les jours.*

2. *Everything* = "tout" au sens de "toutes les choses" ; *anything* = "n'importe quoi"
Everybody = "tout le monde" ; *anybody* = "n'importe qui"
Everywhere = "partout" ; *anywhere* = "n'importe où".

> ' What would you like to drink ?' '**Anything.**'
> *"Qu'est-ce que vous voulez boire ?" "N'importe quoi."*

> 'What's wrong ?' '**Everything.**'
> *"Qu'est-ce qui ne va pas ?" "Tout."*

> 'Where shall we sit ?' '**Anywhere.**'
> *"Où est-ce qu'on se met ?" "N'importe où."*

3. Notez que *everybody* est singulier (comme "tout le monde" en français).

> **Everybody likes** him. (*Et non* ~~Everybody like him.~~)
> *Tout le monde l'aime.*

EXERCICE

Mettez any *ou* every, *ou l'un de leurs composés :*

1. 'When would you like to come ?'
   'Oh, ... time.'
2. I told her ... about my holiday.
3. I go to London ... Saturday.
4. 'Where would you like to live ?'
   '..., but not here.'
5. ... needs love, not just you and me.
6. She doesn't go out with ... . She's snobbish.

Remarques

1. Pour la différence entre *any* et *no*, voir 219.

2. Pour l'autre sens de *any* (et de ses composés), voir 293 et 295.

27 Comment traduire "arriver" ?

1. *To arrive (at / in), to get (to)* : "arriver à / dans un lieu".

> **What time did you arrive ?**
> *A quelle heure es-tu arrivé ?*
>
> **I'll get** there before you.
> *J'arriverai avant toi.*
>
> **We arrived at** the station just before six. (*ou :* **We got to** the station...).
> *Nous sommes arrivés à la gare juste avant six heures.*

2. *To happen* : "arriver", "se passer", "se produire" (voir 141).

> **It happened** during the night.
> *C'est arrivé pendant la nuit.*

3. *To manage (to do something)* : "arriver", "réussir" (à faire quelque chose).

> **I can't manage** to draw.
> *Je n'arrive pas à dessiner.*

EXERCICE —————

Traduisez en anglais :
1. Il est arrivé à cinq heures.
2. Je n'arrive pas à les comprendre.

3. Sais-tu ce qui est arrivé hier ?
4. A quelle heure êtes-vous arrivés à Londres ?

Remarque

Notez également ces deux traductions du verbe "arriver".

> 'Hurry up, Peter.' **'I'm coming !'**
> *"Dépêche-toi, Peter." "J'arrive !"*
>
> **What's the matter with** you ?
> *Qu'est-ce qui t'arrive ?*

28 As ... as

1. *As ... as* = "aussi ... que" (comparatif d'égalité). Cette structure s'emploie avec un adjectif seul (= sans nom) ou avec un adverbe.

> He's **as tall as** me now.
> *Il est aussi grand que moi maintenant.*
>
> My motorbike goes **as fast as** yours.
> *Ma moto roule aussi vite que la tienne.*

2. *Not as ... as* (ou *not so ... as*) = "pas aussi ... que", "moins ... que" (comparatif d'infériorité).

> It's **not so / as** cold **as** yesterday.
> *Il fait moins froid qu'hier.*
>
> I **don't** walk **as** fast **as** you.
> *Je ne marche pas aussi vite que toi.*

Remarques

1. *"Deux fois plus ... que"*, *"trois fois plus ... que"*, etc. = *twice as ... as, three times as ... as,* etc.

> He's **twice as** strong **as** me.
> *Il est deux fois plus fort que moi.*

2. Dans un style familier, on emploie un pronom complément d'objet (*me, him,* etc.) après *as* (voir 259[1]). Dans un style plus soigné, on emploie un pronom sujet (*I, he,* etc.), éventuellement suivi d'un verbe. Comparez :

> He's as tall **as me.** (Style familier.)
> He's as tall **as I (am).** (Style soigné.)

3. Notez la tournure *as ... as possible* (= *"le plus ... possible"*).

> Please do it **as** quickly **as possible.**
> *Faites-le le plus vite possible, s'il vous plaît.*

EXERCICE

Traduisez en anglais :

1. Elle est aussi intelligente que sa sœur.
2. Je suis moins fatigué qu'hier.
3. Nous sommes venus le plus vite possible. (Prétérit.)
4. Il fait deux fois plus froid que ce matin.
5. Je ne travaille pas aussi bien que toi.
6. Je sors moins souvent qu'autrefois (= I used to).

---

29 As much / many... as

As much / many ... as = *"autant de ... que"*.
Not as much / many ... as (ou *not so much / many ... as*) = *"pas autant de ... que"*.
Notez que *much* s'emploie devant un singulier et *many* devant un pluriel (voir 206).

> There's **as much traffic** in London **as** in Paris.
> *Il y a autant de circulation à Londres qu'à Paris.*

> There aren't **so many parks** in Paris **as** in London.
> *Il n'y a pas autant de parcs à Paris qu'à Londres.*

On peut employer ces tournures seules (= sans nom) ou, éventuellement, avec un nom sous-entendu.

> I don't work **as much as** I should.
> *Je ne travaille pas autant qu'il le faudrait.*

> 'Look at my **posters.'** 'I haven't got **as many as** you.'
> *"Regarde mes posters." "Je n'en ai pas autant que toi."*

EXERCICE

Traduisez en anglais :

1. Je n'ai pas autant de temps libre que l'année dernière.
2. Il y a autant de restaurants chinois (= Chinese) à Londres qu'à Paris.
3. Vous pouvez manger autant que vous voulez pour £ 5.
4. "Est-ce que tu as beaucoup de disques ?" "Pas autant que toi."
5. Je n'ai pas autant d'amis que ma sœur.
6. Il n'y a pas autant d'essence (= petrol) que je croyais.

30 As et like (ressemblance)

On peut utiliser *as* ou *like* pour dire que deux choses (ou deux personnes, situations, etc.) se ressemblent (français : "comme"). Il y a une différence grammaticale. En principe, on utilise :

1. as + sujet + verbe.

> He's a doctor, **as his father and grandfather were** before him.
> *Il est médecin, comme son père et son grand-père l'étaient avant lui.*

> **as you like**   **as she said**
> *comme vous voulez*   *comme elle a dit*

On emploie également *as* devant une préposition.

> It happened **as in a dream.**
> *Ça s'est passé comme dans un rêve.*

2. like + nom seul (sans verbe) ou pronom personnel complément.

> My sister isn't **like me,** she's more **like my mother.**
> *Ma sœur n'est pas comme moi, elle est plutôt comme ma mère.*

EXERCICE

Mettez as *ou* like :

1. There aren't many people ... you.
2. I like eating pork with apple sauce, ... they do in England.
3. You look ... your father.
4. I can resist anything except temptation, ... Oscar Wilde said.
5. I'd like to cross Africa in a balloon, ... they did in Jules Verne's story.
6. I love the sea, in summer ... in winter.
7. My friend Frank is ... a brother to me.
8. 'Shall we go out this evening?' '... you like.'

Remarques

1. En anglais parlé (surtout en américain), on emploie souvent *like* au lieu de *as* devant un verbe.

> Nobody loves you **like I do,** baby.
> *Personne ne t'aime comme moi, baby.*

2. *As* s'emploie devant un nom pour indiquer la fonction ou le rôle d'une personne ou d'une chose (français : "comme" au sens de "en tant que").

> He worked **as a bus-driver.**
> *Il a travaillé comme conducteur d'autobus.*

> I used my shoe **as a hammer.**
> *J'ai utilisé ma chaussure comme marteau.*

31 As if et as though

As if et *as though* s'emploient, l'un et l'autre, pour parler d'une impression. On les trouve surtout après les verbes *look, seem, feel.* Attention à la concordance des temps.

> She **looks / seems as if** she's enjoying herself.
> *Elle a l'air de bien s'amuser.*

> I **felt as though** I was falling.
> *J'avais l'impression de tomber.*

> It **looks as though** it's going to rain.
> *On dirait qu'il va pleuvoir.*

EXERCICE ————————————————————

Traduisez en anglais :

1. Il a l'air d'avoir faim. (*Utilisez* looks as if / though.)
2. J'ai l'impression de rêver. (feel as if / though.)
3. On dirait qu'elle ne comprend pas. (looks as if / though.)
4. Il avait l'air de réfléchir.
5. On dirait que vous avez froid.
6. J'avais l'impression d'être seul au monde.

Remarque

Dans la langue parlée (et surtout en américain), *like* s'emploie souvent au lieu de *as if / though.* Cet usage est considéré comme 'incorrect'.

> I feel **like** I'm falling in love.
> *On dirait que je suis en train de tomber amoureux.*

32 As long as

1. *As long as* = "tant que" ou "à condition que", "du moment que".

> I'll stay here **as long as** you need me. (*Notez le temps présent. Voir* 133[1].)
> *Je resterai là tant que vous aurez besoin de moi.*

> You can take my motorbike **as long as** you buy some petrol.
> *Tu peux prendre ma moto à condition que tu achètes de l'essence.*
> (Ou : *... à condition d'acheter de l'essence.*)

2. Une proposition négative avec "tant que" se traduit par une proposition affirmative avec *until.*

> We can't do anything **until you've made** a decision.
> *Tant que vous n'aurez pas pris de décision, nous ne pourrons rien faire.*
> (Ou : *Nous ne pouvons rien faire tant que vous n'avez pas pris de décision.*)

Notez qu'un futur antérieur français se traduit, en ce cas, par le present perfect.

Traduisez en anglais :

1. Je resterai à la campagne tant qu'il fera beau. (1)
2. Nous viendrons ce soir à condition que tu invites Maria. (1)
3. Nous ne pouvons pas commencer tant que Marise n'est pas là. (2)
4. Tu peux manger avec nous à condition de nous aider. (1)
5. Du moment que j'ai des amis, je suis heureux. (1)
6. Tant que tu n'auras pas téléphoné, il ne saura rien. (2)

33 Ask

1. *"*Demander une chose ou un service*"* = *to ask* **for** *something.*
*"*Demander un renseignement*"* = *to ask something.*
Comparez :

I asked for a cigarette.	She **asked** me **for a light.**
J'ai demandé une cigarette.	*Elle m'a demandé du feu.*
Ask him **the time.**	**to ask one's way**
Demande-lui l'heure.	*demander son chemin*

Mettez for *où c'est nécessaire :*

1. I asked ... his name.
2. Ask her ... her address.
3. He asked me ... money.
4. I'll ask ... an appointment (= rendez-vous) with Mr. Brown.
5. Excuse me - may I ask you ... the date ?
6. She asked me ... a glass of wine.

2. On ne met pas de préposition devant l'objet indirect (= la personne à laquelle on pose la question).

I asked a policeman the time.
J'ai demandé l'heure à un agent de police.

Traduisez en anglais :

1. Demande à Paul.
2. Je demanderai à Mary de venir.
3. Peux-tu demander à Dan son numéro de téléphone ?
4. J'ai demandé l'heure à mon voisin.
5. Demande le chemin à un agent de police.
6. Il demanda de l'aide à mon père.

34 Asleep

1. *Asleep* s'emploie plus souvent que *sleeping* après *to be.*

She's asleep.
Elle dort.

Par contre, *asleep* ne peut pas être utilisé devant un nom.

a sleeping baby (*et non* ~~an asleep baby~~)
un bébé endormi

2. Ne confondez pas *asleep* et *sleepy*.

She's sleepy.
Elle a sommeil.

EXERCICE

Traduisez en anglais :
1. J'ai sommeil.
2. Est-ce que tu dors ?

3. La femme était endormie.
4. une femme endormie

35 At et in (lieu)

1. Les adresses

On emploie *at* devant le numéro d'une maison.

She lives at number 73.
Elle habite au 73.

I live at 15, Anderson Gardens.
J'habite 15 Anderson Gardens.

In s'emploie devant le nom d'une rue, d'une ville ou d'une région.

My doctor lives in Nelson Street.
Mon médecin habite Nelson Street.

Shakespeare lived in Stratford-on-Avon, in Warwickshire.
Shakespeare habitait à Stratford-on-Avon, dans le Warwickshire.

2. Les villages, les villes, etc.

Le choix entre *in* et *at* dépend de l'importance de l'endroit. On emploie *in* pour les grandes villes (ex. : *He lives in London*), et aussi pour des endroits plus petits s'ils ont beaucoup d'importance pour celui qui parle. Comparez :

I've lived all my life in Lower Boddington.
J'ai habité toute ma vie à Lower Boddington. (= petit village d'Angleterre)

We stopped at Lower Boddington to buy a newspaper.
Nous nous sommes arrêtés à Lower Boddington pour acheter un journal.

L'habitant dit *in* (pour lui, le village a beaucoup d'importance). Le voyageur (pour qui le village n'est qu'un point sur un itinéraire) dit *at*.

3. Les bâtiments, lieux de travail, lieux de rencontre, etc.

At et *in* sont tous les deux possibles avec des mots comme *theatre*, *cinema*, *factory* (= "usine"), *football ground* (= "stade"), *office* (= "bureau"), etc.
On a tendance à préférer *at* quand on pense à l'activité plutôt qu'à l'endroit en soi, ou quand l'endroit sert à un rendez-vous. Comparez :

There were seven people in the pub.
Il y avait sept personnes dans le pub. (= lieu)

Let's meet **at the pub** about seven o'clock, OK ?
On se retrouve au pub vers sept heures, OK ? (= rendez-vous)

Did you have a good time **at the concert** ?
Vous vous êtes bien amusés au concert ? (= activité)

4. Expressions fixes sans article

Il y a un certain nombre d'expressions fixes sans article, dont quelques-unes avec *in* et d'autres avec *at*. Les plus courantes sont :

in bed	**in** hospital	**in** prison
au lit	*à l'hôpital*	*en prison*

at home	**at** school	**at** work	**at** university
à la maison	*à l'école*	*au travail*	*à l'université*

(Notez qu'après un verbe de mouvement, *at* et *in* sont remplacés par *to*. Ex. : *Go to bed - He went to school.*)

EXERCICE

Mettez in *ou* at :

1. My father lives ... Birmingham. (1)
2. I live ... 43 Lake Street. (1)
3. I spent two weeks ... Lyon last year. (2)
4. We changed trains ... a little place called Upton. (2)
5. I'll see you ... the theatre at eight o'clock. (3)
6. I was ... university from 1975 to 1978. (4)
7. The Prime Minister lives ... 10 Downing Street. (1)
8. My mother lived ... Glasgow when she was a girl. (2)
9. 'Where did you spend your holiday ?' '... Cannes.' (2)
10. 'Is the train direct ?' 'No, change ... Crewe.' (2)
11. I saw Andrew ... the football match. (3)
12. 'Where's Colin ?' '... school.' (4)

Remarque

La préposition *"à"* ne se traduit pas dans les indications de distance.

I live three miles from here.
J'habite à cinq kilomètres d'ici.

Two hundred yards from my house there's a chemist's.
A deux cents mètres de chez moi il y a une pharmacie.

36 At, in, on (temps)

1. On emploie *at* pour donner l'heure d'un rendez-vous, d'un événement, etc.

at six o'clock   **at seven-fifteen**
à six heures   *à sept heures quinze*

At ne s'emploie pas toujours devant *time*.

What time will you be ready ?
A quelle heure seras-tu prêt ?

2. On dit *at Christmas* (= "à Noël"), *at Easter* (= "à Pâques"), etc. ; *at weekends, at the weekend.*

> What are you doing **at Christmas ?**
> *Qu'est-ce que tu fais à Noël ?*

> We often go to the country **at weekends.**
> *Nous allons souvent à la campagne le weekend.*

3. Pour traduire "le matin", "l'après-midi", etc. (compléments de temps), on dit *in the morning, in the afternoon, in the evening* mais *at night.*

> I usually stay at home **in the evening.**
> *Je reste généralement chez moi le soir.*

> I love walking **at night.**
> *J'adore marcher la nuit.*

4. On emploie *in* avec les mois, les années et les siècles.

> **in July**   **in 1945**   **in the 19th century**
> *au mois de juillet*   *en 1945*   *au 19ᵉ siècle*

5. *On* s'emploie devant les noms de jour et les dates précises.

> She arrived **on Monday.**   He died **on April 7th.**
> *Elle est arrivée lundi.*   *Il est mort le 7 avril.*

> See you **on Tuesday evening.**   I do yoga **on Fridays.**
> *A mardi soir.*   *Je fais du yoga le vendredi*

EXERCICE _____

Mettez at, in *ou* on :

1. I'll be free ... four o'clock.
2. I don't like getting up ... the morning.
3. What are you doing ... Saturday evening ?
4. We're going to Portugal ... Easter.
5. I was born ... July.
6. See you this evening ... half past seven.
7. I'm not going to work ... the morning.
8. My birthday is ... March 21st.
9. We always go to stay with my grandmother ... Christmas.
10. Shakespeare was born ... the 16th century.

_____ **RAPPEL** _____

le matin = **in** the morning
le lundi = **on** Monday(s)
le lundi matin = **on** Monday morning(s)
le weekend = **at** weekends / **at** the weekend
la nuit = **at** night
in April - **on** April 7th
in 1945 - **on** April 7th, 1945

37 At et to

At et *to* peuvent tous deux correspondre au français "à" ou "chez".

On emploie *at* lorsqu'il n'y a pas de déplacement (ex. : après *to be, to stay*,etc.).

He's at school.   Lucy **is at** Dan's.
Il est à l'école.   *Lucy est chez Dan.*

On emploie *to* lorsqu'il y a un déplacement (ex. : après *to go, to come, to bring*, etc.).

Do you **go to** school on Saturdays ?   Lucy often **goes to** Dan's.
Vas-tu à l'école le samedi ?   *Lucy va souvent chez Dan.*

Exception : on ne met pas *to* devant *home*. Comparez :

He's at home.   He **comes back home at** five.
Il est chez lui.   *Il rentre chez lui à cinq heures.*

EXERCICE ────────────────

Mettez at *ou* to *(ou rien)* :

1. I've got to go ... the office in ten minutes.
2. I'll be ... the station at four o'clock.
3. Will you be ... home tomorrow evening ?·
4. I went ... a football match last Saturday.
5. Carola didn't come ... home last night.
6. I never send Christmas cards ... my friends.
7. 'Where's Bill ?' '... the discotheque.'
8. There's a good film on ... the cinema tonight.

Remarques

1. *At* s'emploie dans deux ou trois expressions qui indiquent un déplacement. C'est le cas après *arrive* et aussi, parfois, après *throw* lorsqu'il y a une intention hostile.

We **arrived at** Edinburgh at seven-thirty.
Nous sommes arrivés à Edimbourg à sept heures trente.

He **threw** the ball **at** my face.
Il m'a lancé la balle à la figure.

Quand il n'y a pas d'intention hostile, on emploie *to*, après *throw*, ou aucune préposition.

He **threw** the ball **to** his partner. / He threw his partner the ball.
Il a lancé la balle à son partenaire.

2. Notez également : *smile at* (= "sourire à"), *laugh at* (= "se moquer de") et *look at* (= "regarder").

38 Comment traduire "aussi" ?

1. "Aussi ... que" = *as ... as*. "Pas aussi ... que" = *not so / as ... as*. (Voir 28.)

> He's nearly **as** big **as** me.
> *Il est presque aussi grand que moi.*

> She's **not as** pretty **as** her sister.
> *Elle n'est pas aussi jolie que sa sœur.*

2. "Aussi" au sens de "également" = *also* ou *too*. *Also* se place généralement à côté du verbe (voir 232) et *too* en fin de proposition.

> She **also plays** the guitar.
> *Elle joue aussi de la guitare.*

> Me **too.**
> *Moi aussi.*

3. La conjonction "aussi" (= "par conséquent") se traduit par *so*.

> These materials are beautiful, **so** they are expensive.
> *Ces étoffes sont belles, aussi coûtent-elles cher.*

EXERCICE ———————————

Mettez as, also, too *ou* so :

1. I like jazz. I ... like classical music.
2. London is ... far ... Amsterdam.
3. The work isn't well done, ... let's do it again.
4. 'You're nice.' 'You ... .'
5. I speak German ... badly ... English.
6. Give me some bread ..., please

39 Away

Away est une particule adverbiale qui se rajoute à un verbe pour exprimer l'idée d'éloignement. En français, on trouve souvent un seul verbe comme équivalent de "verbe + *away*".

> **to go away**
> *s'en aller*

> **to throw away**
> *jeter (à la poubelle, etc.)*

> **to put away**
> *ranger*

> **to run away**
> *s'évader, se sauver*

EXERCICE ———————————

Traduisez en anglais :

1. Va-t'en !
2. Susie ! Le chien s'est sauvé. (Present perfect.)
3. Jetez ces vieilles chaussures !
4. Range tes papiers, s'il te plaît.

40 Comment traduire "prendre un bain", "se baigner" ?

1. "Prendre un bain" (dans une baignoire) = *to have a bath.*

I always **have a bath** before going to bed.
Je prends toujours un bain avant d'aller me coucher.

2. "Se baigner", "prendre un bain" (dans la mer, une piscine, etc.) se traduit parfois par *to bathe* [beið], mais *to have a swim* est beaucoup plus courant.

Do you want **to have a swim** ?
Est-ce que tu as envie de te baigner ?

On dit également *to go for a swim* ou *to go swimming* ("se baigner", "aller se baigner") et *to come for a swim* ("venir se baigner").

We **went swimming** every day, it was super. (*ou :* We **went for a swim...**).
On allait se baigner tous les jours, c'était génial.

Are you **coming for a swim,** Tommy ?
Tu viens te baigner, Tommy ?

3. "Prendre un bain / des bains de soleil" = *to sunbathe.*

I love **sunbathing.**
J'adore prendre des bains de soleil.

Remarque

Dans *to have a bath* et *to have a swim, have* se conjugue comme un verbe ordinaire (avec des formes progressives et *do* dans les questions et les négations. Voir 146).

How often **do you have** a bath ?
Tu prends un bain tous les combien ?

EXERCICE ─────────────────────────────

Traduisez en anglais :

1. Je vais prendre un bain. (= dans la baignoire)
2. "Où est Ken ?" "Il prend un bain." (= dans la mer)
3. Pendant les vacances, j'allais me baigner plusieurs fois par jour.
4. Aimez-vous prendre des bains de soleil ?
5. Viens te baigner, l'eau est chaude.
6. "Est-ce que tu t'es baigné hier ?"

41 Be : formes

1. Présent

Forme complète	Forme contractée
AFFIRMATION	
I am	I'm
you are	you're
he / she / it is	he / she / it's
we are	we're
they are	they're
INTERROGATION	
am I ... ?	
are you ... ?	
is he / she / it ... ?	
are we ... ?	
are they ... ?	
NÉGATION	
I am not	I'm not
you are not	you're not *ou* you aren't
he / she / it is not	he / she / it's not *ou* he / she / it isn't
we are not	we're not *ou* we aren't
they are not	they're not *ou* they aren't
INTERRONÉGATION	
am I not ... ?	aren't I (*et non* amn't I) ... ?
are you not ... ?	aren't you ... ?
is he / she / it not ... ?	isn't he / she / it ... ?
are we not ... ?	aren't we ... ?
are they not ... ?	aren't they ... ?

Remarques

1. Il existe deux formes contractées pour la négation (sauf à la première personne). On peut employer indifféremment l'une ou l'autre.

2. Les formes interronégatives non contractées (*am I not,* etc.) sont rares en anglais parlé.

3. Dans beaucoup de dialectes anglais et américains, il existe une forme *ain't* qui remplace toutes les formes négatives (*I / you / he,* etc. *ain't = I'm not, you're not, he's not,* etc.). *Ain't* remplace aussi *have / has not.*

EXERCICE

Traduisez en anglais :

1. Je suis heureuse.
2. Nous sommes en retard.
3. Ils ne sont pas riches.
4. Est-elle jolie ?
5. Est-ce qu'ils sont libres ?
6. N'êtes-vous pas Bob Wilson ?

2. Prétérit

Forme complète	Forme contractée
AFFIRMATION	
I was you were he / she / it was we were they were	
INTERROGATION	
was I ... ? were you ... ? was he / she / it ... ? were we ... ? were they ... ?	
NÉGATION	
I was not you were not he / she / it was not we were not they were not	I wasn't you weren't he / she / it wasn't we weren't they weren't
INTERRONÉGATION	
was I not ... ? were you not ... ? was he / she / it not ... ? were we not ... ? were they not ... ?	wasn't I ... ? weren't you ... ? wasn't he / she / it ... ? weren't we ... ? weren't they ... ?

Remarque

Les formes interronégatives non contractées (*was I not,* etc.) sont rares en anglais parlé.

EXERCICES ———

1. Mettez was *ou* were :

1. You ... - 2. They ... - 3. ... he ? - 4. She ... not - 5. ... we ? - 6. You ... not.

2. Mettez ces phrases au prétérit :

1. We're young.
2. Is he responsible ?
3. They're not ready.
4. Isn't she pleased ?
5. I'm not surprised.
6. You're lucky.

---

3. Futur

Forme complète	Forme contractée
AFFIRMATION	
I will (*ou* shall) be	I'll be
you will be	you'll be
he / she / it will be	he / she / it'll be
we will (*ou* shall) be	we'll be
they will be	they'll be
INTERROGATION	
will (*ou* shall) I be ... ?	
will you be ... ?	
will he / she / it be ... ?	
will (*ou* shall) we be ... ?	
will they be ... ?	
NÉGATION	
I will (*ou* shall) not be	I won't (*ou* shan't) be
you will not be	you won't be
he / she / it will not be	he / she / it won't be
we will (*ou* shall) not be	we won't (*ou* shan't) be
they will not be	they won't be
INTERRONÉGATION	
will (*ou* shall) I not be ... ?	won't (*ou* shan't) I be ... ?
will you not be ... ?	won't you be ... ?
will he / she / it not be ... ?	won't he / she / it be ... ?
will (*ou* shall) we not be ... ?	won't (*ou* shan't) we be ... ?
will they not be ... ?	won't they be ... ?

Remarques

1. *Will* et *shall* s'emploient indifféremment à la première personne. Voir 126.

2. **Les formes interronégatives non contractées sont très rares en anglais parlé.**

EXERCICE ────────────────────────────────

Traduisez en anglais :

1. Je ne serai pas
2. Est-ce que tu seras ... ?
3. Ils seront
4. Est-ce qu'il sera libre ?
5. Nous ne serons pas à la maison.
6. Je serai en Angleterre.

4. Autres formes

CONDITIONNEL   I would be (I'd be), you would be (you'd be), etc.
        would I be, would you be, etc.
        I would not be (I wouldn't be), etc.
        would I not be (wouldn't I be), etc.

On peut employer *should* au lieu de *would* à la première personne. La contraction de *I should* (comme de *I would*) = *I'd*.

PRESENT PERFECT I have been (I've been), you have been, etc.

PLUPERFECT   I had been (I'd been), you had been, etc.

PARTICIPES   being, been.

IMPÉRATIF   be, don't be.

EXERCICE —————————————————————————————

Mettez be *à la forme qui convient :*

1. He has always ... lazy.
2. She ... ... pleased if you came.
3. I ... never ... to Canada.

4. What would you have done if you ... ... there ?
5. I don't like ... looked at.
6. Don't ... late !

Remarques

1. Notez que *do* peut s'employer avec *be* à l'impératif négatif et emphatique.

> **Don't be** stupid ! **Do be** quiet !
> *Ne sois pas bête !* *Veuillez vous taire !*

2. *Be* ne s'emploie pas normalement aux formes progressives (on dit *I'm happy now* et non ~~I'm being happy now~~). Mais on utilise la forme progressive pour parler du comportement actuel de quelqu'un.

> **You're being** ridiculous.
> *Tu te comportes d'une façon ridicule.*

> That child's **being** very good today.
> *Cet enfant est très sage aujourd'hui.*

Lorsque *be* s'emploie comme auxiliaire du passif, il peut se mettre à la forme progressive.

> **You're being watched.**
> *On vous regarde.*

42 Be et have

Ne confondez pas *to be* et *to have*.

1. Formes

Les formes de ces deux verbes sont complètement différentes (voir 41 et 143), à la seule exception de la contraction *he's / she's / it's*, qui correspond à la fois à *he / she / it is* et à *he / she / it has*. Dans un contexte précis, le sens de *'s* est quand même toujours clair. Comparez : *He's a doctor* (= *He is...*) et *He's got a new car* (= *He has...*).

2. Emploi

● *To be* correspond généralement au verbe "être" ; *to have* correspond généralement au verbe "avoir".

He **is** tall.	He **has** two brothers.
Il est grand.	*Il a deux frères.*
We **were** very pleased.	We **had** a cat.
Nous étions très contents.	*Nous avions un chat.*

● Mais dans certaines expressions, le français "avoir" se traduit par *be* et non par *have*. Les plus courantes sont :

avoir faim, soif	to be hungry, thirsty
avoir froid, chaud	to be cold, warm / hot
avoir peur	to be afraid
avoir sommeil	to be sleepy
avoir raison, tort	to be right, wrong
avoir de la chance	to be lucky
avoir... de long, de large	to be... long, wide
avoir 15/20/etc. ans	to be 15 /20 / etc.

I'm hungry	**I'm** very hot	**You're** wrong
J'ai faim	*J'ai très chaud*	*Vous avez tort*

The room **is** 30 feet long
La pièce a 10 mètres de long

'How old **are** you ?'   '**I'm** sixteen.'
"*Quel âge avez-vous ?*"   "*J'ai seize ans.*"

Notez que l'on peut dire *I'm sixteen* (anglais courant), *I'm sixteen years old* (anglais formel), mais pas ~~I'm sixteen years.~~

● *Be* s'emploie aussi pour parler de la taille (français : "mesurer / faire"), du poids (français : "peser / faire") et de la santé (français : "aller").

I'm 6ft 3.	**I'm** 85 kilos.	**How are you ?**
Je mesure 1,91 m.	*Je fais 85 kilos.*	*Comment allez-vous ?*

Traduisez en anglais :

1. Elle est américaine.
2. Elle a deux enfants.
3. Avez-vous soif ?
4. J'ai trop de travail.
5. Je pense que vous êtes fatigué.
6. Je n'ai pas peur de vous.
7. Vous avez tort.
8. Est-ce que vous avez l'adresse de Marie-Claude ?
9. Le film est mauvais.
10. Nous avons des amis en Écosse.
11. Ils sont très sympathiques.
12. Mes parents ont tous les deux quarante ans.
13. Vous êtes sûr ?
14. Je n'ai aucune idée (= no idea).
15. Ma chambre n'a que deux mètres de large.
16. J'ai sommeil.

Remarque

Certains verbes français se conjuguent avec ″être″ au passé composé et au plus-que-parfait (ex. : ″Je suis arrivé″ ; ″elle était partie″). *To be* ne s'emploie pas comme auxiliaire des temps parfaits en anglais.

I have arrived.	She **had left.**
Je suis arrivé.	*Elle était partie.*

43   Be + to-infinitif

1. Pour parler d'événements futurs établis à l'avance (surtout lorsqu'il s'agit d'un programme officiel), on peut utiliser ″*am / are / is* + *to*-infinitif″.

The Queen **is to visit** Canada next month.
La reine fera une visite au Canada le mois prochain.

The President **is to fly** to Moscow for urgent talks.
Le Président doit aller à Moscou pour des entretiens urgents.

2. Pour une action qui était prévue dans le passé, on peut employer ″*was / were* + *to*-infinitif″.

I felt sad because I **was** soon **to leave** home for the first time.
Je me sentais triste parce que je devais bientôt quitter la maison pour la première fois.

Pour indiquer que l'action ne s'est pas réalisée, on emploie l'infinitif passé.

I **was to have started** work last week, but I changed my mind.
Je devais commencer à travailler la semaine dernière, mais j'ai changé d'avis.

3. L'expression *you're (not) to* est souvent utilisée pour donner des ordres, surtout aux enfants.

You're to do your homework now, and **you're not to** watch TV until you've finished.
Tu fais tes devoirs maintenant, et tu ne regardes par la télé avant d'avoir fini.

4. *Am / are / is* sont souvent suivis de l'infinitif passif dans des contextes où le français préfère l'infinitif actif.

> This medicine **is to be taken** three times a day.
> *Ce médicament est à prendre trois fois par jour.*

EXERCICE ———————————————————

Traduisez en anglais (employez am / are / is + to-infinitif) :

1. Demain le Président inaugurera (= to open) un nouvel hôpital à New York.
2. Ce jour-là, j'ai vu pour la première fois la maison où nous devions passer dix ans de notre vie.
3. Vous ne devez pas lire mes lettres.
4. Tu dis merci à Papa.
5. Vous prendrez le train à 8 h 15.
6. Les enfants ne doivent pas jouer avec ma chaîne Hi-Fi (= my stereo).

44 Be able to

To be able to = "être capable de", "pouvoir", "savoir (faire quelque chose)". Cette expression existe à tous les temps. Elle remplace toujours *can* à l'infinitif (et donc au futur).

> I'd like **to be able to** swim well.
> *J'aimerais savoir bien nager.*

> You must **be able to** find a taxi round here.
> *Vous devez pouvoir trouver un taxi par ici.*

> I hope **I'll be able to** see him.
> *J'espère que je pourrai le voir.*

EXERCICE ———————————————————

Traduisez en anglais :

1. J'aimerais savoir faire la cuisine (= to cook).
2. Je ne pourrai pas travailler demain.
3. Je saurai bientôt parler anglais couramment (= fluently).
4. Dans cent ans, les gens pourront voyager partout.
5. Je pense que je pourrai vous aider demain.
6. Il est utile (= useful) de savoir conduire.

45 To be allowed to

1. *To be allowed to* = "avoir le droit / la permission de". Cette expression existe à tous les temps.

> Minors **are not allowed to** drink alcohol in pubs.
> *Les mineurs n'ont pas le droit de boire de l'alcool dans les pubs.*

2. Cette expression ne s'emploie jamais avec un sujet impersonnel (= *it*).

> Smoking **isn't allowed** in theatres (*Et non* It ~~isn't allowed to smoke.~~)
> *Il est interdit de fumer dans les théâtres (= Ce n'est pas permis).*

Traduisez en anglais :
1. Nous n'avons pas le droit de choisir.
2. Vous n'avez pas le droit de marcher sur l'herbe.
3. Est-ce que tu as le droit de sortir en semaine ? (= on weekdays).
4. Il est interdit de stationner ici, Madame.

Remarques

1. A la forme active, *to allow* signifie "permettre" (voir 247).

> We **don't allow** them to smoke.
> *Nous ne leur permettons pas de fumer.*

2. Ne confondez pas *to allow* et *to enable / to make it possible* (= "permettre" au sens de "donner la possibilité de" ; voir 247).

3. L'idée de permission s'exprime souvent à l'aide de *can* (voir 58), *let* (voir 183[1]) ou *doesn't / don't mind* (voir 203).

46 Be born

"Naître" se traduit en anglais par une structure passive : *to be born* (littéralement = "être porté au monde"). Pour parler du passé, on emploie la forme prétérite *was / were born.*

> I **was born** in 1916. (*Et non* I am born...)
> *Je suis né en 1916.*

Mettez was born *ou* were born :
1. Both my sister and I ... in March.
2. Oliver ... on Christmas day.
3. Rembrandt ... 350 years ago.
4. Three babies ... in our village last week.
5. I ... in London.
6. Where ... you ... ?

Remarque

Cette expression existe également à tous les autres temps.

> Babies **are born** every day.
> *Il naît des bébés tous les jours.*

> The baby **will be born** in June.
> *Le bébé naîtra en juin.*

47 Been et gone

Ne confondez pas :

He's been to London.
Il est allé à Londres (et il est rentré).

He's gone to London.
Il est allé à Londres (et il s'y trouve actuellement).

EXERCICE

Mettez been *ou* gone :

1. Have you ever ... to the United States ?
2. 'Where's Paul ?' 'He's ... shopping.'
3. I've never ... to Scotland.
4. Where have you ... all day ? I was looking for you.
5. David and Emily have ... to Italy for their holiday. They'll be back in October.
6. John isn't here, he's ... out for a few minutes.

48 Before

Comme toutes les prépositions, *before* est suivi de la forme en *-ing*, et non de l'infinitif.

before leaving (*et non* ~~before to leave~~)
avant de partir

before starting
avant de commencer

EXERCICE

Traduisez en anglais :

1. avant d'arriver
2. avant d'acheter le journal
3. Avant de jouer du piano, je ferme toutes les fenêtres.
4. avant de manger
5. avant d'écrire
6. Avant d'aller me coucher, je bois toujours un verre de lait.

Remarque

Before peut aussi être suivi d'un verbe conjugué.

Before I went out I closed all the doors.
Avant de sortir, j'ai fermé toutes les portes.

49 Better

Better peut s'employer comme adjectif attribut pour parler de la santé (comme *well*).

I'm much **better.**
Je vais beaucoup mieux.

She's completely **better.**
Elle est complètement rétabli.

EXERCICE

Traduisez en anglais :

1. Vous serez bientôt rétabli.
2. Est-ce que vous allez mieux ?
3. Elle va beaucoup mieux.
4. Je suis complètement rétabli.

50 Better et best

Ne pas confondre le comparatif *better (than)* (= "meilleur que" ou "mieux que") avec le superlatif *(the) best* (= "le meilleur" ou "le mieux"). Comparez :

> They say British TV is **better than** American.
> *On dit que la télé britannique est meilleure que l'américaine.*
>
> I speak German **better than** I write it.
> *Je parle l'allemand mieux que je ne l'écris.*
>
> Some people believe British TV is **the best** in the world.
> *Certaines personnes croient que la télé britannique est la meilleure du monde.*
>
> We all'speak German, but Andrew speaks it **best**.
> *Nous parlons tous allemand, mais c'est Andrew qui parle le mieux.*

EXERCICE ─────────────────────────

Traduisez en anglais :

1. Je chante mieux que toi.
2. "Scriptex - le meilleur stylo du monde (= in the world)."
3. Ce restaurant est meilleur que l'autre.
4. Je suis le meilleur de toute la classe (= in the class).
5. "Comment ça va ?" "Mieux qu'hier."
6. J'aime le pull noir mieux que le rouge (= the red one).

51 A bit

A bit est une expression familière (très courante en anglais parlé) qui correspond à "un peu".

> I'm feeling **a bit** tired.   I play **a bit of** tennis.
> *Je me sens un peu fatigué.*   *Je fais un peu de tennis.*

EXERCICE ─────────────────────────

Traduisez en anglais :

1. un peu plus long
2. un peu froid
3. Nous sommes un peu en retard.
4. un peu trop court
5. un peu mieux
6. un peu lourd

Remarque

A little a le même sens que *a bit (of)* mais s'emploie moins en anglais parlé.

52 Both

1. *Both* (= "tous les deux" ou "les deux") peut se mettre à côté du verbe (voir 232), ou avec le sujet de la proposition.

> My parents **are both** doctors.
> **Both my parents** are doctors.
> *Mes parents sont tous les deux médecins.*

Our children **both like** skiing.
Both our children like skiing.
Nos enfants aiment tous les deux le ski.

Devant un nom précédé d'un déterminant (*the, this, my,* etc.), on peut employer *of* avec *both* sans différence de sens.

both (of) the cars   **both (of) these vases**
les deux voitures   *ces deux vases*

both (of) my sisters
mes deux sœurs

2. *Both ... and* exprime l'idée de "à la fois", "et aussi" (lorsqu'on parle de deux caractéristiques ou de deux activités).

She's **both** charming **and** spontaneous.
Elle est à la fois charmante et spontanée.

I play **both** the guitar **and** the trumpet.
Je joue de la guitare et aussi de la trompette.
(ou : Je joue et de la guitare et de la trompette.)

EXERCICE ───────────────────────────────

Traduisez en anglais, en utilisant both :

1. Mes frères vont tous les deux à l'université.
2. Les deux fenêtres sont cassées.
3. Il est à la fois intelligent et sensible (= sensitive).
4. La France et l'Allemagne sont toutes les deux des républiques.
5. Mes deux poches sont déchirées (= torn).
6. Je joue au football et aussi au rugby.

Remarque

Lorsque "tous les deux" signifie "seuls tous les deux", il ne se traduit pas par *both*.

That evening we were **alone together.** (*ou* ... there were just the two of us.)
Ce soir-là nous étions tous les deux.

53   Bring et take

Bring (= "amener", "apporter") ne s'emploie, en règle générale, que lorsqu'il s'agit d'un mouvement vers celui qui parle ou celui qui écoute. Dans les autres cas, on utilise *take*. Comparez :

Could you **bring** me a glass of beer ?
Peux-tu m'apporter un verre de bière ?

Shall I **bring** you flowers ?
Veux-tu que je t'apporte des fleurs ?

Can you **take** the paper to Granny ? She's in the garden.
Tu peux porter le journal à Mamie ? Elle est dans le jardin.

Mettez bring *ou* take *à la forme qui convient :*

1. Could you ... me a plate, please ?
2. I'll ... Joanne to London with me tomorrow.
3. Would you please ... me the menu ?
4. We ... the children to the circus last week.
5. I ... back some whisky from Scotland last summer.
6. 'Can I borrow your records ?' 'Yes, but ... them back tomorrow, please.'

54 (Great) Britain
The United Kingdom et England

Théoriquement, il y a une distinction entre *(Great) Britain* et *The United Kingdom* (ou *The UK*). **Britain** désigne une unité géographique, dont les composantes sont *England, Scotland* (l'Écosse) et *Wales* (le Pays de Galles). **The UK** désigne l'unité politique composée de *Great Britain* et *Northern Ireland* (l'Irlande du Nord). Mais en fait, le terme *(Great) Britain* s'emploie souvent pour parler du *United Kingdom*.

N'employez pas **England** comme synonyme de *Britain*. L'Angleterre, l'Écosse et le Pays de Galles sont trois pays bien distincts ; les Écossais *(Scots)* et les Gallois *(Welsh)* n'apprécient pas du tout qu'on les appelle *English*.

EXERCICE

Les villes de York et Manchester sont toutes les deux en Angleterre. Cardiff (Pays de Galles) et Dundee (Écosse) sont en Grande-Bretagne. Londonderry (Irlande du Nord) et Manchester sont dans le Royaume-Uni. Utilisez un atlas pour compléter (en anglais) les phrases suivantes :

1. Birmingham and Manchester are in ...
2. Birmingham and Edinburgh are in ...
3. Cardiff and Belfast are in ...
4. Edinburgh and Aberdeen are in ...
5. Swansea and Liverpool are in ...
6. Belfast and Glasgow are in ...

55 But (= except)

1. *But* s'emploie parfois au sens de *except*. C'est le cas après *every, any, no* (et leurs composés *everyone, anything, nothing*, etc.), *all* et *none*.

> **Everyone but** me was dancing.
> *Tout le monde dansait sauf moi.*

> I haven't eaten **anything but** bread and cheese since Sunday.
> *Je n'ai rien mangé depuis dimanche si ce n'est du pain et du fromage.*

> You cause **nothing but** trouble.
> *Vous ne causez que des ennuis.*

2. L'expression *but for* signifie "sans", "si ce n'est / n'était ...", etc. (= s'il n'y avait pas ... / si cela ne s'était pas produit.)

But for the storm I would have been home before eight.
Sans l'orage j'aurais été à la maison avant huit heures.

It wouldn't matter **but for** the children.
Cela n'aurait pas d'importance s'il n'y avait les enfants.

56   By (the time)

By s'emploie dans un sens temporel pour exprimer l'idée de "date ou heure limite" dans des expressions comme *by next July* (= "d'ici juillet"), *by last Tuesday* (= "mardi dernier au plus tard") ou *by seven* (= "pour sept heures"). Devant un verbe, on emploie *by the time (that)*.

Tell me **by Friday**.
Dis-le moi vendredi au plus tard.

I'll have finished it **by Saturday**.
J'aurai terminé d'ici samedi.

I've got to be back **by eleven**.
Je dois être rentrée pour onze heures.

By the time she arrived everybody was exhausted.
Quand elle arriva enfin, tout le monde était épuisé.

EXERCICE

Traduisez en anglais (en utilisant by) :
1. Je dois être rentré pour huit heures.
2. Pouvez-vous le réparer (= repair) d'ici mercredi ?
3. Je vous appellerai à dix heures au plus tard.
4. J'aurai l'argent d'ici Noël.

57   Can et could

1. Formes

● *Can* ne prend pas d's à la troisième personne.

He can.
Il peut.

● Les formes interrogatives et négatives se construisent sans *do*. La forme négative s'écrit en un seul mot : *cannot* (contraction *can't*).

Can you help me ?
Pouvez-vous m'aider ?

I **cannot believe** it.
Je ne peux pas le croire.

She **can't swim**.
Elle ne sait pas nager.

● *Can* est suivi de l'infinitif sans *to* (voir exemples ci-dessus).

- *Can* n'a pas d'infinitif (on ne peut pas dire *to can*). On le remplace par *to be able to* (voir 44) ; au futur on emploie *will be able to*.

>   I would like **to be able to** sing.
>   *J'aimerais savoir chanter*
>
>   **I'll be able to** come tomorrow.
>   *Je pourrai venir demain.*

- Au prétérit et au conditionnel, on emploie *could* dans certains cas.

>   **I couldn't** understand.
>   *Je ne pouvais pas comprendre.*
>
>   **Could you** let him know ?
>   *Pourriez vous le prévenir ?*

2. Prononciation

- Devant un autre verbe, quand *can* ne porte pas l'accent tonique, on le prononce [kən]. Comparez :

>   **I can swim.** [ai kən 'swim]   Yes, **I can.** [jes, ai 'kæn]

- *Can't* se prononce toujours [kɑ:nt].

>   **I can't** help you. [ai kɑ:nt 'help ju:]   No, **I can't.** [nəu, ai 'kɑ:nt]

3. Sens et emploi

a. *Can* correspond, dans la plupart des cas, à "pouvoir" ou à "savoir (faire quelque chose)". On l'emploie pour parler de la capacité et de la possibilité, pour demander et donner la permission, et pour demander à quelqu'un de faire quelque chose.

>   **I can't** lift it.
>   *Je ne peux pas le soulever.*
>
>   **Can** you drive ?
>   *Savez-vous conduire ?*
>
>   Accidents **can** happen to anybody.
>   *Les accidents peuvent arriver à tout le monde.*
>
>   **Can** I telephone ?
>   *Est-ce que je peux téléphoner ?*
>
>   **Can** you watch the children for five minutes ?
>   *Peux-tu surveiller les enfants pendant cinq minutes ?*

b. *Could* s'emploie comme prétérit (= "pouvais", "savais") et comme conditionnel (= "pourrais").

>   **I couldn't** lift it.
>   *Je ne pouvais pas le soulever.*
>
>   **I could** drive when I was fourteen.
>   *Je savais conduire à 14 ans.*
>
>   It **could** snow before tomorrow.
>   *Il pourrait neiger avant demain.*

Could I/you...? est l'expression la plus couramment employée pour faire une demande polie.

>   **Could I** have a pound of tomatoes, please ?
>   *Est-ce que je peux / pourrais avoir une livre de tomates, s'il vous plaît ?*
>
>   **Could you** tell me the time, please ?
>   *Pourriez-vous me dire l'heure, s'il vous plaît ?*

Traduisez en anglais :

1. Désolé, je ne peux pas.
2. Il ne sait pas danser.
3. Je savais lire quand j'avais trois ans.
4. Pourriez-vous me dire votre nom, s'il vous plaît ?
5. Est-ce que je peux vous aider ?
6. Vous pouvez arrêter maintenant.
7. Je ne pouvais rien faire.
8. Est-ce que je pourrais avoir deux livres de pommes, s'il vous plaît ?
9. Pourriez-vous me montrer des pulls (= pullovers), s'il vous plaît ?
10. Nous pouvons manger, si vous êtes prêt.

RAPPEL

I can = *je peux* ou *je sais*
I could = *je pouvais, je savais* ou *je pourrais*
I'll be able to = *je pourrai*
to be able to = *pouvoir* ou *savoir.*

58 Can, could, may, etc. : permission

En anglais moderne, on emploie normalement *Can I...* ? et *Could I...* ? pour demander la permission. *Could I...* ? est plus poli que *Can I...* ?
May I... ? et parfois *Might I...* ? peuvent aussi s'employer, surtout dans un langage soigné (= "Puis-je... ?").

> **Can I** use your telephone ? (*ou* **May I** use... ?)
> *Est-ce que je peux me servir de votre téléphone ? (ou Puis-je me servir... ?)*

> **Could I** start work at ten o'clock tomorrow ?
> *Est-ce que je pourrais commencer à dix heures demain ?*

Pour accorder la permission, on utilise *you can* (ou *you may*).

> '**Could I** have a drink ?' 'Yes, of course **you can**.'
> *" Pourrais-je avoir quelque chose à boire ?" "Oui, bien sûr."*

> **You can** go.
> *Vous pouvez partir.*

Traduisez en anglais :

1. Est-ce que je peux partir maintenant ?
2. Pourrais-je vous poser une question ?
3. Puis-je voir la lettre ?
4. Où est-ce que je peux mettre mon manteau ?

59 Can see, can feel, etc.

Les verbes *see, hear* et *feel* ne s'emploient pas à la forme progressive pour parler des perceptions. Pour parler d'une perception actuelle, on emploie souvent *can see, can hear, can feel.*

> Look, I **can see** the sea !
> *Regarde, je vois la mer.*
>
> I **can hear** a train.
> *J'entends un train.*
>
> I **can feel** rain on my head !
> *Je sens de la pluie sur ma tête.*

Could s'emploie au passé.

> From her window she **could see** the whole of the town.
> *De sa fenêtre elle voyait la ville entière.*

EXERCICE

Traduisez en anglais :
1. Tu entends la pluie ?
2. Qu'est-ce que tu vois ?
3. Après la piqûre (= injection) je ne sentais rien.
4. Je vois Andrée dans la rue.
5. Le chien entend quelque chose.
6. Je sentais sa respiration (= breath) sur ma figure.

60 Could et was able to

On ne peut pas toujours employer *could* comme prétérit de *can*. *Could* est utilisé pour parler d'une faculté qui existait dans le passé d'une façon plus ou moins permanente.

> I **could read** when I was three.
> *Je savais lire quand j'avais trois ans.*
>
> She **could walk** for hours and hours.
> *Elle pouvait marcher pendant des heures et des heures.*

Pour parler de la réalisation d'une action précise, on utilise *was able to, managed to* ou *succeeded in ... -ing.*

> After a lot of discussion I **was able to persuade** her.
> *Après une longue discussion j'ai pu la convaincre.*
>
> I **managed to get** a visa without too much trouble.
> *(ou I **succeeded in getting**...)*
> *J'ai pu avoir un visa sans trop de difficulté.*

* En résumé, *I could* peut traduire ″je pouvais″ ou ″je savais″ mais non ″j'ai pu″.

EXERCICE

Mettez could ou was able to / managed to :
1. I ... sing like an angel when I was small.
2. My motorbike broke down, but I ... repair it myself.
3. It was a difficult problem, but I ... find a solution.
4. Shakespeare ... speak very good Italian.
5. After three hours we ... reach the top of the mountain.
6. My mother ... play the piano very well when she was younger.

61 Could + infinitif passé

Could s'emploie avec l'infinitif passé pour parler d'une possibilité au passé (= "j'aurais pu"). Attention à la structure : *"could + have* + participe passé".

> You shouldn't drive like that ! You **could have killed** somebody.
> *Tu ne devrais pas conduire comme ça ! Tu aurais pu tuer quelqu'un.*

> He was very talented. He **could have been** an engineer, or a doctor, or an architect.
> *Il était très doué. Il aurait pu être ingénieur, ou médecin, ou architecte.*

EXERCICE ───────────────────────────────

Traduisez en anglais :
1. J'aurais pu te voir.
2. Tu aurais pu m'aider !
3. Il aurait pu aller plus vite.
4. J'aurais pu étonner (= to surprise) tout le monde.
5. Vous auriez pu me dire la vérité (= to tell the truth).
6. J'aurais pu mourir à cause de vous.

62 Care

1. *To take care of* = "s'occuper de", "prendre soin de".

> Will you **take care of** the children while I go shopping ?
> *Veux-tu t'occuper des enfants pendant que je vais faire des courses ?*

> 'Can you lend me some records ?' 'If you promise to **take care of** them.'
> *"Peux-tu me prêter des disques ?" "Si tu me promets d'en prendre soin."*

2. *To care (about)* = "considérer comme important".

> He doesn't **care about** schoolwork, he only **cares about** games.
> *Il se moque pas mal de son travail scolaire, il ne s'intéresse qu'au sport.*

> I **care about** you, you know.   I **don't care.**
> *Tu es important pour moi, tu sais.   Je m'en fiche.*

EXERCICE ───────────────────────────────

Traduisez en anglais :
1. Je m'occupe souvent de ma petite sœur.
2. Il aime s'occuper d'animaux.
3. Il s'intéresse beaucoup à son travail.
4. Je me moque pas mal de lui.

Remarque

To care for s'emploie surtout dans un style recherché. Il a deux sens :
a. "aimer" (surtout dans les questions et les négations).

> Would you **care for** a drink ?
> *Aimeriez-vous boire quelque chose ?*

b. "prendre soin de", "soigner" (comme *to take care of*).

> Florence Nightingale devoted her life to **caring for** the sick.
> *Florence Nightingale a consacré sa vie à soigner les malades.*

63 Change

On emploie souvent une expression au pluriel après *change*.
"Changer de train" = *to change **trains*** ; "changer de professeur"
= *to change **teachers*** ; "changer de métier" = *to change **jobs***.
Notez que la préposition "de" ne se traduit pas.

EXERCICE ───────────────────────────────

Traduisez en anglais :
1. Nous avons changé de train à Kingston.
2. Je voudrais changer de métier.
3. Il faut que je change de voiture.
4. Mes enfants changent souvent de professeur.

64 Comment traduire "chercher" ?

1. Au sens de "essayer de trouver", "chercher" se traduit par *to look for* ou *to seek* (style formel).

> **I'm looking for** my watch.
> *Je cherche ma montre.*

> Young man **seeks** employment...
> *Jeune homme cherche poste...*

2. Au sens de "aller prendre", on utilise plutôt *fetch* ou *get*.

> I'm going to **fetch** Granny **from** the station.
> *Je vais chercher Mamie à la gare.*

> Can you **get** me a beer **out of** the fridge ?
> *Tu peux me chercher une bière dans le frigo ?*

EXERCICE ───────────────────────────────

Traduisez en anglais :
1. "Qu'est-ce que vous cherchez ?" "Mes lunettes".
2. Pouvez-vous me chercher à l'aéroport à midi ?
3. Je vais chercher des cigarettes.
4. Nous cherchons un petit appartement.

65 Cloth(s) et clothes

Ne confondez pas ces deux mots.

1. *Cloth* [klɔθ] = "du tissu", "de l'étoffe". C'est un indénombrable (voir 214²).

> The seats of my car are covered with **cloth.**
> *Les sièges de ma voiture sont recouverts de tissu.*

A cloth, pluriel *cloths* [klɔθs] = "un torchon", "un chiffc

> If you give me some **cloths,** I'll clean the windows.
> *Si tu me donnes des chiffons, je laverai les carreaux.*

2. *Clothes* [kləuðz] = "vêtements". Ce mot n'existe qu'au pluriel. ("Un vêtement" = *an article of clothing* ou, dans le langage courant, *something to wear,* mais non ~~a clothe.~~)

> I need some new **clothes.**
> *J'ai besoin de vêtements neufs.*

EXERCICE

Mettez cloth, cloths *ou* clothes :

1. She always wears very elegant ... .
2. Give me a ... and I'll dry the dishes.
3. ... are more expensive in Paris than in London.
4. Take these ... and clean the car, please.
5. Don't wear your best ... when you're working in the garden.
6. There's some water on the floor. Can you give me a ... ?

66 Comparatifs et superlatifs des adjectifs ("plus... que", "le plus...")

1. Adjectifs longs

- "Plus ... que" (compàratif de supériorité) se traduit par *more ... than* avec les adjectifs de deux syllabes ou plus (sauf ceux terminés par *-y*).

> She's **more sensitive than** us.
> *Elle est plus sensible que nous.*

- "Le plus ..." (superlatif) se traduit alors par *the most....*

> She's **the most sensitive** person I know.
> *C'est la personne la plus sensible que je connaisse.*

2. Adjectifs courts

- On forme leur comparatif et superlatif en ajoutant respectivement *-er* et *-est* à l'adjectif. Cette règle s'applique aux adjectifs d'une syllabe, et à ceux de deux syllabes terminés par *-y*. (Le *-y* se change en *i*.)

> old - **older** - (the) **oldest**
> happy - **happier** - (the) **happiest**
> fast - **faster** - (the) **fastest**
> easy - **easier** - (the) **easiest**

- Aux adjectifs terminés en *-e,* on ajoute seulement *-r* et *-st.* Lorsqu'un adjectif est terminé par une seule consonne précédée d'une seule voyelle, il faut redoubler la consonne (voir Appendice 7ᴬ, p. 284).

> late - **later** - (the) **latest**
> big - **bigger** - (the) **biggest**

3. Comparatifs et superlatifs irréguliers

good	better	the best
	meilleur	*le meilleur*
bad	worse	the worst
	pire, plus mauvais	*le pire, le plus mauvais*
far	further/farther	the furthest/farthest
	plus loin	*le plus loin*

Remarques

1. En anglais britannique, *further* et *farther* peuvent tous deux s'appliquer à une distance. Par contre, seul *further* peut signifier "supplémentaire" ou "plus avancé".

It was **further / farther** away **than** I thought.
C'était plus loin que je ne pensais.

For **further** information, see p. 120.
Pour de plus amples renseignements, voir p. 120.

2. *Elder* et *eldest* (= aîné) s'emploient parfois au lieu de *older* et *oldest* dans les expressions *elder / eldest, son (daughter / brother / sister). Elder* désigne l'aîné de deux, *eldest* l'aîné de plusieurs.

My **elder brother** lives in Canada.
Mon frère aîné habite au Canada. (Je n'ai qu'un frère aîné.)

My **eldest sister** has just got married.
Ma sœur aînée vient de se marier. (J'ai au moins deux sœurs plus âgées que moi.)

3. *Better* et *the best* peuvent également correspondre à "mieux" et le "mieux" (voir 50), et *worse* à "plus mal" (voir 352).

4. Pour la traduction de "moins" et "moins de", voir section suivante.

EXERCICES ————————————————

1. *Traduisez en anglais :*
Plus intelligent que - le plus intéressant - le plus long - le pire - meilleur que - mon meilleur ami - plus tôt que - le plus drôle - plus dur que - le plus dur - le plus paresseux - plus paresseux - que.

2. *Mettez un comparatif ou un superlatif :*
1. History is ... than geography. (interesting)
2. Spring is the ... season of the year. (nice)
3. I think the ... thing in life is to be happy. (important)
4. I'm ... at football than at volley-ball. (good)
5. The ... planet from the sun is called Pluto. (far)
6. Biology is ... than maths. (easy)

3. *Mettez* better, best, worse, worst :
1. My ... friend has just decided to go to Canada.
2. The film last night was ... than I expected.
3. The ... experience of my life was a car accident last year.
4. This winter is even ... (= "encore pire") than last winter.

67 Comparatifs et superlatifs de much / many, little et few

1. Formes

	COMPARATIF	SUPERLATIF
much / many	**more** (voir 66) *plus, davantage (de)*	**the most** (voir 66) *le plus*
little *peu de (+ singulier)*	**less** *moins (de)*	**the least** *le moins (de)*
few *peu de (+ pluriel)*	**fewer** *moins de*	**the fewest** *le moins (de)*

2. Emploi

● " Moins ... que" peut se traduire par *less ... than*.

Life is **less expensive** in England **than** in the USA.
La vie est moins chère en Angleterre qu'aux États-Unis.

Mais, très souvent, les Anglais emploient plutôt la structure *not as / so ... as*, surtout avec des adjectifs courts. (Voir 28².)

● " Moins de" se traduit en principe par *fewer* devant un nom pluriel et *less* devant un nom singulier. (En anglais parlé, on dit souvent *less* devant un nom pluriel.)

I've got **fewer friends than** my sister. *(Plutôt que... less friends.)*
J'ai moins d'amis que ma sœur.

He earns **less money than** he used to.
Il gagne moins d'argent qu'autrefois.

EXERCICE

Mettez less, least *ou* fewer :
1. It's the ... interesting book I've ever read.
2. £1 is worth ... than 20 francs.
3. I was ... nervous than I thought I would be.
4. I need at ... eight hours' sleep every night.
5. There are ... exploited workers than there used to be.
6. His latest film has had ... success than the previous ones.

---

68 Comparatifs et superlatifs des adverbes

En général, les comparatifs et superlatifs des adverbes se forment selon les mêmes règles que ceux des adjectifs (voir 66).

We went **faster than** the others.
Nous sommes allés plus vite que les autres.

Please write **more legibly**.
Veuillez écrire plus lisiblement.

Pourtant, on emploie *more* et *most* avec tous les adverbes qui se terminent en *-ly,* même ceux qui ont deux syllabes (à l'exception de *early*).

> I'm sorry, I can't drive **more slowly.** (*Et non* ... ~~slowlier~~.)
> *Je suis désolé, je ne peux pas conduire plus lentement.*

EXERCICE

Écrivez les comparatifs des adverbes suivants :
hard, loud, quickly, easily, late, lightly.

69 Comparatif : than + pronom

Than est normalement suivi d'un pronom personnel complément (anglais familier) ou d'un pronom personnel sujet suivi d'un verbe.

> She's much older **than me.**
> *Elle est beaucoup plus âgée que moi.*

> You're more experienced **than I am.**
> *Vous avez plus d'expérience que moi.*

EXERCICE

Traduisez en anglais :

1. Il est plus petit que moi.
2. J'ai plus d'amis qu'elle.
3. Ils sont plus heureux que nous.
4. J'ai plus de vacances que vous.

Remarque

Dans un style très soigné, on emploie parfois un pronom sujet seul.

> You're more experienced **than I.**

70 Doubles comparatifs ("de plus en plus", etc.)

1. "De plus en plus ..." se traduit par *more and more* ... ou *...-er and ...-er,* selon les adjectifs (voir 66).

> You're getting **more and more beautiful.**
> *Tu deviens de plus en plus belle.*

> It's getting **colder and colder.**
> *Il fait de plus en plus froid.*

"De plus en plus de ... " = *more and more* ... ("De" ne se traduit pas.)

> There are **more and more** robberies.
> *Il y a de plus en plus de cambriolages.*

2. "De moins en moins ..." = *less and less* ...

> She's getting **less and less** patient.
> *Elle est de moins en moins patiente.*

"De moins en moins de ..." se traduit par *less and less* devant un nom singulier et, en principe, *fewer and fewer* devant un nom pluriel. (En anglais parlé, on emploie souvent *less and less* devant un pluriel.)

> I've got **less and less** free **time**.
> *J'ai de moins en moins de temps libre.*

> You make **fewer and fewer mistakes**.
> *Vous faites de moins en moins de fautes.*

EXERCICE ————————————————

Traduisez en anglais :

1. La vie devient de plus en plus difficile.
2. Il fait de plus en plus chaud.
3. J'ai de plus en plus de travail.
4. Cet exercice est de plus en plus ennuyeux (= boring).
5. Nous avons de moins en moins d'argent.
6. Il y a de moins en moins d'espaces verts (= open spaces).

71   The + comparatif ("plus ... plus...", etc.)

1. La tournure "plus..., plus..." se traduit en anglais par *the more* (ou *the -er*) ... *the more* (ou *the -er*). Attention à l'ordre des mots : le verbe vient en fin de proposition.

> **The more** I rest, **the better** I feel.
> *Plus je me repose, mieux je me sens.*

> **The more** chocolate **I eat, the fatter** I get.
> *Plus je mange de chocolat, plus je grossis.*

2. "Moins ..., moins ..." se traduit par *the less ..., the less...*

> **The less** I work, **the less** I want to work.
> *Moins je travaille, moins j'ai envie de travailler.*

EXERCICE ————————————————

Traduisez en anglais :

1. Plus je dors, plus je me sens fatigué.
2. Plus je lis de livres, plus j'oublie.
3. Plus vous montez haut, plus c'est dangereux.
4. Plus j'achète de disques, plus j'ai envie d'en acheter.
5. Plus j'écoute, moins je comprends.
6. Moins je la vois, moins j'ai envie de la voir.

72   The + comparatif ("le plus ... d'entre deux")

Dans un anglais soigné, on utilise parfois le comparatif, et non le superlatif, pour parler du plus grand / petit / long / etc., d'un groupe de deux. Comparez :

> He's **the biggest** in the family.
> *Il est le plus grand de la famille.*

> I'm not very hungry. You can have **the bigger** steak.
> *Je n'ai pas très faim. Tu peux prendre le plus gros steak. (= le plus gros des deux)*

73 Préposition après un superlatif

Le superlatif français est souvent suivi de "de" ; en anglais, on a tendance à employer *in* lorsque le complément représente un lieu ou un groupe humain.

the best beer **in the world**
la meilleure bière du monde

the most honest man **in the government**
l'homme le plus honnête du gouvernement

Dans les autres cas, on emploie *of*.

the best book **of** the year
le meilleur livre de l'année

EXERCICE

Traduisez en anglais :
1. la plus belle fille du village
2. la montagne la plus haute du monde
3. le plus grand écrivain du siècle
4. le garçon le plus gentil de la classe (= class)
5. la boutique la plus chère de la ville
6. le meilleur moment du film

74 Conditionnel présent

1. Formation

Le conditionnel se construit avec "*would* + infinitif sans *to*". A la première personne, *should* est possible (sans différence de sens).

He **would go**   they **would not understand**   I **would / should stop**
il irait   *ils ne comprendraient pas*   *j'arrêterais*

Would et *should* se contractent en '*d* ; la contraction négative est *wouldn't* (ou *shouldn't*).

I'd be furious
je serais furieux

it **wouldn't be** fair
ce ne serait pas juste

EXERCICE

Traduisez en anglais :
Je prendrais - il serait - nous aurions - vous iriez - il viendrait - je ne saurais pas - elle trouverait - le professeur ne comprendrait pas.

2. Emploi

Le conditionnnel anglais s'emploie en général comme le conditionnel français. On l'utilise, par exemple :

● dans la proposition principale, lorsque la subordonnée est introduite par "*if* + prétérit" (voir 158[2]).

If you told me the truth it **would be** easier to help you.
Si tu me disais la vérité il serait plus facile de t'aider.

• pour exprimer l'idée de "futur dans le passé" (voir 131).

I knew it would be difficult.
Je savais que ce serait difficile.

EXERCICE ———————————————————————————

Traduisez en anglais :
1. Je savais qu'il viendrait.
2. Elle croyait que je ne comprendrais pas.
3. Si j'avais le temps, j'irais avec toi.
4. Que ferais-je si tu n'étais pas là ?

75 Conditionnel passé

Le conditionnel passé se forme (comme en français) avec *would have* (= "aurais") + participe passé.

I would have understood.   **He wouldn't have spoken.**
J'aurais compris.   *Il n'aurait pas parlé.*

Notez que les verbes *come, go*, etc., se conjuguent aussi avec *have*. (En français il y a l'auxiliaire "être".)

I would have gone.   He would **have** come.
Je serais allé.   *Il serait venu.*

Le conditionnel passé s'emploie de la même manière en anglais et en français : par exemple, lorsqu'il y a *if + pluperfect* dans la proposition subordonnée (voir 158[3]).

If I had known I wouldn't have come.
Si j'avais su je ne serais pas venu.

EXERCICE ———————————————————————————

Traduisez en anglais :
J'aurais demandé - il serait allé - ma mère aurait su - personne n'aurait entendu - j'aurais oublié - elle ne serait pas arrivée.

Remarque

Notez que le conditionnel anglais ne s'emploie pas (contrairement au français) pour parler d'une supposition, ou pour indiquer qu'une information peut être vraie ou fausse.

Selon des sources bien informées, le Conseil des Ministres aurait décidé...
According to reliable sources, the Cabinet **have decided...** *(et non...* ~~would have decided...~~*)*
Le chef du groupe serait actuellement en Afrique du Nord.
The leader of the group **is said to be** in North Africa at present.

76 Contractions

Principales contractions

to be : I'm, you're, he's, she's, it's, we're, they're
to have : I've, you've, he's, she's, it's, we've, they've
will / shall : I'll, you'll, he'll, etc.
would / should : I'd, you'd, he'd, etc.
not : isn't, aren't, wasn't, weren't
hasn't, haven't, hadn't
don't, doesn't, didn't
won't (= will not), wouldn't
can't, mustn't, shan't (= shall not), oughtn't, needn't
couldn't, shouldn't, mightn't

Remarques

1. A la forme affirmative, on n'utilise pas de contraction lorsque l'auxiliaire se trouve en fin de phrase.

'Is Tom here ?' 'Yes, **he is.**' (*Et non* ~~Yes, he's.~~)
"Est-ce que Tom est là ?" "Oui."

2. On ne peut pas mettre deux contractions dans un seul mot. On peut dire *you're not* ou *you aren't*, mais pas ~~you'ren't.~~

3. On emploie les contractions avec des noms comme avec des pronoms.

Daddy's out but **Mummy's** in.
Papa est sorti mais Maman est là (= à la maison).

Mary'd (= had) forgotten.
Marie avait oublié.

4. Les contractions s'emploient surtout en anglais parlé, dans un style familier. On mettrait probablement des contractions dans une lettre à un ami ou à un parent, mais pas dans une lettre d'affaires.

EXERCICE

Écrivez ces phrases avec des contractions, puis lisez-les :

1. I am tired.
2. What is the time ?
3. We are happy.
4. You are quite wrong.
5. They are late.
6. I had forgotten you were coming.
7. I would like to see you again.
8. I shall ring you.
9. I think it will rain tonight.
10. I will not tell you.
11. I do not want to.
12. I do not know.

77 Country

Country s'emploie de deux façons différentes.

1. *A country*, dénombrable (pluriel *countries*), correspond au français "pays" au sens de "nation". *A country* peut désigner, par exemple, l'Allemagne ou la Turquie, mais non la Bourgogne ou le Nord de l'Angleterre.

'**What country** do you come from ?' 'Thailand.'
"De quel pays êtes-vous ?" "De la Thaïlande."

2. *Country,* indénombrable, s'emploie surtout dans l'expression *the country* (= "la campagne"). On ne l'emploie pas avec l'article indéfini *a / an* (voir 214²).

'Do you prefer the town or **the country ?**' '**The country.**'
"Vous préférez la ville ou la campagne ?" "La campagne."

Remarque

"Pays" au sens de "région" se traduit généralement par *region.*

Burgundy is a nice **region.**
La Bourgogne est un beau pays.

EXERCICE ————————————————————————————

Traduisez en anglais :
1. J'habite à la campagne.
2. Dans mon pays nous parlons trois langues différentes.
3. La Yougoslavie est un beau pays. *(On dit :* Yugoslavia.)
4. La Bretagne, quel beau pays ! *(On dit :* Brittany.)
5. L'air de la campagne.

78 Cry, shout, scream

1. En anglais courant, *to cry* = "pleurer", *to shout* = "crier, parler fort", *to scream* = "crier, pousser un cri / des cris".

'Why **are you crying** ?' 'I'm lost.'
"Pourquoi pleures-tu ?" "Je suis perdue."

Stop **shouting** at me, I'm not deaf.
Ne crie pas comme ça, je ne suis pas sourd.

She **screamed** and fainted.
Elle poussa un cri et s'évanouit.

2. Dans un style plus littéraire, *to cry* peut s'employer au sens de "crier" ou "s'écrier".

'Stop !' **cried** Paul.
"Arrêtez !" s'écria Paul.

EXERCICE ————————————————————————————

Traduisez en anglais :
1. Ma petite sœur pleure beaucoup.
2. Le père de John crie tout le temps.
3. J'ai eu si peur que je me suis mise (= I began) à crier.
4. "Ne partez pas", s'écria-t-il.

Remarque

To weep (= "pleurer", "verser des larmes") ne s'emploie pas en anglais courant.

79 Dare

1. Formes

En principe, *dare* peut se conjuguer de deux façons différentes :

- comme un verbe ordinaire, suivi de l'infinitif avec *to*.

   I **didn't dare to tell** him the truth.
   Je n'ai pas osé lui dire la vérité.

- comme un auxiliaire (sans *s* à la 3e personne, sans *do* aux formes interrogatives et négatives, suivi de l'infinitif sans *to*).

   He **daren't go** to her house.
   Il n'ose pas aller chez elle.

2. Emploi

En réalité, *dare* s'emploie peu en anglais moderne, sauf au présent sous la forme *daren't,* et parfois au prétérit sous la forme *didn't dare.* On a tendance à le remplacer par *(not) to be afraid (to)* ou *(not) to have the courage (to).*

   She **daren't go out** alone at night. (*ou* **She's afraid to go out ...**)
   Elle n'ose pas sortir seule le soir.

   'Why didn't you ask her name ?' 'I **was afraid.**' (*ou* I **didn't dare (to)** *ou* I **hadn't got the courage** / I **didn't have the courage.**)
   "Pourquoi ne lui as-tu pas demandé son nom ?" "Je n'ai pas osé."

   Would you **have the courage to jump** from the diving-board ?
   Est-ce que tu oserais sauter du plongeoir ?

EXERCICE

Traduisez en anglais :
1. "Demande-lui où elle habite." "Je n'ose pas."
2. Il n'ose pas le dire à ses parents.
3. Je n'ai pas osé inviter Jim à danser.
4. Est-ce que tu oserais chanter devant des centaines de gens ?

Remarques

1. *Dare* s'emploie fréquemment dans les expressions *How dare you ?* et *You dare !* qui expriment, respectivement, l'indignation et le défi.

   How dare you talk to me like that ?
   Comment osez-vous me parler sur ce ton ?

   'Mummy, can I draw a picture on the wall ?' '**You dare !**'
   "Maman, je peux faire un dessin sur le mur ?" "Ose un peu."

2. *I dare say* (anglais un peu formel) veut dire "je crois", "je suppose".

   I **dare say** you're thirsty after such a long walk.
   Je suppose que vous avez soif après une aussi longue promenade.

80 Les dates

1. Il y a plusieurs façons d'**écrire** la date :

21 March 1976	**21st March** 1976	21.3.(19)76
March 21 1976	**March 21st** 1976	

Notez qu'on met toujours une majuscule au nom du mois. Celui-ci est souvent abrégé : on écrit *Jan, Feb, Mar, Apr, May, Jun, Jul, Aug, Sept, Oct, Nov, Dec.*
Pour le jour, on met souvent le numéro suivi des deux dernières lettres de l'ordinal correspondant : *1st (= first), 2nd (= second), 3rd (= third) ; 4th (= fourth), 5th, 6th*, etc. ; *21st, 22nd, 23rd*, etc.

2. Il y a deux façons de **dire** la date :

March the twenty-first   **the twenty-first of March**
April the seventh   **the seventh of April**

* Le numéro de l'année se divise en deux : 1976 = **nineteen seventy-six** ; 1430 = **fourteen thirty,** etc.

EXERCICE ───────────────────────────

1. *Lisez les dates suivantes :*
13 April ; 9 May ; Oct 19 1947 ; July 4th 1888 ; Sept 3rd 1942 ; 6. 12. 66.

2. *Écrivez d'une autre façon les dates suivantes :*
1. July the fourteenth, eighteen ninety.
2. April the seventh, nineteen eighty-two.
3. the fifth of November, nineteen sixty.
4. the eighth of January, nineteen seventy-seven.

---

81 Dead et died

Dead est un adjectif ; *died* est le prétérit et le participe passé du verbe *to die* (= "mourir"). Comparez :

a **dead cat**   Our cat **died** last week.
un chat mort   *Notre chat est mort la semaine dernière.*

Une phrase comme "elle est morte" peut se traduire de deux façons différentes, selon le sens. Si la phrase se rapporte à un état (le fait de ne pas être vivant), on emploie l'adjectif *dead* en anglais. Si la phrase se rapporte à un événèment (le fait de décéder), on emploie le verbe *died*. Comparez :

My grandmother **is dead.**
Ma grand-mère est morte. (= Présent du verbe "être" + adjectif.)

She **died** when she was 73.
Elle est morte à l'âge de 73 ans. (= Elle mourut.)

Autres exemples :

Look at that plant, it's dead.
Regarde la plante, elle est morte.

Shakespeare died in 1616.
Shakespeare est mort en 1616.

EXERCICE

Mettez dead *ou* died :

1. Latin is a ... language.
2. President Koranga ... last night.
3. I nearly ... in an accident last year.
4. 'Are both your parents still alive ?'
   'No, my father's ... .'
5. Three people ... in a train crash at the weekend.
6. Most of my mother's old friends are ... .

82 Comment traduire "déjà" ?

1. Dans les phrases affirmatives, "déjà" se traduit le plus souvent par *already*.

She's already here.
Elle est déjà là.

I've already paid.
J'ai déjà payé.

2. Dans les questions, on utilise généralement *ever* (pour parler du passé) ou *yet* (pour parler d'un événement qu'on attend). Comparez :

Have you ever been to Russia ?
Êtes-vous déjà allé en Russie ?

Has Maude arrived yet ?
Est-ce que Maude est déjà arrivée ?

3. Quand on parle d'une action qui a déjà été faite, et qu'on refait, "déjà" peut se traduire par *before* (avec le présent perfect).

I've read this book before.
J'ai déjà lu ce livre. (Je suis en train de le relire.)

Have you been here before ?
Tu es déjà venu ici ?

EXERCICE

Traduisez en anglais :

1. "Tu viens, Bob ?" "Non, j'ai déjà mangé."
2. Il est déjà dix heures.
3. Avez-vous déjà rencontré mon père ?
4. Est-ce que le courrier (= the post) est déjà arrivé ?
5. J'ai déjà vu ce film. *(Je suis en train de le revoir.)*
6. Je suis déjà fatigué.
7. Avez-vous déjà été hospitalisé (= in hospital) ?
8. Est-ce que Patricia a déjà téléphoné ?

Remarque

On emploie parfois "déjà" en fin de question pour que l'on vous rappelle quelque chose que vous avez oublié. En anglais, on utilise alors *again*.

What's your name again ?
Quel est votre nom déjà ? (= Je l'ai su mais je l'ai oublié.)

83 Le discours indirect : concordance des temps

EXEMPLE DE DISCOURS DIRECT : « I won't come », he said.
EXEMPLE DE DISCOURS INDIRECT : He said he would'nt come.

On emploie le discours indirect lorsqu'on rapporte les paroles ou les pensées de quelqu'un sans les citer directement. Il y a dans la proposition principale des verbes comme *to say, to tell, to know, to think, to realize*, etc. La concordance des temps se fait comme en français, que le verbe de la principale soit au présent ou au prétérit. Comparez :

1. **Futur** ou **conditionnel** dans la subordonnée.

I **know** you **will** understand.	I **knew** you **would** understand.
Je sais que tu comprendras.	*Je savais que tu comprendrais.*

2. **Présent** ou **prétérit** dans la subordonnée.

He **says** he's happy.	He **said** he **was** happy.
Il dit qu'il est heureux.	*Il a dit qu'il était heureux.*

3. **Present perfect** ou **pluperfect** dans la subordonnée.

Julie **realizes** that she **has made** a mistake.
Julie se rend compte qu'elle a fait une erreur.

Julie **realized** that she **had made** a mistake.
Julie s'est rendu compte qu'elle avait fait une erreur.

Remarques

1. En anglais parlé, on omet souvent *that*. (Voir exemples 1 et 2 ci-dessus.)
2. Lorsque "dire" est suivi d'un complément personnel, il se traduit par *to tell* (voir 279).

He **told me** he was happy. (*Et non* ~~He said me ...~~)
Il m'a dit qu'il était heureux.

EXERCICES

1. Choisissez l'auxiliaire qui convient :

1. He says he ... come. (will / would)
2. He said he ... come. (will / would)
3. I know she ... married. (is / was)
4. I thought they ... crazy. (are / were)
5. She told us she ... missed the train. (has / had)
6. She thinks you ... forgotten her. (have / had)

2. Traduisez en anglais :

1. Je pensais que tu serais en retard.
2. J'ai dit que je ne comprenais pas.
3. Je ne savais pas qu'ils avaient acheté une maison.
4. J'ai dit que j'écrirais.
5. Il m'a dit que tu étais malade.
6. Je croyais qu'elle avait trouvé un travail.

84 Le discours indirect : les questions

EXEMPLE DE QUESTION DIRECTE : « Where do you work ? » he asked me.
EXEMPLE DE QUESTION INDIRECTE : He asked me where I worked.

1. Attention à **l'ordre des mots** et à **la forme du verbe** dans les questions indirectes. Le sujet précède toujours le verbe. Il n'y a pas *do / did*.

He asked me who **the others were.** (*Et non* ... ~~who were...~~)
Il m'a demandé qui étaient les autres.

I asked him where **his parents lived.** (*Et non* ... ~~where did...~~)
Je lui ai demandé où habitaient ses parents.

I wondered what **my sister was doing.**
Je me demandais ce que faisait ma sœur.

Could you tell me what time **it is ?**
Pouvez-vous me dire l'heure (qu'il est) ?

Notez qu'il n'y a pas de point d'interrogation dans les questions indirectes - sauf si le verbe principal est lui-même interrogatif, comme dans le dernier exemple ci-dessus.

2. "Si" se traduit par *if* ou *whether*. On préfère *whether*... devant *or*.

I don't know **if** you're right / **whether** you're right.
Je ne sais pas si vous avez raison.

Tell me **whether** you like it **or** not.
Dites-moi si vous l'aimez ou pas.

EXERCICE

Traduisez en anglais :

1. Dites-moi où je peux trouver une pharmacie (= chemist's).
2. Je me demande combien il gagne. ("Gagner" = to earn.)
3. Elle m'a demandé ce qu'en pensaient mes parents.
4. Pouvez-vous me dire où est la gare ?
5. J'aimerais savoir où habite cette fille.
6. Je ne sais pas qui est cet homme mystérieux (= mysterious).

Remarque

Pour la différence entre *say* et *tell*, voir 279.

85 Divorce

Divorce (comme *marry*) s'emploie surtout avec un complément d'objet.

"Divorcer" sans complément se traduit normalement par *get a divorce* ou *get divorced*. Comparez :

> **Mary wants to divorce Peter.**
> *Mary veut divorcer avec Peter.*

> **Andrew and Sarah are getting divorced.**
> *Andrew et Sarah sont en cours de divorce.*

EXERCICE

Mettez to divorce *ou* to get divorced *à la forme qui convient :*

1. His parents ... last year.
2. If things go on like this I'm going to ... you.
3. In some countries you can't ... .
4. In Britain and America a lot of couples ... in the first five years of marriage.
5. He ... her and then married her again.
6. Catholics are not allowed to ... .

86 Do : double emploi

Les phrases comme *Don't do it !*, *What did you do ?* ou *Do do some work* peuvent paraître difficiles. Il suffit de se rappeler que *do* s'emploie de deux façons différentes :

— comme verbe auxiliaire, utilisé par exemple pour former les questions et les négations ;

— comme équivalent de "faire".

Dans les exemples ci-dessous, on trouve les deux emplois l'un à côté de l'autre.

> **Don't do** it !   What **did you do ?**   **Do do** some work.
> *Ne le faites pas !*   *Qu'avez-vous fait ?*   *Travaille donc un peu.*

Pour de plus amples détails sur les différents emplois de *do,* voir 87, 88 et 89.

EXERCICE

Traduisez en anglais :

1. Est-ce que vous faites du sport ?
2. Je n'ai pas fait la vaisselle (= the washing up) hier soir.
3. Qu'est-ce que tu as fait samedi ?
4. Ne faites rien pour l'instant (= for the moment).

87   Do : insistance / contraste

L'auxiliaire *do* s'emploie parfois dans une expression affirmative.

1. Pour insister sur ce qu'on dit.

You **do** look tired !
Tu as l'air vraiment fatigué !

Do sit down !
Veuillez vous asseoir !

I **do** like caviar !
Qu'est-ce que j'aime le caviar !

Do come in !
Mais entrez donc !

2. Pour exprimer un contraste, une exception ou un désaccord avec ce qui a été dit auparavant.

I'm not very fond of the piano. I **do** like Chopin, though.
Je ne suis pas vraiment amateur de piano. J'aime Chopin, pourtant.

'You didn't pay the bill.' 'I **did** pay !'
"Vous n'avez pas payé l'addition." "Mais si, j'ai payé !"

3. Pour confirmer qu'un événement prévu a bien eu lieu.

She said she'd phone me, and she **did** phone me.
Elle a dit qu'elle me téléphonerait, et elle l'a fait.

Well, I was right, it **did** rain.
Alors, j'avais raison, il a plu.

EXERCICE

Traduisez en anglais, en utilisant do *pour marquer l'insistance :*

1. Je pense vraiment que tu as tort (= ... are wrong).
2. Prenez donc de la viande ! (= meat).
3. Arrête de parler, je t'en prie !
4. "Tu ne m'aimes pas." "Mais si, je t'aime."
5. Il fait normalement très sec (= dry) ici. Il pleut beaucoup en novembre, pourtant.
6. Qu'est-ce que j'aime cette musique !

---

88   Do : reprise

Lorsqu'on veut éviter de répéter un verbe dans une phrase, on le reprend par l'auxiliaire *do / does / did*.

It's important to drive carefully, and I always **do**.
C'est important de conduire prudemment ; je le fais toujours.

Don't speak to him before Paul **does**.
Ne lui parle pas avant Paul.

'I liked the film.' 'I **did** too.'
"J'ai bien aimé le film." "Moi aussi.".

EXERCICE

Mettez do, does ou did :

1. 'Did Annie comme to see you ?' 'Yes, she ... .'
2. I like the same kind of music as my brother ... .
3. 'Who broke the window ?' 'I ... .'
4. 'I always have a big breakfast.' 'Oh, I never ... .'
5. She went to the same school as I ... .
6. She left school a year after I ... .

89 Do et make (= faire)

Voici les principales règles qui permettent de les distinguer :

1. Quand on parle d'une activité, sans préciser laquelle, on emploie *do*.

> Please **do something.**
> *Fais quelque chose, s'il te plaît.*
>
> I don't know **what to do** next year.
> *Je ne sais pas quoi faire l'année prochaine.*
>
> What are you **doing** ?
> *Qu'est-ce que vous faites ?*

2. *Do* s'emploie aussi pour parler du travail.

> She never **does any work.**
> *Elle ne fait jamais aucun travail.*
>
> I don't like **doing housework.**
> *Je n'aime pas faire les travaux ménagers.*
>
> If I was rich I'd have servants to **do the cooking** and **cleaning.**
> *Si j'étais riche j'aurais des domestiques pour faire la cuisine et le ménage.*

3. *Make* exprime une idée de création ou de construction.

> I've just **made a cake.** **We're making a boat** at school.
> *Je viens de faire un gâteau.* *A l'école nous construisons un bateau.*
>
> Let's **make a plan.**
> *Faisons un plan.*

4. Dans les autres cas, il n'y a pas de règles précises ; cependant *make* est nettement plus fréquent que *do*.
Apprenez les expressions suivantes :

to do an exercise	**to do** a favour	**to do** good / harm
faire un exercice	*rendre un service*	*faire du bien / du mal*
to do one's best	**to do** business	**to do** shopping
faire de son mieux	*faire des affaires*	*faire des courses*
to do sport		
faire du sport		

to make an offer / a suggestion / arrangements / a decision /
an attempt (= *une tentative)* / an effort / an excuse /
an exception / a mistake (= *une erreur*) / a noise (= *un bruit*) /
a phone call / money / a profit (= *un bénéfice*) / love / war /
a bed / enquiries (= *se renseigner*).

EXERCICE ───────────────────────────

Mettez do *ou* make *à la forme qui convient :*

1. Go and see what the children are ...-ing.
2. My father usually ... the housework.
3. I know how to ... pizza.
4. Please don't ... so much noise.
5. He ... a lot of money last year.
6. I want to ... something crazy.
7. We spent the lesson ...-ing paper aeroplanes.
8. Could you ... me some toast, please ?

90 Comment traduire "dont" ?

1. Dans certains cas, "dont" est **complément du nom** qui suit. Il correspond à un adjectif possessif.

> *Le diplomate dont la fille a disparu...* (= sa fille a disparu)
> *Une société dont le PDG a déclaré hier que...* (= son PDG a déclaré)

L'équivalent anglais est alors *whose* (voir 266). Notez que *whose* n'est jamais suivi d'article.

> The diplomat **whose daughter** has disappeared...
>
> A company **whose Chairman** declared yesterday that...

2. Dans d'autres cas, "dont" est **complément du verbe** qui suit. Il n'a alors aucun sens possessif.

> *Le garçon dont je t'ai parlé...* (= je t'ai parlé de lui)
> *La maison dont je rêve...* (= je rêve de cette maison)

L'équivalent anglais dans ce cas-là est *"who(m) / which +* préposition".
Who(m) / which est généralement sous-entendu, et la préposition vient en fin de phrase.

> The boy **(whom)** I talked to you **about...**
> The house **(which)** I dream **of...**

EXERCICE

Traduisez en anglais :

1. le film dont nous avons parlé hier
2. J'ai un ami dont la sœur connaît bien le Président.
3. la fille dont je suis amoureux (= .... with)
4. une action dont je ne serais pas capable (= .... capable of)
5. Monsieur Brown, dont vous connaissez déjà la femme,...
6. un homme dont j'ai oublié le nom

91 Dress et wear

1. *To dress* = "habiller" (quelqu'un d'autre) ou "s'habiller" (lorsqu'on parle d'une habitude vestimentaire).

> Will you **dress the children ?**
> *Veux-tu habiller les enfants ?*
>
> **She always dresses** in blue.
> *Elle s'habille toujours en bleu.*

To be dressed = "être habillé" ; *to get dressed* = "s'habiller" (au sens de "mettre ses vêtements").

> **'Are you dressed ?'** 'Not yet.'
> *"Es-tu habillé ?" "Pas encore."*
>
> You ought **to get dressed**, it's lunchtime.
> *Tu devrais t'habiller, il est midi.*

2. *To wear (clothes)* = "porter" (des vêtements) ou "mettre / avoir" (des vêtements sur soi).

She **was wearing a** black **coat.**
Elle portait un manteau noir. (ou Elle avait...)

What **shall I wear** tonight ?
Qu'est-ce que je vais mettre ce soir ?

EXERCICE ———————————————————

Traduisez en anglais :
1. "Qu'est-ce que tu fais ?" "Je m'habille".
2. Ma sœur s'habille souvent en vert.
3. Il est toujours bien habillé.
4. Peux-tu habiller Tommy, s'il te plaît ?
5. Diana portait / avait une robe rouge.
6. Je ne porte / mets jamais de jean (= jeans).

Remarques

1. Utilisé sans complément, *wear* peut se traduire par "être habillé".

What's he wearing ?
Comment est-il habillé ?

2. En anglais recherché, on emploie *dress* au lieu de *get dressed*.

It takes me a long time **to dress** in the mornings.
Je mets longtemps à m'habiller le matin.

3. Notez qu'on dit toujours *to be dressed in* ... même lorsqu'on a en français la préposition "de".

Yasuko **was dressed in** a black and yellow kimono.
Yasuko était habillée / vêtue d'un kimono noir et jaune.

92 During et for

"Pendant" se traduit par *for* ou *during* selon les cas.

1. *For* répond à la question *How long... ?* (= "Pendant combien de temps... ?"). Il indique la durée d'une action.

I stayed in London **for two weeks.**
Je suis resté à Londres pendant deux semaines.

2. *During* répond à la question *When... ?* (= "Quand... ?"). Il indique à quel moment un fait s'est produit.

I met him **during the holidays.**
Je l'ai rencontré pendant les vacances.

EXERCICE ———————————————————

Mettez for ou during :
1. I don't do much sport ... the winter.
2. I was so angry, I didn't speak to her ... three days.
3. I'd like to live in the future ... a week or two.
4. ... my last holidays I met some very interesting people.
5. He worked for the same firm ... twenty-five years.
6. The shop closes for a week ... December.

93 During et while

During = "pendant" (+ nom).
While = "pendant que" (+ verbe).

> I met him **during the holidays.**
> *Je l'ai rencontré pendant les vacances.*

> Jim rang **while you were** out.
> *Jim a téléphoné pendant que tu étais sorti.*

EXERCICE ───────────────

Mettez during *ou* while :

1. I woke up three times ... the night.
2. Please don't interrupt me ... I'm working.
3. People always telephone ... I'm having a bath.
4. I usually go to Scotland for a week ... August.
5. We moved a lot ... my childhood.
6. ... you're here, can I ask you some questions ?

Remarque

"Pendant" peut aussi correspondre à *for* (voir 92).

94 Each et every

1. *Each* et *every* correspondent à "chaque" (ou à "tout" au sens de "chaque"). Ils sont suivis d'un singulier.

> **each / every day** *et non ...days)*
> *chaque jour / tous les jours*

> **each / every time**
> *chaque fois*

> **Every man** is selfish.
> *Tout homme est égoïste. (= chaque homme...)*

2. Il y a une légère différence de sens entre *each* et *every*. *Every* est proche de "tout" ; on l'emploie pour généraliser. *Each* sert à exprimer la nuance de "chacun séparément", "un par un". Comparez :

> — **Every workman** stood up when the Queen walked in.
> *Tous les ouvriers se levèrent lorsque la Reine entra.*

> She gave a beautiful signed photo to **each workman.**
> *Elle donna une belle photo dédicacée à chaque ouvrier (= un par un).*

> — **Every violinist** knows the Beethoven violin concerto.
> *Tout violoniste connaît le concerto pour violon de Beethoven.*

> **Each violinist** interprets it in his own way.
> *Chaque violoniste l'interprète à sa façon.*

EXERCICE ───────────────

Mettez each *ou* every :

1. I go to work ... Saturday.
2. ... person is an individual, different from the others.
3. He said ... word slowly and distinctly.
4. I understood ... word in the song.
5. ... street in the town has its own special character.
6. ... house in this street looks the same.

Remarques

1. *Every* ne peut pas s'employer pour parler de deux personnes, deux choses etc. ; on utilise *each* ou *both* à la place. "Chaque main" = *each hand* ou *both hands,* mais non *every hand.*

2. *Each* peut se mettre à côté du verbe, comme *all* et *both* (voir 232).

> The girls **each chose** a different colour.
> *Les filles choisirent chacune une couleur différente.*

3. *Each* peut aussi être suivi de *of,* comme *all* et *both.*

> **each of us**   **each of the** interpretations
> *chacun de nous*   *chacune des interprétations*

95   Each other

Each other correspond à "l'un l'autre", "les uns les autres", ou à un pronom réfléchi utilisé en ce sens (= "nous, vous, se").

> They destroyed **each other.**
> *Ils se sont détruits (l'un l'autre).*

> We don't like **each other.** (*Et non* ~~We don't like us.~~)
> *Nous ne nous aimons pas.*

Il y a une forme possessive : *each other's.*

> We have some friends in New York. This summer we stayed in **each other's flats.**
> *Nous avons des amis à New York. Cet été nous avons échangé nos appartements.*

EXERCICE ─────────────────────────

Traduisez en anglais :

1. Ils ne s'écoutent jamais (l'un l'autre).
2. Nous nous sommes vus à Berlin.
3. Nous nous aidons souvent.
4. Ils se sont posé beaucoup de questions (l'un à l'autre).
5. Nous nous connaissons très bien.
6. Vous vous parlez en anglais ou en allemand ?

Remarques

1. On emploie parfois *one another* au lieu de *each other* (ex. : *We don't like one another*).

2. Ne confondez pas *each other* et les pronoms réfléchis *ourselves, yourselves, themselves.* (Voir 262).

96 -ed et -ing

1. To be + -ing : c'est la forme progressive.

Switch off the lights. **You're wasting** electricity.
Éteins les lumières. Tu gaspilles de l'électricité.

To be + -ed : c'est le passif d'un verbe régulier.

A lot of electricity **is wasted** every day.
Beaucoup d'électricité est gaspillée chaque jour.

2. Ne confondez pas : *interested* et *interesting, bored* et *boring, shocked* et *shocking,* etc.

I'm interested in	**it's interesting**
je m'intéresse à	*c'est intéressant*
I'm bored	**it's boring**
je m'ennuie	*c'est ennuyeux*

EXERCICE ——————————————

Mettez la forme correcte :

1. I'm ... the guitar. (learning / learned)
2. The windows are ... once a week. (cleaning / cleaned)
3. I'm not ... in sport. (interesting / interested)
4. The water in the aquarium is ... regularly. (changing / changed)
5. I think my personality is ... very quickly / these days. (changing / changed)
6. 'How was the film ?' '... .' (terrifying / terrified)
7. My grandmother is ... by some modern films. (shocking / shocked)
8. I'm never ... in my spare time. (boring / bored)

97 Efficient et effective

Ces deux mots corespondent au français " efficace " mais ils n'ont pas le même sens. Une personne ou une chose qui est *efficient* travaille bien, sans gaspillage d'énergie ni de temps. Par contre, une chose ou une action qui est *effective* réussit à résoudre un problème, ou à atteindre un but précis.

My secretary's very **efficient:** she's fast, and she never makes a mistake.
Ma secrétaire est très efficace : elle est rapide et ne fait jamais d'erreur.

The petrol engine is more **efficient** than the old steam engine.
Le moteur à essence est plus efficace que l'ancien moteur à vapeur.

Nobody's found an **effective** treatment for cancer.
Personne n'a encore trouvé de traitement efficace contre le cancer.

EXERCICE ——————————————

Mettez efficient *ou* effective :

1. Your medicine is very ... : I'm feeling much better today.
2. Threatening (= menacer) a naughty child is not always ... .
3. I certainly could be more ... in my work, I waste a lot of time.
4. Your dish-washer is not ... ; the plates are still dirty.

98 Either (... or)

1. *Either* s'emploie devant un nom ou seul au sens de "l'un ou l'autre des deux".

'Shall I come on Wednesday or Thursday ?' '**Either day** is OK.'
"Je viens mercredi ou jeudi ?" "L'un ou l'autre, comme vous voulez."

'Do you want fish or meat ?' '**Either,** it doesn't matter.'
"Tu veux du poisson ou de la viande ?" "L'un ou l'autre, n'importe."

2. *Either ... or* = "ou ... ou", "soit ... soit".

Either they talk too much **or** they don't talk at all.
Ou ils parlent trop ou ils ne parlent pas du tout.

She's **either** German **or** Swedish.
Elle est ou allemande ou suédoise.

EXERCICE ————————————————————

Traduisez en anglais :

1. "Lequel (= which) est mon verre ?" "Tu peux prendre l'un ou l'autre."
2. Tu peux venir ou demain ou samedi.
3. Soit il dort, soit il est sourd (= deaf).
4. Il est ou médecin ou dentiste. *(Attention à l'article, voir 2[1].)*
5. On (= we) peut prendre l'une ou l'autre route.
6. Il est toujours ou en voyage (= travelling) ou en vacances.

99 Not ... either

Either s'emploie à la place de *too* dans les propositions négatives, c'est-à-dire que *not ... either* = "ne ... pas non plus".

'The television isn't working.' 'The phone isn't working **either**.'
"La télévision ne marche pas." "Le téléphone ne marche pas non plus."

I don't like rugby, and I don't like hockey **either**. (*Et non ... ~~too.~~*)
Je n'aime pas le rugby, je n'aime pas non plus le hockey.

Notez que *either* se place après le complément d'objet direct et que *and* est indispensable lorsque les propositions sont séparées par une virgule.

EXERCICE ————————————————————

Traduisez en anglais :

1. Je n'aime pas le jazz, je n'aime pas non plus la musique pop.
2. Il ne parle pas français et il ne parle pas non plus anglais.
3. "Elle ne m'a pas écrit." "Elle ne m'a pas écrit non plus." (Present perfect.)
4. Les Conservateurs (= the Conservatives) ne savent pas quoi faire, et les Travaillistes (= the Labour Party) ne savent pas non plus.
5. Je ne mange pas de porc (= pork), je ne mange pas non plus de mouton (= mutton).
6. Il ne boit pas, il ne fume pas non plus.

Remarques

1. Pour l'emploi de *either* devant un nom et la structure *either ... or*, voir 98.

2. Pour *neither* et *neither ... nor*, voir 212.

100 Else

Else (= "d'autre", "autrement", etc.) s'emploie après les composés de *some, any* et *no*, et après *who, what, where, why, how.*

Ask **somebody else,** I'm in a hurry.
Demande à quelqu'un d'autre, je suis pressé.

Would you like **anything else ?**
Voulez-vous autre chose ?

We can't go **anywhere else.**
Nous ne pouvons pas aller ailleurs.

You saw Jane, and **who else ?**
Tu as vu Jane, et qui d'autre ?

Where else have you been besides Morocco ?
Où êtes-vous allé à part le Maroc ?

EXERCICE

Traduisez en anglais (employez else *dans toutes les phrases) :*

1. Je veux travailler avec quelqu'un d'autre.
2. "Voulez-vous une bière ?" "Est-ce que vous avez autre chose ?"
3. Allons ailleurs.
4. "Il y avait Lucy et Pamela (= ... were there.)." "Personne d'autre ?"
5. Regarde ! J'ai trouvé autre chose. (Present perfect)
6. "Rien d'autre ?" "Non, merci."

101 Structures emphatiques

1. En anglais parlé, on utilise souvent la prononciation pour faire ressortir un élément de la phrase. On le prononce avec plus de force que d'habitude, et sur un ton plus élevé. Comparez :

'You saw her on Monday morning ?'
"Tu l'as vue lundi matin ?"

'No, on Monday **afternoon.**'
"Non, lundi après-midi."

'No, on **Tuesday** morning.'
"Non, mardi matin."

'No, I **telephoned** her.'
"Non, je lui ai téléphoné."

Pour traduire la tournure française "C'est ... qui...", il suffit généralement d'accentuer le sujet de la phrase.

John did it.
C'est John qui l'a fait

I paid.
C'est moi qui ai payé.

2. En insistant sur un auxiliaire, on peut exprimer un désaccord ou une contradiction avec ce qui précède.

'You're not 18.' 'I **am** 18.'
"Vous n'avez pas 18 ans." "Mais si, j'ai 18 ans."

It **didn't** rain, after all.
Finalement, il n'a pas plu.

Do peut s'ajouter à un verbe affirmatif pour exprimer la même nuance. (Voir 87.)

'You didn't pay.' 'I **did** pay.'
"Tu n'as pas payé." "Mais si, j'ai payé."

EXERCICES

1. *Lisez les phrases suivantes :*
1. I went with **John,** not Paul.
2. I **do** love you.
3. I live at **37** Black Street, not **27**.
4. My phone number is 3750**6**, not 3750**9**.
5. I ordered **red** wine, not white wine.
6. No, **she** lives in London, and **he** lives in Manchester.

2. *Traduisez en anglais, en soulignant le mot accentué :*
1. C'est moi qui l'ai trouvé (= *un objet*).
2. C'est Maman qui a fait le gâteau.
3. Ce n'est pas moi qui ai pris l'argent.
4. "Je suppose que tu n'as pas faim." "Mais si, j'ai faim."
5. "Il n'a pas 16 ans." "Mais si, il a 16 ans."
6. "Tu n'as pas acheté le pain." "Mais si, je l'ai acheté." (Prétérit)

102 Structure emphatique avec it is ... that ...

On fait parfois ressortir un élément d'une phrase en utilisant la structure *It is ... that ...* (ou *It is ... who / which...*).

It's the humidity **that** I hate, not the heat.
C'est l'humidité que je déteste, pas la chaleur.

Pour parler du passé on emploie *It was...*

It was Tony **that** told the police. (*Et non* It is John that told... .)
C'est Tony qui a informé la police.

Après *that* le verbe est toujours à la troisième personne.

It's you that **doesn't** want to go. (*Et non* ... that don't want to go.)
C'est toi qui ne veux pas y aller.

It's **me** that's responsible. (*Et non* ... that am responsible.)
C'est moi qui suis responsable.

EXERCICE

Faites ressortir le mot accentué en utilisant la structure It is / was ... that ... .
1. *Robert* lives in Nelson Street.
2. *Mary* invited all those people.
3. *I* did not ask.
4. *I* have the car.

Remarque

Dans la plupart des cas, la structure "C'est ... qui ..." s'exprime simplement en anglais parlé par la prononciation (voir 101).

103 "En" + participe présent

"En + participe présent" n'a pas d'équivalent direct en anglais. Il peut se traduire par :

1. Le seul participe présent du verbe. (Les deux actions sont alors simultanées.)

> 'Sit down,' she said, **smiling.**
> *"Asseyez-vous", dit-elle en souriant.*
> (Elle parle et sourit en même temps.)

2. *When* + verbe simple (au sens de "quand")

> **When I saw** him I knew at once that he was the man for me.
> *En le voyant j'ai su tout de suite que c'était l'homme de ma vie.*
> (= Quand je l'ai vu ...)

3. *As/while* + verbe progressif (au sens de "pendant que", "tandis que")

> **As I was moving** the table I hurt my arm.
> *En déplaçant la table je me suis fait mal au bras.*
> (= Pendant que je déplaçais ...)

4. *By* + *-ing.* ("En + participe présent" indique le moyen ou la manière de faire l'action).

> 'How can you keep fit ?' '**By doing** a lot of sport.'
> *"Comment peut-on garder la forme ?" "En faisant beaucoup de sport."*
> (= par le moyen du sport)

EXERCICE ────────────────────

Traduisez en anglais :

1. En sortant j'ai oublié de fermer la porte.
2. "Bonjour", dit-il, en prenant son manteau.
3. "Comment puis-je vous aider ?" En m'écoutant pendant (= for) cinq minutes."
4. Elle entra en chantant.
5. En fermant la fenêtre j'ai vu un animal dans le jardin.
6. Je l'ai réveillé en le secouant. (secouer = to shake)

Remarques

1. "En allant à ..." = *on the way to* ou *on my / his*, etc., *way to* ...

> **On my way to** school I found a kitten.
> *En allant à l'école j'ai trouvé un petit chat.*

2. "En + participe présent" a parfois un sens conditionnel. Il se traduit alors par "*if* + verbe".

> **If you hurry,** you'll catch the bus.
> *En te dépêchant tu auras l'autobus.*

104 Comment traduire "encore" ?

1. Dans une phrase affirmative, "encore" (sens temporel) = *still.*

She's still asleep.
Elle dort encore / toujours.

2. "Pas encore" (sens temporel) = *not yet.*

He has**n't** arrived **yet.**
Il n'est pas encore arrivé.

3. "Encore un" (quantité) = *another,* ou *one more.* "Encore deux / trois / etc." = *two / three / etc., more.*

I'd like **another bottle,** please !
Je voudrais encore une bouteille, s'il vous plaît.

three more weeks
encore trois semaines

4. "Encore", "encore une fois" (idée de répétition) = *again* ou *one more time.*

'Shall we try **again** ?'   '**One more time.**'
"On essaie encore ?"   *"Encore une fois."*

5. Devant un comparatif, "encore" = *even.*

even better
encore mieux

EXERCICE ───────────────────────────

Traduisez en anglais :

1. Il est encore à Londres.
2. Je n'ai pas encore payé.
3. J'ai encore trois questions à vous poser.
4. Est-ce que je peux téléphoner encore une fois ?
5. Elle est encore plus belle que sa sœur.
6. Encore deux cafés, s'il vous plaît.
7. "Vous êtes marié ?" "Pas encore."
8. Il est encore jeune.
9. Il fait encore plus froid qu'hier.
10. Je vais demander encore une fois.

Remarques

1. "Pas encore" (idée de répétition) = *not again.*

'Shall we play bridge ?' 'Oh no, **not again.**'
"On joue au bridge ?" "Ah non, pas encore !"

2. Au théâtre, le mot *encore* s'emploie en anglais comme équivalent de "bis".

105 English

1. Attention à la différence entre *the English* (= "les Anglais") et *English* (= "(l')anglais, la langue anglaise").

The English are taller than the French on average.
Les Anglais sont plus grands que les Français en moyenne.

English has an enormous vocabulary.
L'anglais possède un vocabulaire énorme.

English (la langue) ne peut pas s'employer avec l'article indéfini *a/an* (c'est un indénombrable ; voir 214²).

He speaks **good English**. *(Et non... ~~a good English~~).*
Il parle un bon anglais.

2. "Un Anglais" (un homme anglais) = *an Englishman* ; "une Anglaise" = *an Englishwoman*.

Mummy, there's **an Englishman** on the telephone.
Maman, il y a un Anglais au téléphone.

EXERCICE

Traduisez en anglais :
1. L'anglais est parfois difficile.
2. Elle parle un anglais très correct.
3. Les Anglais ont trois fromages et six cents religions.
4. Je ne comprends pas l'anglais, et je ne comprends pas les Anglais.
5. J'ai rencontré un Anglais hier - il était très sympa.
6. Les Anglais sont très différents de nous.

Remarque

"Les Anglais" peut aussi se traduire par *English people* (sans article).

106 Enjoy

1. *Enjoy* = "aimer", "avoir/prendre plaisir à", "apprécier". Ce verbe est toujours suivi d'un objet direct, qui peut être un nom ou une forme en *-ing*.

Did you **enjoy your meal ?**
Tu as bien mangé ?

I always **enjoy walking** in the mountains.
J'ai toujours plaisir à marcher en montagne.

2. *To enjoy oneself* = "bien s'amuser".

Thanks for a nice evening - we really **enjoyed ourselves.**
Merci pour cette agréable soirée, nous nous sommes vraiment bien amusés.

Traduisez en anglais (en utilisant enjoy*) :*

1. Je m'amuse toujours quand je suis avec mes amis.
2. Je n'ai aucun plaisir à lire de la poésie (= poetry).
3. Le bébé aime bien jouer avec vous.
4. Nous aimons faire de la voile (= sailing).

107 Comment traduire "ennuyer" ?

1. "Ennuyer" a deux sens : "irriter", "agacer" et "ne pas intéresser". En anglais, on emploie selon les cas *to irritate, to annoy* (= "irriter", "agacer") ou *to bore* (= "ne pas intéresser").
Comparez :

> It **annoys** me when he doesn't say thank you.
> *Ça m'ennuie quand il ne dit pas merci.*

> This music **bores** me.
> *Cette musique m'ennuie.*

2. "S'ennuyer" = *to be bored.*

> **I'm bored** here ; I'm going out.
> *Je m'ennuie ici ; je sors.*

3. "Ennuyeux" = *annoying, irritating,* ou *boring* selon le contexte. (*Boring* est le contraire de *interesting.*)

> He hasn't answered yet - it's very **annoying.**
> *Il n'a pas encore répondu, c'est très ennuyeux.*

> a **boring** film
> *un film ennuyeux*

Regardez bien les exemples ci-dessus et choisissez le mot qui convient pour compléter les phrases suivantes :

1. 'Is your book interesting ?' 'No, very ... .'
2. I don't like living in the country. I'm ... .
3. She keeps taking my records without asking - it's very ... .
4. If a teacher ... his pupils, it's not always his fault.
5. He ... me when he makes those stupid jokes - I want to hit him.
6. There's nothing to do here - I'm ... .

Remarque

"S'ennuyer" peut aussi se traduire par *to get bored* ou *to feel bored.*

108   Enough [i'nʌf]

1. *Enough* (= "suffisamment", "assez") se place après un adjectif ou un adverbe.

> **rich enough**   **fast enough**   not .long. **enough**
> *suffisamment riche*   *assez rapide*   *pas assez long*
>
> I'm not **strong enough to** lift it. (*Et non* ... ~~for lift it~~)
> *Je ne suis pas assez fort pour le soulever.*

2. *Enough* placé devant un nom, avec ou sans adjectif, correspond à "assez de". ("De" ne se traduit généralement pas après *enough*).

> **enough wine**   **enough carrots**
> *assez de vin*   *assez de carottes*
>
> We haven't got **enough blue cups.**
> *Nous n'avons pas assez de tasses bleues.*

EXERCICE

Traduisez en anglais :
1. Tu n'es pas assez grand (= big).
2. J'ai assez de problèmes !
3. Nous n'avons pas assez de temps.
4. Il est suffisamment intelligent pour comprendre.
5. La soupe n'est pas assez chaude.
6. As-tu assez de pommes de terre ?

---

109   Even

Attention à l'ordre des mots :

— L'adverbe *even* (= "même") précède un verbe principal au présent ou au prétérit mais suit *am / is / are / was / were.* (Voir 232 pour sa place exacte.)

— "Même pas" = *not even.*

> She likes all animals. She **even likes** snakes.
> *Elle aime tous les animaux. Elle aime même les serpents.*
>
> She's **not even** afraid of scorpions.
> *Elle n'a même pas peur des scorpions.*

EXERCICE

Traduisez en anglais :
1. Il n'est même pas dix heures.
2. Elle a même peur des chats.
3. Il aime même le Latin (= Latin).
4. Je n'ai même pas dix francs.
5. Il voyage même en Chine (= China).
6. Je pense même que tu as raison.

Remarques

1. Devant un comparatif, *even* s'emploie comme équivalent de "encore". (Voir 104[5].)

> **even more surprising**
> *encore plus étonnant*

2. Ne confondez pas *even* et *even if* (= "même si").

> I like you, **even if** you don't like me. (*Et non* ... ~~even you don't like me.~~)
> *Je t'aime bien, même si tu ne m'aimes pas.*

110   Ever et **never**

1. *Ever* = "parfois", "déjà" (= "à un moment quelconque"). On l'emploie surtout dans des questions au présent ou au present perfect.

> **Do you ever** go to concerts ?
> *Vous allez parfois au concert ?*

> **Have you ever been** in an accident ?
> *Est-ce que vous avez déjà eu un accident ?*

2. *Ever* s'emploie parfois avec un superlatif et un verbe au present perfect (ou au pluperfect). Il se traduit alors par "jamais".

> It's **the most beautiful** film I**'ve ever seen**.
> *C'est le plus beau film que j'aie jamais vu.*

> It was **the most amazing** story she **had ever heard**.
> *C'était l'histoire la plus étonnante qu'elle eût jamais entendue.*

3. *Never* a un sens négatif et correspond à "(ne) jamais" (= "à aucun moment"). Le verbe qui accompagne *never* est à la forme affirmative (sans *not*, sans *do*).

> Alice **never says** thank you. (*Et non* ~~Alice does never say~~ ... .)
> *Alice ne dit jamais merci.*

> I**'ve never** met him. (*Et non* ~~I haven't never~~ ... .)
> *Je ne l'ai jamais rencontré.*

> 'Give me a kiss !' '**Never !**'
> *"Donnez-moi un baiser !" "Jamais !"*

EXERCICE

1. *Mettez* ever *ou* never :
1. Have you .. met Jim Kendall ?
2. I ... go to the theatre.
3. Do you ... travel by boat ?
4. It's the worst restaurant I've ... been to.
5. They ... eat pork.
6. It was the strangest town he had ... visited.

2. *Traduisez en anglais :*
1. Est-ce que tu vas parfois en Écosse ?
2. Tu as déjà joué au rugby ?
3. C'est le livre le plus intéressant que j'aie jamais lu.
4. Êtes-vous déjà allé en Afrique ?
5. C'est (= She's) la fille la plus sympathique que j'aie jamais connue.
6. Est-ce que tu te lèves parfois avant six heures ?

Remarques

1. Notez bien que, dans les phrases affirmatives, "parfois" se traduit par *sometimes* (et non ~~ever~~).

> I **sometimes** play tennis.
> *Je joue parfois au tennis.*

2. *For ever* = à jamais, pour toujours.

> I'll love you **for ever**.
> *Je t'aime pour toujours.*

111 Les mots composés avec -ever

Les conjonctions *whoever, whatever, whichever, whenever, wherever* et *however* n'ont pas d'équivalent exact en français. Elles expriment en général une idée d'absence de restriction - un peu comme les expressions françaises "qui que ce soit", "quel que", "n'importe quand / où / qui / quel / quoi / comment".

Whoever

I'm not opening the door, **whoever** you are.
Je n'ouvre pas la porte, qui que vous soyez.

Whoever you marry, make sure he can cook.
Quel que soit l'homme que tu épouses, assure-toi qu'il sait faire la cuisine.

I'll give my ticket to **whoever** wants it.
Je donnerai mon billet à qui le veut.

Whatever

Whatever you do, I'll always love you.
Quoi que tu fasses, je t'aimerai toujours.

Whatever problem you have, you can always come to me for help.
Quel que soit votre problème, vous pouvez toujours me demander de l'aide.

Prisoners have to eat **whatever** they're given.
Les prisonniers sont bien obligés de manger ce qu'on leur donne.

Whichever

Whichever day you come, we'll be happy to see you.
Tu peux venir n'importe quel jour, nous serons toujours contents de te voir.

I'll take **whichever tent** you're not using.
Je prendrai la tente dont tu ne te serviras pas.

Whenever

Whenever you come, you'll be welcome.
Vous pouvez venir n'importe quand, vous serez toujours les bienvenus.

Call me **whenever** you like.
Appelle-moi quand tu voudras.

Whenever I talk to her I get angry.
Chaque fois que je lui parle, je me mets en colère.

Wherever

Wherever you go you find advertisements.
Partout où on va, il y a de la publicité.

Sit **wherever** you like.
Vous pouvez vous asseoir où vous voulez.

However

However fast you drive, we'll be late.
Aussi vite que tu conduises, nous serons quand même en retard.

Mettez whoever, whatever, whichever, whenever, wherever *ou* however :

1. ... you say, I don't believe you.
2. ... carefully I speak German, I still have an accent.
3. I want to speak to ... is responsible.
4. It would be nice if you could travel ... you liked without a passport.
5. Come and stay with us ... you like.
6. 'Which bicycle shall I take ?' '... you prefer.'

112 Les exclamations avec how et what

1. *How* est suivi d'un adjectif seul (sans nom).

How funny !
(Comme) c'est drôle !

How pretty !
Oh, que c'est joli !

What est suivi d'un nom (éventuellement précédé d'un article et/ou d'un adjectif).

What a life !
Quelle vie !

What fools !
Quels idiots !

What a lovely house !
Quelle belle maison !

What wonderful weather !
Quel temps merveilleux !

✱ Notez que *a / an* est obligatoire devant les dénombrables singuliers : on dit *What a life !* et non ~~*What life !*~~

2. Attention à l'ordre des mots dans les exclamations longues. L'adjectif ou l'adverbe vient directement après *What* ou *How*, et non en fin de phrase.

How strange it was !
Comme c'était étrange !

How fast he's driving !
Qu'est-ce qu'il conduit vite !

Le sujet précède le verbe.

What a nice garden **Mrs. Jones has got !**
Quel joli jardin (elle) a Madame Jones !

Remarque

L'exclamation s'exprime souvent en français parlé par l'expression "qu'est-ce que... !" ou par la seule intonation.

Qu'est-ce que c'était drôle ! = How funny it was ! (Voir aussi 113.)
Tu en as de la chance ! = How lucky you are !
Oh, la belle voiture ! = What a beautiful car !

Traduisez en anglais :

1. Oh, la belle robe !
2. Quelle langue difficile !
3. Comme c'est intéressant !
4. Qu'est-ce que c'est cher !
5. Qu'est-ce qu'il parle bien !
6. Quelle équipe (= team) !
7. Quels drôles d'animaux !
8. Oh, qu'il est mignon ! (= sweet)

113 Les exclamations interronégatives

L'interronégation s'emploie souvent pour former des phrases exclamatives.

Hasn't she grown !
Qu'est-ce qu'elle a grandi !

Isn't it beautiful !
Qu'est-ce que c'est beau !

EXERCICE ────────────────────────────────

Traduisez en anglais (en utilisant une structure interronégative) :
1. Qu'est-ce qu'il fait chaud !
2. Qu'est-ce que vous avez changé !
3. Qu'est-ce que c'était drôle !
4. Qu'est-ce qu'ils sont curieux ! (= curious).
5. Qu'est-ce qu'il est grand !
6. Qu'est-ce qu'elle ressemble à sa mère (= Doesn't she ...) !

114 Expect et wait

1. *To expect (somebody* ou *something) = "*savoir ou penser que quelqu'un ou quelque chose va arriver*"*.

She's **expecting** a baby.
Elle attend un enfant.

I **expect** Alice will be here soon.
Je suppose qu'Alice sera bientôt là.

2. *To wait (for somebody* ou *for something) = "*attendre le moment où quelqu'un ou quelque chose arrivera*"*.

Annie's late again. I've been **waiting for her** for twenty minutes.
Annie est encore en retard. Ça fait vingt minutes que je l'attends.

I'm still **waiting for an answer.**
J'attends toujours une réponse.

3. *Expect* et *wait for* peuvent tous les deux être suivis d'une proposition infinitive (= "*s'attendre à ce que*" ou "*attendre que*").

I didn't **expect him to win.**
Je ne m'attendais pas à ce qu'il gagne.

I'm **waiting for her to come.**
J'attends qu'elle arrive.

EXERCICE ────────────────────────────────

Traduisez en anglais :
1. Je ne peux pas attendre plus longtemps (= any longer).
2. J'attends un coup de téléphone (= a phone call) à deux heures.
3. Je n'attends jamais plus de dix minutes quand les gens sont en retard.
4. Je m'attends à ce qu'il nous invite à dîner (= to dinner).
5. Je suppose que l'hôtel sera complet (= full).
6. Ça fait deux heures que j'attends (= I've been ... -ing.)

115   Explain

~~Explain me~~ est impossible en anglais. Pour traduire "explique-moi / lui, etc. (quelque chose)", il faut dire : *explain* (+ complément d'objet) + *to me / him,* etc.

> Can you **explain** this sentence **to me** ? (*Et non* ~~Can you explain me this sentence ?~~)
> *Pouvez-vous m'expliquer cette phrase ?*

EXERCICE ───────────────────────────

Traduisez en anglais :
1. Je leur ai expliqué mon attitude (= my attitude).
2. Elle nous a tout expliqué. (Prétérit.)
3. Pouvez-vous m'expliquer pourquoi vous êtes en retard ?
4. Expliquez-moi votre problème.

116   Comment traduire "faire faire" ?

L'infinitif qui suit "faire" peut avoir un sens actif ou passif. Comparez :
— J'ai fait rire tout le monde.
   ("Rire" a un sens actif : tout le monde a ri.)
— J'ai fait réparer ma montre.
   ("Réparer" a un sens passif : ma montre a été réparée.)

La structure anglaise est différente dans les deux cas.

1. Sens actif. On emploie "*make* + complément d'objet + infinitif (sans *to*)".

> I **made everybody laugh.**   She **made me cry.**
> *J'ai fait rire tout le monde.*   *Elle m'a fait pleurer.*

EXERCICE ───────────────────────────

Traduisez en anglais :
1. Je les ai fait travailler dur.
2. Ça me fait penser à mes vacances.
3. Ne me faites pas rire.
4. Tu m'as fait oublier mon train.

Remarque
"Faire attendre quelqu'un" = *to keep somebody waiting.*
"Faire entrer quelqu'un" = *to let somebody in.*
"Faire visiter la maison à quelqu'un" = *to show somebody round.*

2. Sens passif. On emploie "*have* ou *get* + complément d'objet + participe passé".

> I **had my watch repaired.**
> *J'ai fait réparer ma montre.*

> I must **get my trousers cleaned.**
> *Il faut que je fasse nettoyer mon pantalon.*

Traduisez en anglais :
1. J'ai fait laver la voiture.
2. Il a fait peindre (= paint) les murs.
3. Faites traduire cette lettre, s'il vous plaît.
4. Il faut que je fasse nettoyer mon manteau.

117 Far et a long way

Far s'emploie rarement dans une phrase affirmative. On emploie alors *a long way*. Comparez :

'**Do you live far** from here ?' 'Yes, **a** very **long way.**' (*Et non ... ~~very far~~*)
"Vous habitez loin d'ici ?" "Oui, très loin."

Oxford **isn't far** from here, but Liverpool **is a long way.**
Oxford n'est pas loin d'ici, mais Liverpool est loin.

Toutefois après *so, as* et *too,* on emploie *far* même dans une proposition affirmative.

You've gone **too far.**
Tu es allé trop loin.

as far as I know
autant que je sache

Everything's all right **so far.**
Tout va bien jusqu'à présent.

Mettez far *ou* a long way :
1. Rio de Janeiro is ... from here.
2. The station is not ... from my house.
3. Let's take the bus. It's too ... to walk.
4. How ... is the nearest star from here ?
5. It's ... to Tipperary.
6. 'How's everything going ?' 'All right so ... .'

Remarques

1. *Much, many* et *long* (= "longtemps") suivent plus ou moins les mêmes règles - c'est-à-dire qu'ils sont remplacés par d'autres expressions dans une phrase affirmative. (Voir 206 et 191.)

2. *Far* s'emploie avec un comparatif comme synonyme de *much* (= "beaucoup").

far older
beaucoup plus âgé

far better
beaucoup mieux

118 Feel

Feel (= "se sentir") n'est pas un verbe pronominal.

He **felt** inferior. (*Et non ~~He felt himself inferior.~~*)
Il se sentait inférieur.

Traduisez en anglais :
1. Je me sens fatigué ce soir.
2. Comment vous sentez-vous ?

3. Elle se sentait bizarre (= strange).
4. Je me sens souvent seul (= lonely).

Remarque

Notez l'expression *to feel like* (= "avoir envie de"). Elle peut être suivie d'un nom ou d'un verbe en *-ing*.

I feel like a drink.
J'ai envie de boire quelque chose.

I feel like dancing.
J'ai envie de danser.

119 A few, a little, few, little

1. *A few* = "quelques" ou "quelques-uns". *A little* = "un peu (de)".

a few minutes later
quelques minutes plus tard

a little later
un peu plus tard

a few friends
quelques amis

a little champagne
un peu de champagne

'Do you speak English ?'   '**A little.**'
"Est-ce que vous parlez anglais ?" "Un peu."

* Notez bien que *a few* est suivi d'un pluriel.

Mettez a little *ou* a few :
1. I've got ... questions to ask you.
2. Could I have ... water ?
3. 'Were you disappointed (= "déçu") ?' '... .'

4. I've been to England ... times.
5. 'How's your mother ?' '... better, thanks.'
6. Can you lend me ... records for a party ?

Remarque

En anglais parlé, on emploie souvent *a bit* à la place de *a little* (voir 51). On dit également *a little bit*.

2. *Few* (sans article) = "peu (de)" devant un pluriel. *Little* = "peu (de)" devant un singulier. Ils s'emploient peu dans la langue parlée. *Few* est généralement remplacé par *not many*, et *little* par *not much*.

Few people understood. (Anglais écrit)
Not many people understood. (Anglais parlé)
Peu de gens ont compris.

The Queen has **little power.** (Anglais écrit)
The Queen **hasn't** got **much power.** (Anglais parlé)
La reine a peu de pouvoir.

120 For et since (= depuis)

For et *since* correspondent tous les deux à "depuis".
- On emploie *for* devant une expression indiquant une **durée**.
- On emploie *since* devant une expression indiquant un **point de départ**.

for + durée (_____)	since + point de départ (•)
for half an hour *depuis une demi-heure*	**since** three-twenty *depuis trois heures vingt*
for three days *depuis trois jours*	**since** Monday *depuis lundi*
for seven years *depuis sept ans*	**since** his death *depuis sa mort*

Avec *for* et *since* le verbe principal est généralement au present perfect (voir 323).

> **I've known** her **for** years - **since** her marriage, in fact.
> *Je la connais depuis des années - depuis son mariage, en fait.*

EXERCICE ───────────────────

Traduisez en anglais :
1. depuis trois semaines
2. depuis six mois
3. depuis dimanche
4. depuis la guerre (= the war)
5. depuis longtemps
6. depuis le 4 septembre
7. depuis 1980
8. depuis ce matin

Remarque

Since peut aussi s'employer comme conjonction. Le verbe de la subordonnée est au prétérit ou au present perfect selon le contexte. Le verbe de la proposition principale est normalement au present perfect. Comparez :

> I haven't seen her **since she left** London.
> *Je ne l'ai pas vue depuis qu'elle a quitté Londres.*

> I haven't seen her **since she's been** back.
> *Je ne l'ai pas vue depuis qu'elle est rentrée.*

121 For (but)

For peut s'employer pour exprimer le but ou l'intention d'une action, mais seulement devant un nom.

> We went to the pub **for a beer**.
> *Nous sommes allés prendre une bière au pub.*

> I'm here **for an interview** with Professor Allison.
> *Je suis là pour une interview avec le Professeur Allison.*

For ne s'emploie pas devant un verbe. "Pour + infinitif" se traduit par "*to*-infinitif" (voir 169[1]).

We went to the pub **to have** a drink. (*Et non* ... ~~for having a drink.~~)
Nous sommes allés au pub pour prendre un verre.

I went to the college **to see** Professor Allison.
Je suis allé à la Faculté pour voir le Professeur Allison.

EXERCICE ───────────────────────────────────

Mettez for *ou* to.

1. I went to the library ... a dictionary.
2. He went to London ... learn English.
3. 'Why did you come ?' 'Just ... see.'
4. I play tennis ... the exercise and ... enjoy myself.

122 For + complément d'objet + to-infinitif

La structure *for ... to ...* est extrêmement fréquente en anglais, surtout après les adjectifs. Elle correspond souvent à une tournure française tout à fait différente. Voici quelques cas typiques.

1. Après *important, (un)necessary, vital*, et d'autres adjectifs exprimant l'idée d'importance.

It's **important for** gramophone records **to** be stored upright.
Il est important que les disques soient rangés debout.

2. Après *normal, (un)usual, rare, common*, etc. (idée de fréquence).

It's **unusual for** a man **to** be a secretary.
C'est rare qu'un homme soit secrétaire.

3. Après *easy, difficult, impossible*, etc. (idée de facilité / difficulté).

It's **difficult for** people **to** talk about death.
Les gens ont du mal à parler de la mort.

4. Après *too* et *enough*.

It's **too heavy for** me **to** lift.
C'est trop lourd pour que je le soulève.

It's not **late enough for** me **to** stop work.
Il est trop tôt pour que j'arrête de travailler.

5. Comme sujet de la phrase.

For a boy of your age **to get married** is a very big mistake.
Pour un garçon de ton âge, se marier est une très grosse erreur.

6. Après *wait* et *arrange*.

I'm **waiting for** the man of my life **to** come along.
J'attends que l'homme de ma vie se présente.

He **arranged for** me **to** go to Italy.
Il m'a organisé un voyage en Italie.

1. *Traduisez en anglais, en utilisant la structure avec* for :

1. Il est rare que Paul aille au cinéma.
2. Il est trop tard pour que je sorte.
3. Est-ce qu'il est nécessaire que Robert vienne avec nous ?
4. J'attends qu'elle me téléphone.

2. *Complétez les phrases en exprimant la même idée que dans la phrase d'origine :*

1. People absolutely need to relax.
   It's vital ...
2. I can't do it. It's too difficult.
   It's too difficult ...
3. Children often make mistakes. It's normal.
   It's normal ...
4. You must have a good education. It's important.
   It's important ...

123 Forget et leave

Attention à la traduction de "oublier" dans les expressions comme "j'ai oublié mon sac dans le bus". *Forget* ne s'emploie pas lorsqu'on précise le lieu. Il faut alors employer *leave*. Comparez.

> Oh damn ! **I've forgotten** my purse !
> *Oh zut ! J'ai oublié mon porte-monnaie !*

> Oh damn ! **I've left** my purse at home !
> *Oh zut ! J'ai oublié mon porte-monnaie !*

Traduisez en anglais, en employant le present perfect :

1. J'ai oublié mes clefs (= keys).
2. J'ai oublié mes clefs chez moi.
3. J'ai oublié mon écharpe (= scarf) dans le train.
4. J'ai oublié mon livre chez Annie (= at Annie's).

124 From

1. Notez que "de" ne se traduit pas toujours par *of*. Pour exprimer l'idée de "point d'origine" (dans le temps, dans l'espace ou dans une série) on emploie *from*.

> **from** Monday to Friday   **from** Paris to Prague   **from** A to Z
> *de lundi à vendredi*   *de Paris à Prague*   *de A à Z*

> Where are you **from** ?   a long way **from** home
> *D'où êtes-vous ?*   *loin de chez moi*

> Have you heard **from** Gareth ?   I can see the sea **from** my room.
> *Tu as des nouvelles de Gareth ?*   *Je vois la mer de ma chambre.*

2. Dans certains cas, *from* correspond au français "à".

> to borrow / take / steal something **from** somebody
> *emprunter / prendre / voler quelque chose à quelqu'un.*

3. *From* peut également exprimer une idée de séparation, de différence ou d'absence.

separate **from**	different **from**	absent **from**
séparé de	*différent de*	*absent de*

He hid **from** the police.
Il s'est caché pour échapper à la police.

EXERCICE

Traduisez en anglais :

1. de dix heures à onze heures et demie.
2. Il est de Milan.
3. J'ai une lettre de Mamie (= Granny).
4. Il a emprunté de l'argent à son père. (Prétérit).
5. Je ne suis pas très différent de vous.
6. Il était absent de l'école aujourd'hui.
7. Je l'ai entendu dire (= I heard it) par Leslie.
8. Je ne vois rien d'ici.

Remarque

"Près de" = *near, near to* (ou *close to*), et non *near of* ou *near from*.

I live **near** the sea.
J'habite près de la mer.

125   L'expression du futur : introduction

En anglais, comme en français, trois structures de base sont utilisées pour parler du futur. On peut employer soit le "temps futur", soit un temps présent, soit la tournure *"I'm going + to*-infinitif" (= "je vais + infinitif"). En règle générale, chacune des trois structures anglaises s'emploie dans les mêmes circonstances que son équivalent français - ce qui simplifie l'apprentissage de cet aspect de la grammaire anglaise.

TEMPS FUTUR	**I'll be** in Milan at 8.30.	**He'll come** soon.
	Je serai à Milan à 8 h 30.	*Il viendra bientôt.*
TEMPS PRÉSENT	**We're moving** next week.	
	Nous déménageons la semaine prochaine.	
GO + TO-INFINITIF	**It's going to rain.**	
	Il va pleuvoir.	

Pour des explications détaillées sur l'emploi de ces structures, les quelques différences avec le français, l'emploi du "futur antérieur" et du "futur progressif", voir les sections suivantes.

126 Le temps futur : will et shall

Le futur français se traduit généralement par *"will* + infinitif sans *to"*. *Will* est invariable, mais on peut employer *shall* au lieu de *will* à la première personne (sans différence de sens). *Will* et *shall* se contractent en *'ll*. La contraction de *will not* est *won't* [wəunt], celle de *shall not* est *shan't* [ʃɑːnt].

That **will be** difficult.	Perhaps it **will snow.**
Ce sera difficile.	*Il neigera peut-être.*
I'**ll do** it myself.	We **won't stay** long.
Je le ferai moi-même.	*Nous ne resterons pas longtemps.*
Where **will you go** ?	I **shall expect** it at midday.
Où irez-vous ?	*Je l'attendrai à midi.*

Pour des explications sur les autres sens de *will* et *shall,* voir 347 et 283.

EXERCICES

1. *Traduisez en anglais :*
1. Je l'aurai demain.
2. Il saura bientôt.
3. Qu'est-ce que vous ferez ?
4. Il ne dira rien.
5. Nous serons fatigués.
6. J'irai demain.

2. *Mettez des formes contractées lorsque c'est possible :*
1. I will tell him.
2. He will not come with us.
3. When will they see it ?
4. We will not have enough time.
5. 'Will you do it then ?' 'Yes, I will.'
6. She will have to start again.

3. *Complétez les phrases avec* 'll/will/won't + *verbe :*
1. If it rains, we ... to the cinema. (go)
2. What ... you ... yourself with the money you're going to earn ? (buy)
3. I ... myself a record player. (buy)
4. How ... I ... who he is ? I'm afraid I ... him. (know ; recognize)
5. ... you ... of me when you're away ? (think)
6. Of course. I ... you. (forget)

127 Le futur (présent français)

1. Le présent français a parfois un sens futur (ex. : *"*Qu'est-ce que tu fais samedi ?*"*). En anglais, on utilise alors normalement le **présent progressif**, et non le présent simple.

What **are you doing** on Saturday ? (*Et non* ~~What do you do on Saturday ?~~)
Qu'est-ce que tu fais samedi ?

I'**m seeing** Donna this evening. (*Et non* I ~~see Donna this evening.~~)
Je vois Donna ce soir.

Toutefois, on emploie le **présent simple** pour parler des horaires et des emplois du temps.

'The train **leaves** at 6.30.' 'What time **does** it **arrive** in Glasgow ?'
"Le train part à 6 h 30." "A quelle heure est-ce qu'il arrive à Glasgow ?"

I **have** a literature class next Tuesday morning.
J'ai un cours de littérature mardi matin.

2. Dans certains cas, on emploie *will* comme équivalent du présent français - voir 129[1].

EXERCICE ──────────────────────────────

Traduisez en anglais (en employant un temps présent) :

1. Qu'est-ce que vous faites ce soir ?
2. Nous allons à la campagne vendredi.
3. Robert vient demain.
4. Je vois Patricia ce weekend.

5. Je travaille samedi.
6. A quelle heure joues-tu au tennis aujourd'hui ?
7. L'avion arrive à quelle heure ?
8. Le film commence à sept heures et demie.

128   Le futur : I'm going + to-infinitif

En anglais, comme en français, le verbe *go* peut s'employer comme une sorte d'auxiliaire du futur.
*"I'm going + to-*infinitif*"* = *"*je vais + infinitif*"*.

I'm going to give up smoking.
Je vais arrêter de fumer.

It's going to rain.
Il va pleuvoir.

EXERCICE ──────────────────────────────

Traduisez en anglais :

1. Elle ne va pas m'aider.
2. Il va faire froid demain.
3. Je vais faire du thé.

4. Qu'est-ce qui va arriver ?
5. Où allez-vous passer (= spend) vos vacances ?
6. Tu ne vas pas me croire.

Remarque

Cette expression existe également au passé :
*"I was going + to-*infinitif*"* = *"*j'allais + infinitif*"*.

I was going to tell you.
J'allais vous le dire.

129   Le futur : différences avec le français

1. En français, on emploie le présent pour exprimer une décision au moment où on la prend. En anglais, on utilise le futur. (*Will* exprime souvent une idée de volonté ou une intention.)

(On sonne à la porte)   **I'll go.**
                           J'y vais !

(Le téléphone sonne)   **I'll answer** it.
                           Je réponds.

(A la fin d'une lettre)   **I'll stop** now.
                           Je m'arrête.

Le futur s'emploie également pour exprimer une promesse. (En français, il y a souvent le présent dans ce cas-là.)

I'll send it to you on Tuesday.
Je te l'envoie mardi.

I'll do it tonight.
Je le fais ce soir.

2. En français, on peut employer le futur (ou "aller" + infinitif) pour donner des instructions, indiquer une route, etc. En anglais on emploie l'impératif.

> **Go** straight ahead as far as the crossroads, then **turn** left, ...
> *Vous irez tout droit jusqu'au carrefour, puis vous tournerez à gauche, ...*

> First of all, **lie** down with your eyes closed. Now **breathe** very slowly, ...
> *Dans un premier temps, vous allez vous allonger et fermer les yeux. Maintenant, vous allez respirer très lentement, ...*

3. En anglais, on emploie normalement le présent simple au lieu du futur après une conjonction comme *when, as soon as, until,* etc. (voir 133[1]).

> **When you go** to the post, can you take my letters ?
> *Quand tu iras à la poste, peux-tu emmener mes lettres ?*

> I'll come **as soon as I'm** ready.
> *Je viendrai dès que je serai prête.*

(Pour l'emploi du futur après *when,* voir 133, Remarque.)

4. On emploie souvent le présent simple après *I hope* et *I bet*.

> **I hope** it **doesn't rain.**
> *J'espère qu'il ne pleuvra pas.*

> **I bet** he **gets** angry when he sees what we've done.
> *Je parie qu'il se mettra en colère quand il verra ce que nous avons fait.*

EXERCICES ───────────────

1. *Traduisez en anglais (1 et 2) :*
1. "Donnez-moi l'addition (= the bill), s'il vous plaît." "Non, c'est moi qui paie." (1)
2. Je te donne la réponse jeudi. (1)
3. Vous allez lever (= raise) la jambe gauche... (2)
4. "Qu'est-ce que tu bois ?" "Je prends (= have) un coca." (1)
5. Je prends une salade de tomates (= tomato salad), et puis... (1)
6. Vous tournerez à droite après la banque, ... (2)

2. *Mettez les verbes entre parenthèses aux temps qui conviennent (temps futur dans la proposition principale, présent dans la subordonnée - ex :* I'll be sorry when she goes*) : (3)*
1. When I ... 40, I ... rich and fat. (be ; be)
2. ... you ... working when you ... married ? (go on ; be)
3. I ... myself a motorbike when I ... enough money. (buy ; have)
4. I wonder what I ... like when I ... old. (be ; get)
5. I ... you as soon as I... (tell ; know)
6. She ... here until Alex ... back. (stay ; come)

---

130 Le futur antérieur

Le futur antérieur s'emploie, comme en français, pour parler d'une action qui aura été accomplie à un moment de l'avenir. Il se forme à l'aide de "*will have* + participe passé" (*shall have* est également possible à la première personne).

> I **shall have finished** the repairs by Friday.
> *J'aurai fini les réparations d'ici vendredi.*

Traduisez en anglais :

1. Dans quelques mois j'aurai quitté l'école.
2. Je n'aurai pas fait mes courses d'ici jeudi.
3. Est-ce que vous aurez bientôt fini la vaisselle (= the washing up) ?
4. Elle ne sera pas arrivée avant dix heures.

131   Le futur dans le passé

On peut parler d'un moment où un événement, maintenant passé, se situait encore dans l'avenir. Pour exprimer cette idée, on emploie le même type de structures que pour parler du futur mais le temps des verbes change. Par exemple :

1. Au lieu d'employer *am / is / are going to*, on emploie *was / were going to*.

> Last time I saw you, you **were going to** start a new job.
> *La dernière fois que je t'ai vu, tu allais commencer un nouveau travail.*

2. Après un verbe principal au prétérit, on emploie *would* (au lieu de *will*).

> I **knew** he **would come back** soon.
> *Je savais qu'il reviendrait bientôt.*

3. *"I am*, etc. + *to*-infinitif*"* devient *"I was*, etc. + *to*-infinitif*"* (voir 43).

> I **was to see** Mr Callifax at ten.
> *Je devais voir Monsieur Callifax à dix heures.*

Remarque

Notez que lorsqu'on passe du futur au passé, *tomorrow* devient *the next day*, et *next week*, etc., devient *the next week*, etc.

> -- **I'm going to** see him **tomorrow** (= *demain*).
> **I was going to** see him **the next day** (= *le lendemain*).

> — I know it **won't be** ready **next week** (= *la semaine prochaine*).
> I knew it **would'nt be** ready **the next week** (= *la semaine suivante*).

Mettez ces phrases au passé :

1. I think you're going to miss your train.
2. She says I'll learn very fast.
3. He is to go to Canada next summer.
4. I don't think he'll pass the exam.
5. I suppose I'll see her tomorrow.
6. You know I'm going to miss you.

132 Le futur progressif

Le futur progressif se forme à l'aide de *will be* + *-ing.* (*Shall be* est également possible à la première personne.) Ce temps s'emploie pour parler d'une action qui sera en train de se dérouler à un moment donné de l'avenir.

This time next week **I'll be playing** football.
La semaine prochaine à cette heure-ci je serai en train de jouer au football.

At five o'clock tomorrow **I'll be driving** to Nice.
Demain à cinq heures je serai en route pour Nice.

EXERCICE ——————————————————————

Mettez le futur progressif :
1. In two weeks I... in the sun. (sit)
2. I wonder what we ... this time tomorrow. (do)
3. Where do you think we ... ten years from now ? (live)

4. At ten o'clock tomorrow morning I ... to Japan. (fly)
5. When you arrive, I ... at the station. (wait)
6. I'm sorry I can't come to your birthday party, but I ... of you. (think)

133 Futur et conditionnel : concordance des temps

Dans la plupart des propositions subordonnées, on évite d'employer le futur et le conditionnel. Ils sont remplacés respectivement par le présent et le prétérit.

1. On emploie **le présent** après *when, as soon as, as long as, until, while, before, after, whenever, wherever, who, what, as much as, if, in case,* lorsque le verbe de la principale est au futur.

When I'm rich **I'll travel** whenever I want to.
Quand je serai riche, je voyagerai quand je voudrai.

I'll speak to her **as soon as she's** here.
Je lui parlerai dès qu'elle sera là.

I'll give £ 10 to anybody **who helps** me.
Je donnerai dix livres à toute personne qui m'aidera.

EXERCICE ——————————————————————

Traduisez en anglais :
1. Dis bonjour à Tom quand tu le verras.
2. Je t'écrirai dès que je serai à Paris.
3. Quand j'aurai de l'argent, j'achèterai une mobylette (= moped).

4. Je t'aiderai autant que je pourrai.
5. J'irai te voir pendant que les enfants seront à l'école.
6. Quand Lucy viendra, nous irons au théâtre.

2. On emploie **le prétérit** dans les subordonnées après les mêmes conjonctions (*when, as soon as,* etc.) lorsque le verbe de la principale est au conditionnel.

If I had plenty of money **I'd get up when I wanted.**
Si j'avais beaucoup d'argent je me lèverais quand j'en aurais envie.

I'd help anybody **who asked** me.
J'aiderais toute personne qui le me demanderait.

EXERCICE ───────────────────────────────

Mettez le verbe entre parenthèses au temps qui convient :

1. She'll make friends wherever she ... . (to go)
2. I'll give this ticket to the first person who ... me. (to ask)
3. She said she would write to me as soon as she ... . (to arrive)
4. I'll give you half of what I ... . (to find)
5. If I was free I would only do what I ... (to like)
6. When I ... older, I'll probably be very good-looking. (to be)

Remarque

Le futur et le conditionnel s'emploient dans les subordonnées après *when* et *if* au discours indirect.

I don't know when I'll be in London again.
Je ne sais pas quand je serai de nouveau à Londres.

I wonder if it will rain tomorrow.
Je me demande s'il pleuvra demain.

I asked my boss **if he would give me a day off.**
J'ai demandé à mon patron s'il me donnerait un jour de congé.

134   Le genre

En anglais, les noms n'ont pas de genre grammatical. On emploie *he* pour parler des hommes et des garçons, *she* pour parler des femmes et des filles, et *it* dans tous les autres cas, quel que soit le nom. Notez pourtant :

1. On peut utiliser *he* ou *she* (selon le sexe) pour parler d'un animal domestique.

The dog wants to go out. Can you take **her** for a walk ?
La chienne veut sortir. Tu peux la promener ?

2. Une personne qui aime beaucoup sa voiture, sa moto, son bateau, etc., dira peut-être *she* au lieu de *it*.

'How's your **motorbike** ?' '**She's** going like a bomb.'
"Comment marche la moto ?" "Elle roule comme un bolide."

3. Dans certains cas, on emploie *she* et *her* pour les pays.

Japan has decided that **she** will increase **her** aid to the Third World.
Le Japon a décidé d'augmenter son aide au Tiers Monde.

4. Certains noms ont une forme masculine et une forme féminine. Ce sont surtout des noms de profession. Voici quelques exemples :

actor, actress
comédien, comédienne

author, authoress
auteur, femme auteur

waiter, waitress
garçon, serveuse

host, hostess
hôte, hôtesse

135   Get : sens principaux

Get a plusieurs sens, selon la structure de la phrase. Voici les plus fréquents.

1. *Get* + objet direct = ″recevoir″, ″obtenir″, ″s'acheter″, etc.

I **got a postcard** from Peter this morning.
J'ai reçu une carte de Peter ce matin.

We'll have to **get a new car.**
Il faut qu'on achète une nouvelle voiture.

2. *Get* + particule / préposition exprime généralement un mouvement quelconque.

to **get out**   to **get up**   to **get down**
sortir   *se lever*   *descendre*

to **get on / off** a bus ; to **get into / out of** a car
monter dans / descendre d'un autobus ; monter dans / descendre ou sortir d'une voiture

What time do you think we'll **get to** Oxford ?
A quelle heure penses-tu qu'on arrivera à Oxford ?

Get her **out of** here.
Fais-la sortir d'ici.

3. *Get* + adjectif = ″devenir″.

to **get old**   to **get tired**   to **get dark**
vieillir   *se fatiguer*   *commencer à faire nuit*

to **get hungry**   to **get wet**
commencer à avoir faim   *se mouiller*

I can't **get** my hands **warm.**
Je n'arrive pas à me réchauffer les mains.

EXERCICE

Traduisez en anglais :

1. recevoir un cadeau
2. Sortez d'ici !
3. Nous sommes arrivés à Bristol à minuit.
4. Monte dans la voiture.
5. Je vieillis.
6. Il commence à faire nuit ; dépêche-toi.
7. A quelle heure est-ce que tu te lèves demain ?
8. J'ai reçu une lettre de Paul ce matin.

Remarques

1. En anglais américain, le participe passé de *get* est *gotten*.

I've **gotten** tired of studying.

2. Le present perfect de *get (I have got)* s'emploie souvent dans un sens présent comme équivalent de *I have*, surtout en anglais parlé. (Voir 145.)

3. Avec certains adjectifs, on emploie *go* à la place de *get* (ex. : *go bad ; go pale*). (Voir 137.)

136 Get : auxiliaire du passif

To get peut s'employer à la place de *to be* comme verbe auxiliaire pour former les temps passifs. On emploie *get* surtout quand il s'agit d'un événement inattendu ou d'un accident, mais il y a des exceptions. La structure avec *get* correspond souvent à un verbe pronominal français.

to get killed	to get broken	to get dismissed
être tué, se tuer	*se casser*	*être licencié*
to get lost	to get married	to get dressed
se perdre	*se marier*	*s'habiller*

EXERCICE ─────────────────

Traduisez en anglais :

1. Je me suis perdu dans la forêt.
2. Comment cette assiette s'est-elle cassée ?
3. Il s'est tué dans un accident de voiture.
4. Il faut que je m'habille.
5. Elle s'est mariée en mars.
6. Il a été blessé (= hurt) dans un match de football.

137 Go (et get)

On emploie *go*, et non *get*, au sens de "devenir" devant certains adjectifs. C'est surtout le cas quand on parle des changements de couleur ou des changements pour le pire.

Leaves **go yellow** in autumn.
les feuilles jaunissent en automne.

to **go red**
rougir

I think Aunt Elizabeth**'s going mad.**
Je crois que Tante Elizabeth devient folle.

He **went bald** before he was thirty.
Il est devenu chauve avant l'âge de trente ans.

The milk **has gone sour.**
Le lait a tourné.

The potatoes **have gone bad.**
Les pommes de terre ont pourri.
(ou... ne sont plus bonnes.)

EXERCICE ─────────────────

Traduisez en anglais :

1. Elle est devenue toute blanche et elle s'est évanouie (= fainted).
2. Je deviens de plus en plus chauve.
3. La viande n'est plus bonne.
4. Je ne veux pas devenir fou.

Remarque

On emploie *get* (et non ~~go~~) avec *old, tired* et *ill.*

He's getting old.
Il vieillit.

138 Comment traduire "grand" ?

"Grand" peut se traduire par *large, great, big* ou *tall* selon les cas.

1. Avec les dénombrables (voir 214)

- *Large* s'emploie surtout avec les dénombrables à sens concret.

  a large garden   **a large meal**
  un grand jardin   *un grand repas*

- Avec les mots abstraits on préfère *great*.

  a great problem   **a great difference**
  un grand problème   *une grande différence*

- Dans un style familier, on emploie souvent *big* à la place de *large* ou *great*.

  a big garden   **a big meal**   **a big problem**   **a big difference**

2. Avec les indénombrables

Avec les indénombrables, *great* est normalement la seule possibilité.

  great respect (*et non* ~~large / big respect~~)
  un grand respect

3. Cas particuliers

- *Great* s'emploie aussi au sens de "célèbre".

  Napoleon was not a big man, but he was a great man.
  Napoléon n'était pas grand, mais c'était un grand homme.

- *Tall* se rapporte uniquement à la hauteur. On l'emploie surtout pour parler des personnes, des arbres, et parfois des bâtiments.

  How tall are you ?   **the tallest tree** in the forest
  Combien mesurez-vous ?   *l'arbre le plus grand de la forêt*

EXERCICE

Mettez large, big, great *ou* tall *(il y a parfois deux possibilités) :*

1. a ... room
2. a ... difference
3. ... confusion
4. Einstein was a ... scientist.
5. She's very ..., she's nearly 6 ft.
6. ... astonishment
7. a ... experience
8. a ... steak

Remarques

1. *A big man* est grand et fort. *A tall man* peut être mince ou fort, *tall* ne le précise pas.

2. "Des grands cheveux" = *long hair*.

139 Had better

You had better = "tu ferais bien de" ou "vous feriez bien de".
L'expression s'emploie pour donner des conseils ou des ordres. Le
sens est présent ou futur, malgré la forme passée. *Had better* est
suivi de l'infinitif sans *to*.

> You **had better hurry.**
> *Tu ferais bien de te dépêcher.*
>
> **I'd better take** the car to a garage.
> *Je ferais bien d'emmener la voiture au garage.*
>
> **You'd better tell** them the truth.
> *Tu as intérêt à leur dire la vérité.*

Attention à l'ordre des mots dans les phrases négatives.

> **You'd better not wake** her up.
> *Tu ferais bien de ne pas la réveiller.*

EXERCICE

Traduisez en anglais, en utilisant had better :

1. Tu fais bien de mettre (= put on) un manteau. Il fait froid.
2. Tu as intérêt à arrêter de fumer.
3. Vous avez intérêt à ne pas me déranger (= disturb).
4. Je ferais bien d'écrire à ma mère.
5. Je suis fatigué, je ferais bien d'aller me coucher (= go to bed).
6. Tu ferais bien d'acheter un réveil (= an alarm clock).

140 Half

1. "La moitié" = *half* (sans article). Devant un nom, on l'emploie
le plus souvent sans *of*.

> **Half the money** is mine.
> *La moitié de l'argent est à moi.*
>
> **Half my friends** are foreigners   **half of them**
> *La moitié de mes amis sont des étrangers.*   *la moitié d'entre eux.*

2. *Half* s'emploie aussi comme équivalent de "demi". Attention à
l'ordre des mots.

half a pound	**half an hour**	**half a bottle**
une demi-livre	*une demi-heure*	*une demi-bouteille*

EXERCICE

Traduisez en anglais :

1. Je voudrais la moitié de ce fromage.
2. un demi-litre (= litre).
3. Donnez-m'en la moitié. *(Ne pas traduire "en".)*
4. Attendez une demi-heure, s'il vous plaît.
5. une demi-douzaine (= dozen).
6. J'ai déjà bu la moitié du verre (Present perfect).

141 Happen

C'est un verbe (= "se passer", "arriver").

> **What's happening ?** (*Et non* ~~What's happen~~ ?)
> *Qu'est-ce qui se passe ?*
>
> **What's happened ?** (= What has happened ?) ou **What happened ?**
> *Qu'est-ce qui s'est passé ?*

EXERCICE

Complétez les phrases :

1. Nothing is ...
2. Something very surprising ... yesterday.
3. What do you think will ... ?
4. Everything is ... at the same time.
5. This has never ... before.
6. Something has ... to the car.

Remarque

1. *"Happen + to-*infinitif" s'emploie pour exprimer l'idée de "par hasard".

> I **happened to meet** her this morning.
> *Je l'ai rencontrée ce matin par hasard.*

2. Ne confondez pas *happen* et *arrive* (voir 27).

142 Hard et hardly

1. *Hard* = "dur" (adjectif ou adverbe). *Hardly* = "à peine", "guère". Comparez :

> I'm working very **hard** at the moment.
> *Je travaille beaucoup ("dur") en ce moment.*
>
> I **hardly** worked at all yesterday.
> *J'ai à peine travaillé hier.*

EXERCICE

Mettez hard *ou* hardly :

1. This bread is very ... .
2. 'Do you know Oscar ?' '... .'
3. I'm so tired I can ... stand up.
4. We tried very ... to understand.
5. I ... ever go to concerts.
6. Push the door as ... as you can.
7. He eats ... anything.
8. ... anybody came to the lecture.

2. Attention aux tournures *hardly anybody* (= "presque personne"), *hardly anything* (= "presque rien"), *hardly ever* (= "presque jamais"), *hardly any* (= "presque pas de").

> He's got **hardly any** money.
> *Il n'a presque pas d'argent.*
>
> **Hardly anybody** can understand what she says.
> *Presque personne ne comprend ce qu'elle dit.*

143 Have : formes

PRÉSENT

Forme complète	Forme contractée
AFFIRMATION	
I have	I've
you have	you've
he / she / it has	he / she / it's
we have	we've
they have	they've
INTERROGATION	
have I ... ?	
have you ... ?	
has he / she / it ... ?	
have we ... ?	
have they ... ?	
NÉGATION	
I have not	I haven't
you have not	you haven't
he / she / it has not	he / she / it hasn't
we have not	we haven't
they have not	they haven't
INTERRONÉGATION	
have I not ... ?	haven't I ... ?
have you not ... ?	haven't you ... ?
has he / she / it not ... ?	hasn't he / she / it ... ?
have we not ... ?	haven't we ... ?
have they not ... ?	haven't they ... ?

Remarques

1. La forme interronégative non contractée *(have I not,* etc.) est rare en anglais parlé.

2. Dans beaucoup de dialectes anglais et américains, il existe une forme *ain't* qui remplace les formes négatives *(I / you / he* etc. *ain't = I haven't, you haven't,* etc.). *Ain't* remplace aussi *am / are / is not.*

3. En anglais parlé, le mot *got* s'ajoute aux formes contractées dans certains des emplois de *have* (ex. : *I've got a sister* = "J'ai une sœur"). Voir 145.

4. *Have* peut aussi se conjuguer comme un verbe ordinaire (avec *do* aux formes interrogatives et négatives). Voir 145² et 146.

5. Attention ! Le verbe "avoir" ne se traduit pas toujours par *to have* (voir 42).

PRÉTÉRIT	*Affirmation :* I / you / he /, *etc.* had (*contractions* I'd, you'd, *etc.*) *Interrogation :* had I / you / he /, *etc.* ? *Négation :* I / you / he/, *etc.* had not (*contractions* hadn't) *Interronégation :* had I / you / he /, *etc.* not ? (*contractions* hadn't I, *etc.*)
FUTUR	*Affirmation :* I / you / he /, *etc.* will have (*contractions* I'll have, *etc.*) *Interrogation :* will I have, *etc.* ? *Négation :* I will not have, *etc.* (*contractions* I won't have, *etc.*) *Interronégation :* will I not have, *etc.* ? (*contractions* won't I have, *etc.*)
CONDITIONNEL	I would have, *etc.* (*contractions* I'd have, *etc.*)
PRESENT PERFECT	I have had, *etc.* (*contractions* I've had, *etc.*)
PLUPERFECT	I had had, *etc.* (*contractions* I'd had, *etc.*)
PARTICIPES	having, had.
IMPÉRATIF	have, don't have.

EXERCICE —————————————————————————

Traduisez en anglais, en employant to have :

1. j'aurais
2. j'aurai
3. il avait eu
4. avez-vous eu ? (deux temps possibles)
5. je n'ai pas
6. elle aurait
7. il n'avait pas eu
8. avons-nous ?
9. aviez-vous ?
10. auraient-ils ?

144 ` Have : verbe auxiliaire

Have s'emploie comme auxiliaire du present perfect et du pluperfect. N'oubliez pas qu'en anglais **tous les verbes** se conjuguent avec *have* à ces deux temps ; *to be* n'est pas employé comme auxiliaire du passé.

I've already **paid.**   **I'd forgotten.**
J'ai déjà payé.   *J'avais oublié.*

The Queen has arrived. (*Et non* ... ~~is arrived.~~)
La reine est arrivée.

EXERCICE —————————————————————————

Traduisez en anglais :

1. Il avait compris.
2. "J'ai fini." "Tant mieux." (= Good.)
3. Elle n'était pas venue avec nous.
4. Tout le monde avait bien travaillé.
5. "Où est Ken ?" "Il est parti à Londres."
6. Avez-vous mangé ?

Remarque

Le present perfect ressemble au passé composé français, mais ne s'emploie pas toujours de la même manière. Voir 322.

145   Have got : possession

1. En anglais parlé il est rare d'employer les formes *I have, have you, I have not*, etc. pour parler de la possession. On emploie plutôt (surtout en anglais britannique) *I've got, have you got, I haven't got*, etc. Ce *got*, qui est invariable, s'ajoute aux formes contractées du présent et parfois du passé, sans en changer le sens.

He's got a new car.   **Have you got** a light ?
Il a une nouvelle voiture.   *Avez-vous du feu ?*

I haven't got any friends in this country.
Je n'ai pas d'amis dans ce pays.

2. Lorsqu'il y a une idée de répétition ou d'habitude, *have* se conjugue comme un verbe ordinaire (avec *do* aux formes interrogatives et négatives, et sans *got*).

Do you often **have** time to go out ?
Vous avez souvent le temps de sortir ?

We don't usually have whisky in the house.
En général, nous n'avons pas de whisky à la maison.

EXERCICE

Traduisez en anglais (en utilisant les formes avec got*) :*

1. Ils ont un bel appartement (= flat).
2. J'ai trois frères.
3. Avez-vous cinq minutes pour moi ?
4. Elle n'a pas de temps libre.
5. Est-ce que vous avez une moto ? (= motorbike)
6. Vous avez une nouvelle chemise ! (= shirt)
7. Elle a les yeux bleus. *(Ne pas traduire* "les"*).*
8. Avez-vous une cigarette ?

Remarques

1. *Have* ne s'emploie pas à la forme progressive pour parler de la possession.

2. En anglais américain, les formes interrogatives et négatives se construisent avec *do* même dans les cas où un Anglais utiliserait *got*. Comparez :

GB **Have you got** a light ?   US **Do you have** a light ?

3. Dans certains cas, "avoir" se traduit par *"to be"*.

How old are you ?   **I'm cold.**
Quel âge avez-vous ?   *J'ai froid.*

Pour des explications détaillées, voir 42.

Pour des explications détaillées, voir 42.

RAPPEL

J'ai = **I've got**
J'ai eu = **I had** (parfois **I'd got**) ou **I've had**, selon le contexte.

146 Have (sens spéciaux)

Have ne correspond pas toujours à "avoir". On l'emploie aussi dans un grand nombre d'expressions se rapportant à une activité. Le sens de *have* varie un peu selon l'expression, mais il se traduit souvent pas "faire (l'expérience de)", "prendre" ou "passer". Voici quelques exemples :

> to have a dream : *faire un rêve*
> to have a rest : *se reposer*
> to have a wash / shower / bath / shave :
>   *se laver / prendre une douche / prendre un bain / se raser*
> to have a swim : *se baigner*
> to have a holiday : *passer des vacances*
> to have breakfast / lunch / a cup of tea / dinner / a drink :
>   *prendre le petit déjeuner / , etc.*
> to have a good time : *bien s'amuser*
> to have a look at something : *jeter un coup d'œil à quelque chose*
> to have a try : *faire un essai*
> to have a nervous breakdown : *faire une dépression nerveuse*

Dans ces cas-là, *have* s'emploie comme un verbe ordinaire, avec *do* aux formes interrogatives et négatives, et il a des formes progressives.

> **Did you have** a good rest ?   **I'm having** a very good time.
> *Vous vous êtes bien reposé ?*   *Je m'amuse très bien.*

* Notez l'emploi de l'impératif dans les formules de politesse.

> **Have** a good trip.   **Have** a nice rest.   **Have** a nice holiday !
> *Bon voyage.*   *Reposez-vous bien.*   *Bonnes vacances !*

EXERCICE ──────────────────────────────

Traduisez en anglais :
1. J'ai fait un rêve bizarre (= strange) la nuit dernière.
2. A quelle heure est-ce que vous dînez en général (= usually) ?
3. Je vais prendre un bain.
4. "Où est Karen ?" "Elle prend une douche." *(Attention au temps.)*
5. Amusez-vous bien !
6. Vous voulez vous baigner ?

147 Have (got) to ...

1. La tournure "*have (got) + to* - infinitif" exprime l'obligation. L'équivalent français de *I have (got) to* ... peut être "je suis obligé de...", "il faut que je..." ou "je dois...".

> I'm sorry. **I have to go.** (*ou* **I've got to go.**)
> *Je suis désolé. Je dois sortir.*

> **I've got to telephone.** (*ou* **I have to telephone.**)
> *Il faut que je téléphone.*

2. La forme négative exprime une absence d'obligation.

> **I haven't got to go** to work tomorrow. (*ou :* **I don't have to go...**)
> *Je ne suis pas obligé d'aller travailler demain.*

3. Cette structure existe à tous les temps.

I'll have to buy some new shoes soon.
Il va bientôt falloir que je m'achète de nouvelles chaussures.

I had to stand all the way.
J'ai été obligé de rester debout pendant tout le voyage.

Remarques

1. Il n'y a pas de différence importante entre les formes avec *got* (qui s'emploient surtout au présent) et les formes sans *got*.

2. *Must* sert aussi à exprimer l'obligation. Il y a une légère différence. *Must* s'emploie (plus que *have to*) pour imposer une obligation — pour exprimer un ordre ou une interdiction ; tandis que *have to* s'emploie plutôt pour décrire une obligation qui existe déjà. *Must* s'emploie uniquement au présent. (Voir 207.)

3. Les formes interrogatives et négatives de *I have to* (sans *got*) se construisent avec *do / does* au présent et *did* au prétérit.

Do you really **have to** go ?
Il faut vraiment que tu partes ?

You didn't have to answer.
Tu n'étais pas obligé de répondre.

EXERCICE
Traduisez en anglais :
1. Je suis obligé de te quitter.
2. Il faut que j'écrive à Sally.
3. Est-ce que tu dois travailler demain ?
4. J'ai dû attendre pendant une heure.
5. Vous n'êtes pas obligé de rester si vous ne voulez pas.
6. Il faudra bientôt que je rentre chez moi.

148 Here et there

Here désigne l'endroit où se trouve la personne qui parle (français "ici" ou "là").

What are you doing **here** ?
Qu'est-ce que tu fais ici ?

I won't be **here** tomorrow.
Je ne serai pas là (= ici) demain.

There désigne les autres endroits (français "là", "y", "là-bas").

Is John **there** ? *(au téléphone)*
Est-ce que John est là ?

I'm going **there** tomorrow
J'y vais demain.

Do you know the girl in the corner over **there** ?
Tu connais la fille qui est dans le coin là-bas ?

EXERCICE
Mettez here ou there :
1. 'Do you know Naples ?' 'No, I've never been ... .'
2. Hello ! What are you doing ... ?
3. Who's the boy over ... behind the record-player ?
4. 'Hello. Cambridge 3714298.' 'Hello. Is Stephanie ..., please ?'
5. 'Where are you, Peter ?' '... in the kitchen.'
6. 'Where's the post office ?' 'Over ... on the other side of the road.'

Remarque

Ne pas confondre *there* [ðeə(r)] (= "là-bas", etc.) avec *there* [ðə(r)] (dans la tournure *there is* ; voir 332).

149 Holiday(s)

1. Ce mot s'emploie au singulier dans l'expression *to be / go on holiday* (= "être / aller en vacances") et, généralement, lorsqu'il s'agit d'une seule période de vacances.

> three weeks' **holiday**
> *trois semaines de vacances*

> Have **a** nice / good **holiday.**
> *Bonnes vacances*

On emploie parfois le pluriel pour parler des grandes vacances.

> I'm taking my **holiday(s)** in August.
> *Je prends mes vacances au mois d'août.*

> We spent our **holiday(s)** in Spain this year.
> *Nous avons passé nos vacances en Espagne cette année.*

2. Le pluriel s'emploie également dans l'expression *during the holidays* (= "pendant les vancances") et lorsqu'il s'agit des vacances en général ou de plusieurs périodes de vacances.

> I like **holidays.**
> *J'aime les vacances.*

> We've spent **three holidays** in Yugoslavia.
> *Nous sommes partis trois fois en vacances en Yougoslavie.*

EXERCICE

Traduisez en anglais :

1. Je suis en vacances la semaine prochaine.
2. Nous avons cinq jours de vacances en mai.
3. Quand est-ce que vous prenez vos vacances cette année ?
4. "Où est Mme Caziers ?" "En vacances."
5. J'ai rencontré Bob pendant les vacances.
6. Je ne pourrais pas vivre sans vacances.

RAPPEL

to be / go on holiday (*et non* ~~in holidays~~)
être / aller en vacances

during the holidays
pendant les vacances

---

150 Home et house

1. *Home* = "maison" au sens de "foyer" (l'endroit où l'on est chez soi).
House = "maison" au sens physique (un bâtiment d'habitation).
Comparez :

> I had **a very happy home** when I was a child.
> *J'étais très heureux chez moi quand j'étais petit.*

> They're building **a new house** at the end of our road.
> *Ils construisent une nouvelle maison au bout de notre rue.*

2. L'expression "à la maison" se traduit par *home* (sans préposition) pour parler d'un déplacement, et par *at home* quand il n'y a pas de déplacement. Comparez :

I'm tired, let's go home.
Je suis fatigué, rentrons à la maison.

Is your mother at home ?
Est-ce que ta mère est à la maison ?

En anglais américain, on dit *home* aussi à la place de *at home*.

EXERCICE

Mettez house, home *ou* at home :
1. We live in a big ... near Hyde Park.
2. Is Alice ... ?
3. It's time to go ... .
4. It's important for a child to have a secure ... .
5. I'm sorry, she isn't ... .
6. My uncle lives in the red ... over there.

Remarque
En anglais familier, "chez moi" ("chez lui", etc.) se traduit parfois à l'aide du nom *place*. (Voir 248, Remarque.)

151 Hour, time, o'clock

1. *An hour* = une heure = 60 minutes. (C'est une durée.)
Two hours = deux heures = 120 minutes, etc.

You stayed in the water for two hours.
Tu es resté deux heures dans l'eau.

"Un quart d'heure" = *a quarter of an hour*
"Une demi-heure" = *half an hour.*
"Trois quarts d'heure" = *three quarters of an hour.*

2. *Time* se réfère à l'heure qu'indique la pendule.

'**What time** did you get up ?' '(A) quarter to nine.'
"A quelle heure t'es-tu levé ?" "A neuf heures moins le quart."

"Neuf heures et quart" = *(a) quarter past nine*
"Neuf heures et demie" = *half past nine.*

3. *O'clock* ne s'emploie que pour désigner l'heure juste (*one o'clock, two o'clock,* etc.). Comparez :

I woke up at six (o'clock).
Je me suis réveillé à six heures.

I woke up at ten past six.
Je me suis réveillé à six heures dix.

O'clock est facultatif dans le premier cas, impossible dans le second.

EXERCICE

Traduisez en anglais :
1. Il est arrivé à quatre heures et demie.
2. Je resterai (= to stay) une heure ou deux.
3. Je partirai (= to leave) à une heure.
4. Il est onze heures et quart.
5. J'ai attendu trois heures chez le dentiste.
6. "A quelle heure t'es-tu couchée ?" "A minuit moins le quart."

152 How et what ... like ?

— On emploie *how* lorsqu'on veut s'enquérir de la santé ou des progrès de quelqu'un (ou de quelque chose). *How is / are... ?* = "Comment va / vont... ?"
— On emploie *What ...like ?* lorsqu'on veut obtenir la description de quelqu'un ou de quelque chose. *What is / are ...like ?* = "Comment est / sont... ?" Comparez :

'**How's** your mother ?' '**She's fine,** thanks.'
"Comment va ta mère ?" "Elle va très bien, merci."

'**What's** your mother **like ?**' 'She's tall and **slim.**'
"Comment (elle) est ta mère ?" "Elle est grande et mince."

EXERCICE

Traduisez en anglais :
1. Comment va ta grand-mère ?
2. Comment va ton travail ?
3. Comment (elle) est ta sœur ? (Ne pas traduire "elle").
4. "C'est comment la Nouvelle-Zélande ?" (= New Zealand) "C'est un très beau pays."
5. Comment allez-vous ?
6. Vous ne savez pas comment je suis !

153 How do you do ?

Cette expression correspond au français "Enchanté", et ne s'emploie qu'au moment où l'on est présenté à quelqu'un. Ne confondez pas *How do you do ?* avec *How are you ?* (= "Comment allez-vous ?", etc.). Comparez :

— This is Peter Dawson and this is Mark Simpson.

PETER. **How do you do ?**   MARK. **How do you do ?**
Enchanté.   *Enchanté.*

— 'Hello, Bob. **How are you ?**' 'Fine, thank you.'
"Bonjour Bob. Comment vas-tu ?" "Ça va, merci."

Remarque

Notez bien que *How do you do ?* ne s'emploie que pour des présentations formelles (comme "Enchanté" en français). Les jeunes ne l'emploient pas entre eux.

154 How long... ? (durée)

(For) how long... ? peut correspondre à "Depuis combien de temps... ?" / "Depuis quand... ?" ou à "Pendant combien de temps... ?" / "Jusqu'à quand... ?".

'**How long have you been** here ?' 'Three days.'
"Tu es là depuis combien de temps ?" "Depuis trois jours."

'**How long are you staying** in France ?' 'Until Christmas.'
"Tu restes (pendant) combien de temps en France ?" "Jusqu'à Noël."

* Notez bien la traduction du présent français :
— Présent français + **depuis combien de temps / depuis quand** =
present perfect (simple ou progressif selon le verbe, voir 323).
— Présent français + **(pendant) combien de temps / jusqu'à quand**
= présent (simple ou progressif selon le verbe) ou futur.

Comparez :

> How long **have you been** here ?
> *Tu es là depuis quand ?*

> How long **are you** here **(for)** ? (*ou* How long **will you be** here **(for)** ?)
> *Tu es là jusqu'à quand ?*

Remarques

1. *For* est généralement sous-entendu (comme "pendant" en
français).

2. *How long...* ? s'emploie également avec les autres temps.

> 'How long **did you stay** in bed ?' 'Ten days.'
> *"Combien de temps es-tu resté couché ?" "Dix jours".*

EXERCICE ─────────────────────────

Traduisez en anglais (en commençant toujours par How long) :

1. Tu es malade depuis combien de temps ?
2. Vous vivez ensemble depuis quand ?
3. Tu restes combien de temps à Paris ?
4. Vous êtes marié depuis combien de temps ?
5. Elle est en vacances jusqu'à quand ?
6. Combien de temps as-tu passé à Londres l'année dernière ? (passer = to spend)

155 How much et how many

1. *How much / many =* "combien (de)". *How much* s'emploie
devant un singulier et *how many* devant un pluriel.

> **How much money** have you got with you ?
> *Tu as combien d'argent sur toi ?*

> **How many brothers** and sisters have you got ?
> *Combien as-tu de frères et sœurs ?*

2. Le nom peut être sous-entendu.

> **How much** is it ? (= How much **money**... ?)
> *C'est combien ? (= quel prix ?)*

> 'I'd like some peaches.' 'Yes, **how many** ?' (= ... how many **peaches** ?)
> *"Je voudrais des pêches." "Oui, combien ?"*

EXERCICE ─────────────────────────

Mettez how much *ou* how many :

1. ... money have you got on you ?
2. ... petrol does your car use ?
3. I don't know ... people are coming this evening.
4. '... is that record ?' 'Five pounds thirty.'
5. ... languages can you speak ?
6. 'I' ve got several children.' '... ?'

156   How often... ?

*How often ... ? = "*tous les combien ... ?"

'**How often** do you see him ?' 'Once a week.'
"Tu le vois tous les combien ?" "Une fois par semaine."

"Tous les jours" = *every day ;* "tous les deux jours" = *every two days ;* "une fois par semaine" = *once a week ;* "deux fois par mois" = *twice a month ;* "trois / quatre / etc. fois" = *three / four /* etc. *times.*

EXERCICE

Traduisez en anglais :

1. "Tu vas au cinéma tous les combien ?" "Une ou deux fois par mois."
2. "Ils sont payés tous les combien ?" "Toutes les semaines."
3. "Je vais souvent à la piscine (= go swimming)." "Tous les combien ?"
4. "Tu vois ton père tous les combien ?" "Tous les deux jours."

Remarque

"Combien de fois ... ?" = *how many times ... ?*

How many times have you done the washing up this week ?
Combien de fois as-tu fait la vaisselle cette semaine ?

157   How tall / high / long... ?

1. *How tall... ?*

'**How tall are you ?**' 'I'm 5 foot 4.'
"Combien mesurez-vous ?" "Je mesure 1,60 m."

(En anglais parlé, on emploie plutôt *foot* que *feet* en ce cas-là.)

2. *How high... ?*

'**How high is** Mount Everest ?' '**It's** 29,100 feet **high.**'
"Quelle est la hauteur du Mont Everest ?" "Il a 8 700 mètres de haut."

3. *How long... ?*

'**How long is** the Thames ?' '**It's** 210 miles **long.**'
"Quelle est la longueur de la Tamise ?" "Elle a 336 kilomètres de long."

(Pour *How long... ?* exprimant une durée, voir 154).

EXERCICE

Traduisez en anglais :

1. Combien mesure votre mari ?
2. Quelle est la hauteur de la Tour Eiffel (= The Eiffel Tower) ?
3. Quelle est la longueur de la Seine ?
4. Quelle est la longueur de votre bateau ?
5. Je ne sais pas combien elle mesure.
6. Quelle est la hauteur du garage ?

Remarque

On peut utiliser la structure *"How* + adjectif + verbe + sujet ?"
avec toutes sortes d'adjectifs.

> **'How old are you ?'** '18'.
> *"Quel âge avez-vous ?" "18 ans".*

> **'How warm is it** outside ?' 'Not very.'
> *"Il fait chaud dehors ?" "Pas très."*

158   If : structures principales

Dans les phrases construites avec *if,* la concordance des temps se
fait comme en français.

1.   IF + PRÉSENT

If you invite me to the cinema
Si tu m'invites au cinéma

FUTUR DANS LA PRINCIPALE

I will accept with pleasure.
J'accepterai avec plaisir.

2.   IF + PRÉTÉRIT

If you invited me to the cinema
Si tu m'invitais au cinéma

CONDITIONNEL PRÉSENT DANS
LA PRINCIPALE

I would accept with pleasure.
J'accepterais avec plaisir.

3.   IF + PLUPERFECT

If you had invited me to the cinema

Si tu m'avais invité au cinéma

CONDITIONNEL PASSÉ DANS LA
PRINCIPALE

I would have accepted with
pleasure.
J'aurais accepté avec plaisir.

Pour la formation du futur avec *will,* voir 126. Pour la formation
du conditionnel et du conditionnel passé (avec *would* et *would
have),* voir 74 et 75.

EXERCICES

1. *Mettez* will *ou* would, *selon le contexte :*

1. When it's warmer, I ... go swimming.
2. If it was warmer, I ... go swimming.
3. I ... buy a moped (= mobylette) when I can afford it.
4. I ... buy a moped if I could afford it.
5. I ... learn the guitar if I had the time.
6. I ... learn the guitar next year if I have the time.

2. *Mettez les formes correctes des verbes :*

1. If I ... the answer I would tell you. (know) (2)
2. If I ... enough money I would buy you a drink. (have) (2)
3. If you had arrived earlier you ... Jane. (meet) (3)
4. If I ... you we would have been very unhappy. (marry) (3)
5. If I see Andrew I ... him your love. (give) (1)
6. I won't go out if it ... . (rain) (1)
7. I ... smoking if I had more will-power. (give up) (2)
8. What ... you ... if you had a lot of money ? (do) (2)

3. *Traduisez en anglais :*

1. Si j'étais très riche, je ferais le tour du monde. (= go round the world) (2)
2. Je t'aiderais si c'était possible. (2)
3. J'irai voir Leslie si j'ai le temps. (1)
4. Si j'avais su leurs noms je t'aurais présenté (= introduced). (3)
5. Tu aurais été déçu si tu étais venu. (3)
6. Je quitterais l'école si je pouvais. (1)

Remarque

Après *if,* on emploie parfois *were* au lieu de *was* (surtout en anglais écrit, et dans la tournure *If I were you*).

> **If** the climate **were** better, tourism could be developed.
> *Si le climat était meilleur, on pourrait développer le tourisme.*

> **If I were you** I wouldn't give him a penny.
> *A ta place je ne lui donnerais pas un sou.*

159 If : structures spéciales

1. If + will / would

Dans certaines circonstances, on peut employer *will* dans une proposition introduite par *if.* Ce n'est pas un futur ; c'est un autre sens de *will,* qui correspond à "vouloir bien" (voir 349).

> **If you will** follow me,...
> *Si vous voulez bien me suivre,...*

Would s'emploie de la même façon ; la phrase devient alors encore plus polie qu'avec *will.*

> **If you would** follow me,...
> *Si vous voulez avoir l'obligeance de me suivre,...*

2. If + futur

Dans le discours indirect, *if* peut introduire une question au futur (comme en français).

> I don't know **if she'll be** here tomorrow.
> *Je ne sais pas si elle sera là demain.*

3. If so, if not, if necessary

Dans ces expressions on omet un sujet et un auxiliaire.

> 'I think she's Italian.' '**If so,** why's she reading the Times ?' (= If that is so...)
> *"Je crois qu'elle est italienne." "Dans ce cas-là, pourquoi lit-elle le Times ?"*

> I'll probably be here at ten, but, **if not** I'll phone. (= ...if I am not...)
> *Je serai probablement là à dix heures, sinon je téléphonerai.*

> I'll go to the police **if necessary.** (= ...if it is necessary.)
> *J'irai à la police s'il le faut.*

4. If I were you,...

C'est souvent l'équivalent de "à votre place, ...". Notez l'emploi de *I were* après *if* (voir 301).

> **If I were you** I would take an aspirin and go to bed.
> *A votre place je prendrais une aspirine et j'irais me coucher.*

160 Comment traduire "il faut" ?

1. Devant un verbe, "il faut" se traduit le plus souvent par *I / you / he /* etc., *must*.

We must leave straight away.
Il faut qu'on parte tout de suite.

You must realize...
Il faut que tu comprennes...

2. Devant un nom, on emploie *I / you / he /* etc., *need(s)*, ou *it takes*.

You need four **players** for a game of bridge.
Il faut quatre joueurs pour une partie de bridge.

We'll need bread.
Il nous faudra du pain.

It takes an hour to get to his place.
Il faut une heure pour aller chez lui.

EXERCICE

Traduisez en anglais :
1. Il faut qu'on téléphone à Patrick.
2. Il faut se dépêcher (= qu'on se dépêche).
3. Il nous faudra des œufs.
4. Il faut deux heures pour aller à Londres.
5. Combien de personnes faut-il pour une partie de Monopoly ?
6. Il faut que tu m'écoutes.

---

161 Comment traduire "il y a" ?

1. Quand on parle de ce qui existe dans un endroit, dans une situation, etc., "il y a" = *there is / are* (voir 332).

There's a man in the garden.
Il y a un homme dans le jardin.

There are still a few problems.
Il y a encore quelques problèmes.

2. Quand on parle d'un moment du passé sans rapport avec le présent, "il y a" se traduit normalement par *ago* placé en fin d'expression (voir 15).

I saw him three years **ago.**
Je l'ai vu il y a trois ans.

a long time **ago**
il y a longtemps

3. La structure "Il y a ... que ..." n'a pas d'équivalent en anglais ; on exprime l'idée avec "*for* et le present perfect" (voir 323).

I've been working here **for** three years.
Il y a trois ans que je travaille ici (= Je travaille ici depuis trois ans).

I haven't seen him **for** a long time.
Il y a longtemps que je ne l'ai pas vu.

4. La structure "Il y a ... qui ..." ne se traduit pas en anglais. "Il y a quelqu'un qui ..." = *someone.* "Il y a / avait des gens / des hommes, etc., qui ..." = *some people / men,* etc. Le temps du verbe qui suit varie selon le contexte.

> **Someone** has just rung.
> *Il y a quelqu'un qui a sonné.*

> **Some people** never work.
> *Il y a des gens qui ne travaillent jamais.*

> **Some men** were running.
> *Il y avait des hommes qui couraient.*

EXERCICE

Traduisez en anglais :

1. Il y a du fromage sur la table.
2. Est-ce qu'il y a un garage par ici ? (= around here)
3. Keith est parti il y a cinq minutes.
4. Il y a longtemps que je travaille ici.
5. Elle a divorcé il y a six mois.
6. Il n'y a personne dans la maison.
7. Est-ce qu'il y a des frites (= chips) aujourd'hui ?
8. Il y a des années que nous nous connaissons.
9. Il y a des gens qui croient aux fantômes (= ghosts).
10. Il y avait des enfants qui riaient.

162 ill et sick

1. *Ill* (= "malade") s'emploie rarement comme épithète. Son synonyme *sick* peut s'employer comme épithète ou comme attribut. Comparez :

> He's looking after his **sick mother.**
> *Il s'occupe de sa mère malade.*

> His mother **is sick / ill.**
> *Sa mère est malade.*

En anglais américain, *sick* s'emploie plus souvent que *ill.*

2. *Sick* a un deuxième sens : *to feel sick* = "avoir mal au cœur", et *to be sick* = "vomir".

> Where's the toilet ? I **feel sick.**
> *Où sont les toilettes ? J'ai mal au cœur.*

> I **was sick** on the train.
> *J'ai vomi dans le train.*

EXERCICE

Traduisez en anglais :

1. Tu n'as pas l'air malade.
2. J'ai souvent mal au cœur en voiture.
3. Le bébé a vomi pendant la nuit.
4. Il y a beaucoup d'enfants malades en Inde (= India).

163 L'impératif

1. L'impératif a exactement la même forme que l'infinitif sans *to*.

Wait here.   **Come** in.   **Stop** talking.
Attends ici.   *Entrez.*   *Arrêtez de parler.*

2. L'impératif négatif se construit avec *don't*.

Don't stop.   **Don't look** at her.
Ne t'arrête pas.   *Ne la regarde pas.*

3. On peut employer *do* pour rendre un impératif plus emphatique (voir 86-87).

Do come in.   **Do stop** talking !
Veuillez entrer.   *Arrête de parler, je t'en prie !*

4. *Always* et *never* précèdent un impératif.

Always check the oil before driving.
Vérifiez toujours l'huile avant de conduire.

Never tell a teacher he's wrong : it makes him unhappy.
Ne dis jamais à un professeur qu'il a tort : cela le rend malheureux.

5. En anglais, il n'y a pas d'impératif à la première personne du pluriel. On le remplace par une structure avec *Let's* (voir 186).

EXERCICE

Traduisez en anglais :

1. Viens là.
2. Assieds-toi.
3. Ne me demandez pas de venir.
4. Veuillez vous asseoir.
5. Demandez toujours le prix (= the price) avant d'acheter quelque chose.
6. N'entrez jamais sans frapper (= knocking).
7. Servez-vous, je vous en prie (= ... help yourself).
8. Ne bougez pas.
9. Ne ris pas.
10. Fermez la porte, s'il vous plaît.

164 Important

1. *Important* ne peut pas s'employer comme adjectif substantivé. "Le plus important dans la vie, c'est ..." = *The most important* **thing** *in life is...* (Et non ~~The most important in life is...~~).

2. *Important* ne peut pas s'employer au sens de "grand". "Un nombre important de ... = *a large / great number of...* (et non ~~an important number of...~~).

A large number of children are undernourished.
Un nombre important d'enfants sont sous-alimentés.

165 L'infinitif avec "to"

1. L'infinitif est normalement précédé de *to*.

> I want **to go** home. (*Et non* ~~I want go home.~~)
> *Je veux rentrer chez moi.*
>
> I prefer **to do** it myself. (*Et non* ~~I prefer do it myself.~~)
> *Je préfère le faire moi-même.*
>
> I don't know how **to describe** it. (*Et non* ~~I don't know how describe it.~~)
> *Je ne sais pas comment le décrire.*

EXERCICE

Traduisez en anglais :

1. Je veux dormir.
2. Je ne veux pas sortir.
3. Voulez-vous danser ?
4. Je préfère rester ici.
5. Elle aimerait venir avec nous.
6. Je ne sais pas comment terminer.

---

2. Attention à l'ordre des mots à l'infinitif négatif : *not to*.

> It's important **not to panic**. (*Et non...* ~~to not panic.~~)
> *Il est important de ne pas paniquer.*
>
> I hope **not to be** late.
> *J'espère ne pas être en retard.*

EXERCICE

Traduisez en anglais :

1. J'espère ne pas oublier.
2. C'est normal de ne pas comprendre.
3. Essaie de ne pas tomber.
4. Il est important de ne pas faire d'erreur (= make a mistake).

Remarques

1. Un infinitif français précédé de "à" ou "de" se traduit normalement en anglais par l'infinitif avec *to*.

> easy **to understand**   the intention **to stay**
> *facile à comprendre*   *l'intention de rester*

2. "Pour + infinitif" se traduit souvent par "*to*-infinitif" − par exemple, après "trop" et "assez", ou dans l'infinitif d'intention (voir 169).

> too tired **to work**   cold **enough to eat**
> *trop fatigué pour travailler*   *assez froid pour manger*
>
> I'm here **to ask** you some questions.
> *Je suis là pour vous poser quelques questions.*

3. Pour l'emploi de *to* à la place de l'infinitif complet (ex. : *I don't want to*), voir 222.

4. L'infinitif ne s'emploie pas normalement pour donner des instructions ou des ordres. "Frapper avant d'entrer" = *Knock before entering* (et non ~~To knock...~~) - "Ne pas déranger" = *Do not disturb* (et non ~~Not to disturb~~).

5. N'oubliez pas qu'un infinitif français se traduit souvent en anglais par un gérondif (forme en -*ing*). Voir 175.

> I like **dancing.**
> *J'aime danser.*

6. Dans certains cas, on emploie un infinitif sans *to*. Voir section suivante.

166   L'infinitif sans "to"

On emploie l'infinitif sans *to* dans les cas suivants :

1. Après les "auxiliaires modaux" *can, could, may, might, will, shall, would, should, must* et parfois *need*.

> **Can you swim ?** (*Et non ...* ~~to swim ?~~)   **I must go.**
> *Sais-tu nager ?*   *Il faut que je m'en aille.*

2. Après les expressions *would rather* (voir 274[2]) et *had better* (voir 139).

> **Would you rather walk** or go by car ? (*Et non* ~~Would you rather to walk ?~~)
> *Vous préférez y aller à pied ou en voiture ?*

> **I'd better leave.**
> *Je ferais bien de partir.*

3. Après *Why (not)* ... ?

> **Why not go** to Glasgow for your holiday this year ? (*Et non* ~~Why not to go ?~~)
> *Pourquoi n'iriez-vous pas en vacances à Glasgow cette année ?*

4. Après *let, make, hear* et *see* (voir 281); *feel, watch, notice,* et parfois *help* + complément d'objet.

> **Let him go.** (*Et non* ~~Let him to go.~~)   She **made me cry.**
> *Laisse-le partir.*   *Elle m'a fait pleurer.*

> I **heard her get up.**   Can you **help me (to) lift** this barrel ?
> *Je l'ai entendue se lever.*   *Pouvez-vous m'aider à soulever ce tonneau ?*

EXERCICE ⎯⎯⎯⎯⎯⎯⎯⎯⎯⎯⎯⎯⎯⎯⎯⎯⎯⎯⎯⎯⎯⎯⎯⎯⎯⎯⎯

Traduisez en anglais :
1. Il faut que je travaille.
2. Tu ferais bien d'aller te coucher.
3. Pourquoi apprendre le latin ? (= Latin).
4. Il m'a vu sortir.
5. Elle m'a aidé à faire mes bagages (= my packing).
6. Je ne sais pas nager.
7. Pourquoi on n'irait pas en train ?
8. Laissez-la parler.

167 Les infinitifs passé, passif et progressif

1. L'infinitif passé se forme toujours à l'aide de *"(to) have* + participe passé"*. Il s'emploie plus ou moins comme en français.

He seems **to have given up.**   I hope **to have finished** soon.
Il semble avoir abandonné.   *J'espère avoir bientôt fini.*

The rain seems **to have stopped.**
La pluie semble s'être arrêtée.

Pour l'emploi de l'infinitif passé avec les modaux (ex. : *You must have enjoyed yourself*), voir 168.

voir 168.

EXERCICES

1. Donnez l'infinitif passé des verbes suivants :

to go - to decide - to understand - to take - to disturb (= déranger).

2. Traduisez en anglais :
1. Il semble avoir compris.
2. J'espère ne pas t'avoir dérangé.

2. L'infinitif passif se forme à l'aide de *"(not) to be* + participe passé"*.

to be seen   **not to be moved**
être vu   *(à) ne pas déplacer*

EXERCICE

Donnez l'infinitif passif des verbes suivants :
to take - to understand - to hear - to stop - to leave.

3. Il existe en anglais **un infinitif progressif** (ex. : *to be working, to be waiting*). Il s'emploie, comme les temps progressifs, pour parler d'une action en cours.

You seem **to be working** a lot these days.
Tu sembles beaucoup travailler ces temps-ci.

I would like **to be playing** football right now.
J'aimerais (être en train de) jouer au football en ce moment.

EXERCICE

Donnez l'infinitif progressif des verbes suivants : (attention à l'orthographe de la forme en -ing) :
to write - to sit - to play - to travel.

168 L'infinitif passé après les auxiliaires modaux

Tous les auxiliaires modaux (voir 342 B) peuvent s'utiliser avec un infinitif passé (sans *to*) :

You **should have told me.**
Vous auriez dû me le dire.

He **could have come.**
Il aurait pu venir.

She **might have been killed.**
Elle aurait pu être tuée.

She **may have gone** home.
Elle est peut-être rentrée chez elle.

Dans la plupart des cas, cette structure est employée pour parler d'un événement qui ne s'est pas réalisé, ou dont on ne sait pas s'il s'est réalisé. Pour de plus amples détails, voir les sections sur les différents modaux. (Consulter l'index.)

169 L'infinitif d'intention : to ou in order to

1. La structure française *"pour + infinitif"* se traduit généralement en anglais par *"to-infinitif"*.

He did everything **to make** her happy. (*Et non...* ~~for make~~)
Il a tout fait pour la rendre heureuse.

He took the small roads **to avoid** the police.
Il prit les petites routes pour éviter la police.

EXERCICE ────────────────────────────

Traduisez en anglais :

1. pour être libre
1. pour trouver une solution
3. pour avoir de l'argent

4. pour pouvoir comprendre (voir 44)
5. pour apprendre l'anglais
6. pour voyager beaucoup

2. En anglais écrit, l'infinitif d'intention est souvent précédé par la tournure *in order* ou *so as* (= *"pour"*, *"afin de"*, *"de manière à"*, etc.).

She gave the child some chocolate **in order to stop** it talking. (*ou :* ... **so as to stop** it talking.)
Elle donna du chocolat à l'enfant pour l'empêcher de parler.

A la forme négative, *in order* ou *so as* sont presque obligatoires.

I spoke very tactfully **in order not to upset** her. (*ou :* ... **so as not to** upset her**).**
J'ai parlé avec beaucoup de tact afin de ne pas la contrarier.

EXERCICE ────────────────────────────

Traduisez en anglais :

1. Elle ouvrit la porte pour voir si son mari venait (= was coming).
2. Je ris pour ne pas pleurer.

3. J'ai pris un taxi afin de ne pas perdre de temps.
4. Il sortit de la pièce afin de ne pas entendre le reste (= the rest).

Remarque

En anglais parlé, la tournure "pour ne pas..." correspond souvent à une proposition avec un verbe conjugué.

> I spoke very tactfully **because I didn't want** to upset her.

170 La proposition infinitive

1. La proposition infinitive s'emploie surtout après *want* et *like*. Attention à la construction de la phrase :

> *want / like* + nom ou pronom complément + *to*-infinitif

> **I want her to learn** the piano. (*Et non* I ~~want that she learns...~~)
> *Je veux qu'elle apprenne le piano.*

> **I'd like Anne to come** to dinner on Saturday. (*Et non* ~~I'd like that...~~)
> *J'aimerais qu'Anne vienne dîner samedi.*

2. On met également la proposition infinitive après *ask, expect, hate, need, order, prefer, remind, teach*.

> I didn't **ask him to come.**
> *Je ne lui ai pas demandé de venir.*

EXERCICE

Traduisez en anglais :

1. Je veux que tu viennes avec nous.
2. J'aimerais qu'Alice me téléphone.
3. Il m'a prié (= asked) de rester.
4. Je ne veux pas qu'elle soit en colère.
5. Je préfèrerais que tu le fasses toi-même (= yourself).
6. J'ai besoin (= I need) que quelqu'un m'aime.
7. Je voudrais qu'ils me comprennent.
8. Il déteste que nous soyons en retard.

171 -ing : adjectif

La forme en *-ing* s'emploie parfois comme adjectif épithète dans des cas où le français utilise une proposition relative formée de "qui + verbe" ou un nom.

> **Falling leaves** remind me of a poem I learnt at school.
> *Les feuilles qui tombent me rappellent un poème que j'ai appris à l'école.*

> I like the smell of **burning paper.**
> *J'aime l'odeur du papier qui brûle.*

> The floods were caused by **melting snow.**
> *Les inondations ont été causées par la fonte des neiges.*

> I was woken up by a **barking dog.**
> *J'ai été réveillé par l'aboiement d'un chien.*

172 -ing : narration

On emploie parfois le participe présent (forme en -*ing*) pour exprimer la notion de simultanéité ou de succession dans le temps. C'est souvent le cas dans la narration littéraire.

> I looked out of the window, **wondering** what to do next.
> *Je regardai par la fenêtre, me demandant ce que j'allais faire.*
>
> **Opening** the door, she went out.
> *Elle ouvrit la porte et sortit.*

173 -ing : sujet / attribut du sujet

1. La forme en -*ing* peut s'employer comme une sorte de nom verbal ("gérondif"), qui correspond généralement à un infinitif français. Elle possède à la fois les caractères d'un verbe et d'un nom, et peut être suivie d'un complément d'objet.

> **beating** a child   **smoking** cigars
> *battre un enfant*   *fumer des cigares*

Un groupe de mots comportant une forme en -*ing* peut être sujet d'une phrase ou attribut du sujet.

> **Beating a child** will do more harm than good.
> *Battre un enfant fait plus de mal que de bien.*
>
> One of my bad habits is **smoking cigars in bed.**
> *L'une de mes mauvaises habitudes est de fumer des cigares au lit.*

2. Comme les autres noms, le gérondif peut s'employer avec un article, un démonstratif, un adjectif possessif, etc. (surtout en anglais écrit).

> **the building** of the ship   I hate all **this** useless **arguing.**
> *la construction du bateau*   *Je déteste toutes ces disputes inutiles.*
>
> I don't like **your interrupting** me.
> *Je n'aime pas que tu m'interrompes.*

Toutefois, en anglais parlé, on a tendance à employer un pronom personnel complément au lieu d'un possessif.

> I don't like **you** interrupting me.
>
> Do you mind **me** smoking ? (*plutôt que* ... my smoking)
> *Ça vous dérange si je fume ?*

EXERCICE ────────────────────────────────

Traduisez en anglais (en utilisant la forme en -ing du verbe) :

1. acheter des chaussures
2. apprendre une langue
3. Courir, c'est bon pour la santé (= your health). (*Ne pas traduire "c'".*)
4. Aller au cinéma ne m'intéresse pas.
5. Je n'aime pas que tu me mentes. (Mentir = to lie, lying.)
6. Ça vous dérange si je chante ?

174 -ing après les prépositions

On met la forme en -ing après toutes les prépositions.

> **You can't live for long without breathing.**
> *On ne peut pas vivre longtemps sans respirer.*

> **After walking** for a long time we arrived at a wood.
> *Après avoir longtemps marché, nous sommes arrivés à un bois.*

> I stayed at home instead **of going** to work.
> *Je suis resté chez moi au lieu d'aller travailler.*

> We talked **about emigrating.**
> *Nous avons parlé d'émigrer.*

* Notez que la forme en -ing s'emploie également après la préposition *to* (voir 194).

> I'm looking forward **to being** on holiday.
> *J'ai hâte d'être en vacances.*

EXERCICE

Traduisez en anglais :
1. après avoir commencé
2. sans manger
3. au lieu de dormir
4. avant de sortir
5. J'ai hâte de te voir.
6. Il a parlé d'ouvrir une nouvelle boutique.

Remarque
Pour la différence entre *"I used + to-*infinitif*"* et *"I am used to + -ing"*, voir 339 et 340.

175 -ing après certains verbes

La forme en -ing s'emploie après certains verbes. Les plus courants sont : *avoid, dislike, enjoy, feel like, finish, give up, hate, can't help, practise, put off, can't stand, start, keep (on)*.

> Try to **avoid waking** her.
> *Essaie d'éviter de la réveiller.*

> He **started crying.**
> *Il commença à pleurer.*

> I **feel like dancing.**
> *J'ai envie de danser.*

EXERCICE

Traduisez en anglais :
1. Je n'aime pas courir.
2. Je ne peux pas m'empêcher de rire. (I can't help...)
3. J'ai envie de pleurer.

Remarque
Certains verbes peuvent être suivis soit de la forme en -ing, soit de l'infinitif, avec une différence de sens. Les plus importants sont *like, love, prefer, stop, forget, remember, hear, see, try.* Voir les sections sur ces verbes.

176 Autres expressions suivies de "-ing"

-ing s'emploie après *I'm fed up, it's no use, it's no good* et *it's (not) worth*.

I'm fed up with typing.
J'en ai marre de taper à la machine.

It's no use looking at me.
Ça ne sert à rien de me regarder.

It's no good talking to him.
Il est inutile de lui parler.

It's worth visiting Edinburgh.
Ça vaut la peine de visiter Edimbourg.

EXERCICE ———————————————————

Traduisez en anglais :
1. J'en ai marre d'écrire.
2. Ça ne sert à rien d'attendre.
3. Ça ne vaut pas la peine d'aller en Écosse l'hiver.
4. Il est inutile d'essayer.

177 It (I find it difficult to..., etc.)

En anglais, *it* est souvent employé pour anticiper un complément d'objet, lorsque celui-ci est constitué d'un infinitif ou d'une proposition.

I find **it** difficult **to talk** to her about anything serious.
Je trouve difficile de lui parler de quelque chose de sérieux.

I think **it** important **that you should wait** for a few days.
Je trouve important que tu attendes quelques jours.

178 Jeans, shorts, trousers, etc.

Tout vêtement "à deux jambes" est pluriel en anglais.
"Un jean" = *jeans* (ou *a pair of jeans*) - "Un short" = *shorts* -
"Un pantalon" = *trousers* - "Un slip" = *pants* -
"Un pyjama" = *pyjamas.*

Where are my jeans ?
Où est mon jean ?

Your pyjamas are too small.
Ton pyjama est trop petit.

EXERCICE ———————————————————

Traduisez en anglais :
1. Mon pantalon est trop long.
2. Où est mon pyjama ?
3. J'aime bien ton short. Il est original.
4. Il faut que j'achète un nouveau jean.

Remarque

En anglais américain, *pyjamas* s'écrit *pajamas* ; *pants* = "pantalon" ; *shorts* = "slip".

179 Comment traduire "jusqu'à" ?

"Jusqu'à" se traduit de plusieurs façons selon le contexte.

1. Sens spatial : *as far as, to.*

> Let's go **as far as** the cable-car on foot.
> *Allons à pied jusqu'au téléphérique.*

> We'll drive **to** Birmingham today and finish the journey tomorrow.
> *Nous irons jusqu'à Birmingham aujourd'hui, et nous terminerons le voyage demain.*

2. Sens temporel : *until, till, up to.*

> I lived in Aberdeen **until** (ou **till**) 1961.
> *J'ai habité à Aberdeen jusqu'en 1961.*

> In some states education is compulsory **up to** the age of 18.
> *Dans certains états, l'instruction est obligatoire jusqu'à l'âge de 18 ans.*

3. Sens quantitatif (mesures) : *up to.*

> This car can do **up to** 120 miles per hour.
> *Cette voiture peut faire jusqu'à 190 km à l'heure.*

EXERCICE ────────────

Traduisez en anglais :
1. Je serai à Londres jusqu'à Noël.
2. Elle m'a accompagné jusqu'à la gare. ("Accompagner" = to go with.)
3. Nous sommes libres jusqu'à trois heures.
4. Ils produisent (= produce) jusqu'à 35 000 litres par jour.
5. Le train va jusqu'à Cardiff.
6. J'ai attendu de huit heures jusqu'à dix heures et demie.

180 Just

1. "Je viens de + infinitif" = "*I have just* + participe passé."

I've just spoken to Albert.   **They've just eaten.**
Je viens de parler à Albert.   *Ils viennent de manger.*

2. "Je venais de + infinitif" = "*I had just* + participe passé."

I'd just come in when he phoned.
Je venais de rentrer lorsqu'il a téléphoné.

EXERCICE ────────────

Traduisez en anglais :
1. Elle vient d'arriver.
2. Qu'est-ce que tu viens de dire ?
3. Je viens de comprendre quelque chose.
4. Nous venons de voir Malcolm.
5. Je venais de fermer la porte quand Jane est arrivée.
6. Il était environ une heure. Nous venions de déjeuner.

181 Kill

"Se tuer" = *to kill oneself* (ou *to commit suicide*) quand il s'agit d'un acte volontaire. On emploie *to be* (ou *get*) *killed* pour parler des accidents. Comparez :

> If you don't marry me **I'll kill myself.**
> *Si tu ne m'épouses pas, je me tue. (ou : ... je me tuerai).*

> Lewis **got killed** in a car crash last week.
> *Lewis s'est tué en voiture la semaine dernière.*

EXERCICE ───────────────────────────

Traduisez en anglais :

1. Patrick s'est tué (= s'est suicidé) en 1980.
2. Deux hommes se sont tués en montagne hier.
3. S'il y a une guerre atomique, je me tue (= je me tuerai).
4. Paul s'est tué en moto (= in a motorbike accident).

182 Know

1. *Know* peut être suivi par une structure avec *how to*, mais non par *to*-infinitif.

> Do you **know how to tune** a guitar ? (*Et non ~~Do you know to tune...?~~*)
> *Est-ce que tu sais accorder une guitare ?*

2. Noter que "savoir + infinitif" se traduit souvent par *can*, surtout quand il s'agit d'activités très courantes.

> I **can** swim.   **Can** you sing ?
> *Je sais nager.*   *Sais-tu chanter ?*

EXERCICE ───────────────────────────

Traduisez en anglais :

1. Je ne sais pas réparer (= repair) une montre. (1)
2. Est-ce que tu sais faire de la pizza (= pizza) ? (1)
3. Est-ce que tu sais utiliser une boussole (= a compass) ? (1)
4. Je ne sais pas conduire. (2)
5. Savez-vous dessiner (= draw) ? (2)
6. Elle sait très bien parler allemand. (2)

183 Comment traduire "laisser" ?

1. Suivi d'un complément d'objet + verbe, "laisser" = "permettre". L'équivalent anglais est alors *let*. (Voir 166[4].)

Let me go !	They didn't **let me speak.**
Laissez-moi partir.	*Ils ne m'ont pas laissé parler.*

2. Suivi d'un nom, "laisser" signifie généralement "quitter", "abandonner", "déposer", etc. L'équivalent anglais est *leave*.

He **left** all **his things.**	**Leave** me **the keys.**
Il a laissé toutes ses affaires.	*Laisse-moi les clés.*

You can **leave the letter** with the porter.
Vous pouvez laisser la lettre chez le concierge.

Leave s'emploie aussi comme équivalent de "quitter", "partir".

She **left** home at 16.	What time does the train **leave ?**
Elle a quitté la maison à 16 ans.	*A quelle heure (il) part le train ?*

EXERCICE ————

Mettez let *ou* leave :
1. ... him speak.
2. ... your address.
3. Did he ... his phone number ?
4. I'll ... you now, I have to go home.
5. ... them play for a while.
6. ... me try !

184 Last et the last

1. Attention à la différence entre *last week / month / year,* et *the last week / month / year. Last week* = "la semaine dernière", *last year* = "l'année dernière", etc. ; *the last week* = "la dernière semaine", *the last year* = "la dernière année" (= les douze derniers mois), etc. Comparez :

— I went to Spain **last week.**
  Je suis allé en Espagne la semaine dernière.

  This is **the last week** of our holidays.
  C'est la dernière semaine de nos vacances.

— **Last year** was difficult.
  L'année dernière a été difficile.

  The last school **year** has been very difficult.
  Cette année scolaire a été bien difficile.

2. Notez que "cette nuit" se traduit différemment selon le sens. "La nuit passée" = *last night ;* "la nuit qui vient" = *tonight.*

  I **had** a funny dream **last night.**
  J'ai fait un drôle de rêve cette nuit.

  I'm **going** to sleep well **tonight.**
  Je vais bien dormir cette nuit.

Traduisez en anglais les mots mis entre parenthèses en les replaçant dans leur contexte :

1. I was ill ... *(la semaine dernière).*
2. ... before the war *(la dernière année).*
3. They made a lot of profit ... *(le mois dernier).*
4. She got divorced... *(l'année dernière).*
5. It's ... of the sales *(la dernière semaine).*
6. I didn't sleep very well... *(cette nuit).*
7. Are you working ... ? *(cette nuit)*
8. What did you do ... ? *(la semaine dernière)*

Remarque

"Dernier", au sens de "plus récent", se traduit par *latest*. Comparez :

His **latest** novel has just been published.
Son dernier roman vient de paraître.

His **last** symphony was composed in 1921.
Sa dernière symphonie a été composée en 1921.

185   Learn et teach

Les deux sens de "apprendre" se traduisent par deux mots différents en anglais : *learn* (= "ce que fait l'élève") et *teach* (= "ce que fait le professeur" = enseigner).

Would you like to **learn** to play squash ? I'll **teach** you, if you like.
Veux-tu apprendre à jouer au squash ? Je t'apprendrai si tu veux.

Traduisez en anglais :

1. Je vais apprendre le piano.
2. Qui t'a appris (Prétérit) à jouer au tennis ?
3. Apprends-moi une chanson (= a song).
4. Je t'apprendrai à conduire.

Remarque

"Apprendre" ne correspond pas toujours à *learn* ou *teach*.
Il peut aussi se traduire par *hear* (au sens de "entendre dire").

I've heard that Bob is going to get divorced.
J'ai appris que Bob allait divorcer.

186   Let's

Let's = *let us*. "*Let's* + infinitif sans *to*" sert à exprimer une suggestion. Cette expression équivaut souvent à la première personne du pluriel de l'impératif français.

Let's go to my room.   **Let's have** an ice-cream.
Allons dans ma chambre.   *Prenons une glace.*

Mais elle peut aussi correspondre à un simple présent.

Come on, Peter ! Let's go upstairs.
Viens, Pierre. On monte. (= Montons).

EXERCICE ─────────────────────────────

Traduisez en anglais (en utilisant Let's*) :*

1. Allons chez Bob.
2. Arrêtons de parler.
3. Essayons de trouver un hôtel.
4. Prenons une bière.
5. Mettons un disque. (Mettre = to put on.)
6. Allez ! (= Come on !) On danse !

187 Like et would like

1. Ne confondez pas le présent simple et le conditionnel de *like*.
I like = "j'aime" - *I would like* = "j'aimerais", "je voudrais", "je désire". Comparez :

'**Do you like** champagne ?' 'Yes, I do.'
"Vous aimez le champagne ?" "Oui."

'**Would you like** some champagne ?' 'Yes, please.'
"Voudriez-vous du champagne ?" "Oui, s'il vous plaît."

Would like est l'équivalent normal de "voudrais", et s'emploie couramment dans les offres et les demandes polies (on ne dit pas ~~would want~~).
Would you like... ? correspond souvent à "Voulez-vous... ?"

2. *Like* peut être suivi d'un infinitif avec *to* ou d'une forme en *-ing*, sans grande différence de sens.

I like **flying** / I like **to fly**.
J'aime voyager en avion.

Le conditionnel *would like* est toujours suivi de l'infinitif avec *to*.

Would you like **to dance** ? (*Et non* ~~Would you like dancing ?~~)
Voulez-vous danser ?

EXERCICE ─────────────────────────────

Traduisez en anglais :

1. Est-ce que vous aimez les huîtres ? (= oysters)
2. J'aimerais écouter du jazz.
3. Voulez-vous boire quelque chose ?
4. Je voudrais une glace.
5. J'aime danser.
6. Ma mère aime voyager.

188 Likely

Likely exprime une idée de probabilité. On l'emploie souvent dans une structure infinitive, avec un sujet personnel.

My mother's likely to telephone.
Il est probable que ma mère téléphonera.

Do you think **Britain is likely to win** the world cup ?
Estimez-vous probable que la Grande-Bretagne gagne la coupe du monde ?

On peut aussi employer *it* ou *there* comme sujet.

It's likely to rain.
Il y a des chances pour qu'il pleuve.

There's likely to be a war in the next five years.
Il y aura probablement une guerre dans les cinq années à venir.

EXERCICE

Récrivez les phrases suivantes en utilisant une structure avec likely :

1. My brother will probably be surprised.
2. It will probably happen.
3. There will probably be a storm tonight.
4. He will probably pass his exam brilliantly.

---

189   Listen (to) et hear

Listen = "écouter", *hear* = "entendre". Comparez :

'Listen !' 'I can't **hear** anything.' (Pour l'emploi de *can*, voir 59.)
"Écoute !" "Je n'entends rien."

Devant un complément d'objet, *listen* est suivi de la préposition *to* ; *hear* s'emploie sans préposition.

'Listen **to** the birds.' 'I can't hear any birds.
"Écoute les oiseaux." "Je n'entends pas d'oiseaux."

EXERCICE

Traduisez en anglais :

1. Tu veux écouter un bon disque ?
2. Est-ce que tu entends un bruit ?
3. J'entends le train.
4. Je n'aime pas écouter des conférences (= lectures).
5. J'écoute les informations (= the news) tous les matins.
6. Il n'écoute jamais quand je parle.

---

190   Little et small

Small s'emploie pour désigner, d'une manière objective, la taille de quelqu'un ou de quelque chose.

He prefers **small women.**
Il préfère les petites femmes.

We've got **a very small flat.**
Nous avons un très petit appartement.

Little rajoute une nuance subjective - par exemple d'affection, de pitié ou de mépris.

She's got two pretty little children.
Elle a deux jolis petits enfants.

Poor little boy !
Pauvre petit garçon !

I hate this horrible little flat !
Je déteste cet horrible petit appartement !

* Notez que *little* ne peut pas s'employer sans nom. "Pauvre
petit !" = *Poor little boy !*, et non ~~Poor little !~~

EXERCICE ────────────────────────────────

Mettez small *ou* little :
1. You stupid ... man !
2. Could I have a ... beer, please ? I'm not very thirsty.
3. I've got long legs so I don't like ... cars.
4. What a beautiful ... cat !
5. This coat is too ... for me.
6. a romantic ... village

Remarque

Comparez :

My **little** sister is seven.
Ma petite sœur a sept ans.

She is **small** for her age.
Elle est petite pour son âge.

191   Long et a long time

1. Dans les questions et les négations, on peut employer *long* ou *a long time* (sauf dans l'expression *How long ... ?* - Voir 154).
Dans les phrases affirmatives, on emploie généralement *a long time.* Comparez :

'**Have you** lived here for **long** ?' 'Yes, a very **long time**.' (Et non
~~Yes, very long.~~)
"Est-ce que vous habitez là depuis longtemps ?" "Oui, très longtemps."

I **haven't** been here very **long**.
Je ne suis pas là depuis très longtemps.

2. Après *so, as* et *too*, on emploie généralement *long*, même dans une phrase affirmative.

I'**ve** known him for **too long**.
Je le connais depuis trop longtemps.

(Pour l'emploi du present perfect avec *for*, voir 323.)

EXERCICE ────────────────────────────────

Mettez long *ou* a long time *(il y a parfois deux choix possibles)* :
1. Have you known Alice for ... ?
2. I lived in Scotland for ... .
3. How ... have you been waiting ?
4. I've been waiting for ... .
5. It takes ... to fly to Japan.
6. It doesn't take ... to fall in love.
7. I don't want to go by boat, it takes too ... .
8. The film lasted so ... that I fell asleep.

---

192 Look

Look a deux sens :

1. *Look* = "regarder". Il est suivi de la préposition *at* devant un complément d'objet. Comparez :

Oh, look !	**Look at me.**
Oh, regarde !	*Regarde-moi.*

2. *Look* = "avoir l'air". Il est suivi d'un adjectif.

He **looks strange.**
Il a l'air bizarre.

EXERCICE

Traduisez en anglais :
1. Ne regarde pas.
2. Il a l'air jeune.
3. Veux-tu regarder mes photos ?
4. Est-ce que j'ai l'air fatigué ?
5. Il nous a regardés, et puis il est parti.
6. Tu as l'air étonné (= surprised).

Remarques

1. Ne confondez pas *look, see* et *watch* (voir 193).

2. "Avoir l'air de + infinitif" se traduit généralement par *seem* + *to*-infinitif. (~~Look to...~~ est impossible.)

My son **seems to like** it in Africa.
Mon fils a l'air de se plaire en Afrique.

193 Look (at), see et watch

1. *Look (at)* = "regarder", *see* = "voir".

'**Look !**' 'I **can't see** anything.' (Pour l'emploi de *can*, voir 59.)
"Regarde !" "Je ne vois rien."

Devant un complément d'objet, *look* est suivi de la préposition *at* ; *see* s'emploie sans préposition.

'**Look at** the birds.' 'I can't **see** any birds.'
"Regarde les oiseaux." "Je ne vois pas d'oiseaux."

2. *Watch* s'emploie lorsqu'il s'agit de regarder quelque chose qui bouge, qui change, ou qui peut changer.

'Did you **watch the football match** last night ?' 'No, I never **watch TV.**'
"Tu as regardé le match hier soir ?" "Non, je ne regarde jamais la télé."

EXERCICE

Mettez look (at), see *ou* watch :
1. I can ... the sea.
2. Please don't ... me like that.
3. I don't play football, but I often ... it.
4. Don't ... me, ... the blackboard.
5. Stop ...-ing out of the window.
6. When I close my eyes I ... strange visions.

194 Look forward to (I'm looking forward to)

I'm looking forward to est une formule très courante, qui signifie "j'ai hâte de".

I'm looking forward to the holidays.
J'ai hâte d'être en vacances.

Lorsque *look forward to* est suivi d'un verbe, celui-ci se met obligatoirement au gérondif (*-ing*).

I'm looking forward **to being** with you.
J'ai hâte d'être avec toi.

I'm looking forward **to seeing** my friends again.
J'ai hâte de revoir mes amis.

EXERCICE

Traduisez en anglais :
1. J'ai hâte de voir ma famille.
2. J'ai hâte d'aller à Londres.
3. J'ai hâte d'arriver.
4. J'ai hâte de quitter l'école.

Remarque

A la fin d'une lettre, on emploie souvent une formule comme *I look forward to hearing from you* ou *I look forward to seeing you soon* (au présent simple). Dans une lettre à des parents ou amis, on dit plutôt : *Looking forward to hearing from you*, etc. (ou : *I'm looking forward...*).

195   A lot (of), lots (of)

1. *A lot* = "beaucoup". On l'emploie surtout dans un style familier.

He talks **a lot.**
Il parle beaucoup.

They travel **a lot.**
Ils voyagent beaucoup.

2. *A lot of* et *lots of* = "beaucoup de". Les deux tournures s'emploient indifféremment.

She's got **a lot of** free time. (*ou* ... **lots of** free time.)
Elle a beaucoup de temps libre.

I know **a lot of** Italians. (*ou* ... **lots of** Italians.)
Je connais beaucoup d'Italiens.

3. Lorsque le nom qui suit *a lot of* ou *lots of* est le sujet de la phrase, le verbe s'accorde avec ce nom.

Lots of **imagination is** needed to write stories.
Il faut beaucoup d'imagination pour écrire des histoires.

A lot of **my friends are** pacifists.
J'ai beaucoup d'amis pacifistes.

There**'s** lots of **fog** today.
Il y a beaucoup de brouillard aujourd'hui.

There **are** a lot of **foreigners** in London.
Il y a beaucoup d'étrangers à Londres.

4. *Quite a lot (of)* = "pas mal (de)".

'Have you got a lot of work ?' '**Quite a lot**'.
"Est-ce que tu as beaucoup de travail ?" "Pas mal."

EXERCICE ────────────────────────────────

Traduisez en anglais :
1. Je rêve beaucoup.
2. Il a beaucoup d'argent.
3. Beaucoup de problèmes sont difficiles à résoudre (= to solve).
4. Il y a beaucoup d'oiseaux dans le jardin.
5. J'ai pas mal de choses à faire.
6. Il y a pas mal de bonnes émissions (= programmes) à la télévision.

196   Comment traduire "manquer" ?

"Manquer" se traduit de plusieurs façons selon le sens.

1. *To lack* = "manquer de", au sens de "ne pas avoir".

She **lacks** tact.
Elle manque de tact.

En anglais parlé, on préfère *not to have* comme équivalent de "manquer de" ou "il manque" (au sens de "ne pas avoir").

He **hasn't got any** tact.   We **haven't got** the latest figures.
Il manque de tact.   *Il nous manque les derniers chiffres.*

2. *To be short of* = "manquer de", au sens de "ne pas avoir assez de".

We're short of teachers.
Nous manquons de professeurs.

3. *To miss* = "manquer", au sens de "regretter".

Do you miss me when I'm not there ?
Est-ce que je te manque quand je ne suis pas là ?

Attention à la construction de la phrase : "je te manque" = *you miss me* ; "tu me manques" = *I miss you.*

4. *Miss* exprime aussi l'idée de rater un train, un avion, un rendez-vous, etc., manquer une cible, manquer une occasion.

I **missed the train** by two minutes.
J'ai raté le train de deux minutes.

He never **misses an opportunity.**
Il ne manque jamais une occasion.

Traduisez en anglais :

1. Il manque de patience. (= Il n'en a pas.)
2. Vous me manquez beaucoup.
3. Je viens de rater l'avion.
4. Je manque de temps. (= Je n'en ai pas assez.)
5. Ils manquent de tout. (= Ils n'ont rien.)
6. Ma famille me manque.

Remarque

Notez également cette traduction moins fréquente de "manquer dc" : *to be lacking* (ou *to be missing*), au sens de "ne pas exister", "ne pas être là".

> The pub is an institution that **is lacking** on the Continent.
> *Le pub est une institution qui manque sur le continent.*

197   Marry et get married

Marry (comme *divorce*) s'emploie surtout avec un complément d'objet, et correspond à "se marier avec", "épouser". Quand il n'y a pas de complément d'objet, on emploie *get married* (= "se marier"). Comparez :

> My sister's going to **marry my best friend.**
> *Ma sœur va se marier avec mon meilleur ami.*

> I'll never **get married.** (*Et non* ~~marry~~)
> *Je ne me marierai jamais.*

Mettez marry *ou* get married *à la forme qui convient :*

1. He ... an Italian girl when he was 18.
2. I ... last year.
3. When are you going to ... ?
4. I don't want to ... before I'm 30.
5. She has just ... a policeman...
6. Why has he never ... ?

198   May et might : introduction

1. Formes

May et *might* sont des auxiliaires modaux. Ils ne prennent pas d's à la troisième personne.

> **He may.   She might.**

Ils sont suivis de l'infinitif sans *to*.

> **May I help** you ?   It **might rain.**
> *Puis-je vous aider ?   Il pourrait pleuvoir.*

Les questions et les négations se construisent sans *do*.

> **May we** go ?   He **might not** come.
> *Pouvons-nous partir ?   Il pourrait ne pas venir.*

La forme contractée de *might not* est *mightn't*. *Mayn't* est très rare.

2. Emploi

May et *might* s'emploient pour parler d'une possibilité, et pour donner ou demander une permission. Pour des explications détaillées, voir les sections suivantes.

199 May et might : possibilité

1. *May* correspond à *"... peut-être"* ou *"il se peut que / il peut"*. Le sens est présent ou futur. (Pour les formes de *may* et *might*, voir ci-dessus.)

> You **may be** right.   He **may be** ill.
> *Tu as peut-être raison.*   *Il est peut-être malade.*
>
> They **may come** tomorrow.
> *Ils viendront peut-être demain.*
>
> It **may rain** tonight.
> *Il se peut qu'il pleuve ce soir.* (ou : *Il peut pleuvoir...*).

2. *Might* exprime généralement une possibilité moins forte. L'équivalent français est souvent *"pourrais"*, *"pourrait"*, etc.

> It **might happen.**   They **might come** tomorrow.
> *Cela pourrait arriver.*   *Il se pourrait qu'ils viennent demain.*
>
> Don't play with the knife, you **might get hurt.**
> *Ne joue pas avec le couteau, tu pourrais te blesser.*

Might s'emploie également pour faire des suggestions et des critiques.

> 'Who can we ask for help ?' 'You **might ask** John.'
> *"A qui pouvons-nous demander de l'aide ?" "Tu pourrais demander à John."*
>
> You **might take** your boots off in the house.
> *Tu pourrais enlever tes bottes dans la maison.*

EXERCICE

Traduisez en anglais :

1. Il va peut-être neiger.
2. Il se pourrait que j'aille en Amérique l'année prochaine.
3. Il sera peut-être le prochain président.
4. J'ai peut-être vos clés.
5. Tu pourrais demander avant de prendre mes affaires (= things).
6. Attention, tu pourrais tomber.

Remarque

Might peut aussi correspondre à un présent, un futur ou un conditionnel + *"peut-être"*.

> 'Where's Mary ?' 'She **might be** at Sally's place.'
> *"Où est Mary ?" "Elle est peut-être chez Sally."*
>
> She **might phone** this afternoon.
> *Elle téléphonera peut-être cet après-midi.*
>
> If she heard you, she **might be offended.**
> *Si elle t'entendait, elle serait peut-être vexée.*

200 **May** et **might** : permission

May s'emploie pour demander et donner une permission, mais *can* est plus courant (voir 58).

> **May I buy** you a drink ?
> *Puis-je vous offrir quelque chose ?*
>
> "**May I go** home now ?' 'Yes, **you may**'.
> *"Puis-je rentrer chez moi maintenant ?" "Oui."*

Might s'emploie très rarement pour demander une permission.

201 **May** et **might** + infinitif passé

1. "*May + have +* participe passé" = "passé composé + peut-être".

> She **may have missed** her bus.
> *Elle a peut-être raté son autobus.*
>
> They **may have come** while I was out.
> *Ils sont peut-être venus pendant que j'étais sorti.*

2. "*Might + have +* participe passé" correspond le plus souvent à "j'aurais pu + infinitif". (Pour le sens exact de *might,* voir 199.)

> You **might have broken** your leg.
> *Tu aurais pu te casser une jambe.*
>
> You **might have woken** her up.
> *Tu aurais pu la réveiller.*

EXERCICE ───

Traduisez en anglais :

1. Elle aurait pu me demander.
2. J'ai peut-être oublié de le poster (= post).
3. Il a peut-être pris le train.
4. Tu aurais pu te noyer (= to get drowned).
5. J'aurais peut-être pu venir plus tôt.
6. Annie est peut-être sortie avec David.

202 Meet

Meet s'emploie à la fois comme équivalent de "rencontrer", "se rencontrer", "se réunir", "se retrouver" et "avoir rendez-vous" (avec des amis ou parents).

> **I met a** very interesting **girl** yesterday.
> *J'ai rencontré une fille très intéressante hier.*

> **We** first **met** in 1972.
> *Nous nous sommes connus en 1972. (= Nous nous sommes rencontrés.)*

> **The group meets** twice a week.
> *Le groupe se réunit deux fois par semaine.*

> **Shall we meet** outside the cinema at eight o'clock ?
> *On se retrouve à huit heures devant le cinéma ?*

> **I'm meeting** Tom at six.
> *J'ai rendez-vous avec Tom à six heures.*

EXERCICE

Traduisez en anglais :

1. J'ai rencontré deux Américains hier soir.
2. "Où vous êtes-vous connus ?" "A Londres."
3. J'ai rendez-vous avec elle à cinq heures.
4. On se retrouve après dîner ou pas ?
5. Nous nous réunirons chez Maxim.
6. Ils se sont rencontrés dans la rue.

Remarque

"Avoir rendez-vous chez le dentiste / le docteur / etc." = *to have an appointment with the dentist / the doctor / etc.* Voir 277.

> You have **an appointment with the doctor** tonight.
> *Tu as rendez-vous chez le docteur ce soir.*

203 Mind

Le verbe *mind* s'emploie surtout dans des phrases négatives et des questions. Il peut être suivi d'une forme en *-ing* ou de *if ...* .
Notez la variété des traductions françaises.

1. *Don't / doesn't mind ...* (+ *-ing*).

> I **don't mind doing** the washing up.
> *Cela ne me dérange pas de faire la vaisselle.*

> 'What would you like to do ?' 'I **don't mind.**'
> *"Qu'est-ce que tu veux faire ?" "Ça m'est égal."*

> I'll ask her a few questions, if she **doesn't mind.**
> *Je lui poserai quelques questions, si elle veut bien.*

2. *Do you mind if ... ?* (+ présent simple) = "Cela ne vous dérange pas que ... ?", "Est-ce que cela t'ennuie si ... ?", etc.

Do you mind if I smoke ?
Cela ne vous dérange pas que je fume ?

C'est une façon polie de demander la permission de fumer. (= *May I smoke ?*)

3. *Would you mind* ... ? (+ *-ing*) = "Tu veux bien ... ?", "Voudriez-vous ... ?", "Cela ne te / vous dérangerait pas de ... ?", etc.
C'est une façon polie de demander à quelqu'un de faire quelque chose pour vous.

Would you mind doing some shopping for me ?
(= Please do some shopping for me.)
Tu veux bien me faire quelques courses ?

Would you mind opening the window ?
Cela ne vous dérangerait pas d'ouvrir la fenêtre ?

EXERCICE —————————————

Traduisez en anglais :

1. Cela t'ennuie si je viens avec une amie ?
2. Cela ne vous dérange pas que j'enlève (= take off) mes chaussures ?
3. "Où veux-tu aller ?" "Ça m'est égal."
4. Cela ne t'ennuierait pas de me poster cette lettre ? (me = for me).
5. Voudriez-vous m'attendre au salon, s'il vous plaît ?
6. Tu peux dormir chez moi, ma mère veut bien.

Remarques

Notez également ces deux autres emplois de *mind* :

1. *Mind* ... = "attention à ...".

Mind the step.
Attention à la marche.

2. *Mind you* = "remarque".

Ted's been sacked. He deserves it, **mind you,** he's so lazy.
Ted a été mis à la porte. Il le mérite, remarque, il est tellement paresseux.

The rent seems very high. **Mind you,** it's a big house.
Le loyer semble très élevé. La maison est grande, remarque.

204 Most et most of

1. On emploie *most* devant un nom employé sans article, ni adjectif possessif ou démonstratif.

Most advertisements are dishonest.
La plupart des publicités sont malhonnêtes.

2. On emploie *most of* devant un nom précédé de *the*, d'un adjectif possessif (*my, your,* etc.) ou démonstratif (*this,* etc.), et devant un pronom personnel (*us, you, them*).

Most of the books I've read...	**Most of my friends...**
La plupart des livres que j'ai lus...	*La plupart de mes amis...*
Most of these countries...	**Most of them...**
La plupart de ces pays...	*La plupart d'entre eux...*

3. N'oubliez pas que *the* ne s'emploie pas devant un nom lorsqu'il s'agit de la catégorie en général. Comparez :

Most of the people (that) I know go on holiday in July.
La plupart des gens que je connais partent en vacances en juillet.

Most people go on holiday in July or August.
La plupart des gens (en général) *partent en vacances en juillet ou en août.*

EXERCICE ——————————————————————————

Mettez most *ou* most of :
1. I forget ... the things I learn.
2. ... my friends can speak English.
3. ... people are afraid of something.
4. There's a Hilton hotel in ... big cities.
5. ... these problems are easy to solve.
6. I've experienced ... climates.
7. ... the people in our village work in London.
8. ... small cars are very similar.

205 Mountain(s)

"A la montagne" se traduit par *to / in the mountains* (pluriel). Il s'agit en effet de la montagne (= des montagnes) en général.

We usually **go to the mountains** on holiday.
Nous allons généralement en vacances à la montagne.

I'd like to **live in the mountains.**
J'aimerais vivre à la montagne.

EXERCICE ——————————————————————————

Traduisez en anglais :
1. "Où habite Patrick ?"
   "A la montagne."
2. Allons à la montagne en juillet.
3. J'adore la montagne.
4. La montagne me fait du bien (= do me good).

Remarque

Lorsqu'on parle d'une montagne en particulier, en emploie le singulier.

Ben Nevis is the highest **mountain** in Great Britain.
Le Ben Nevis est la plus haute montagne de Grande-Bretagne.

206 Much, many, a lot, etc.

1. *Much* s'emploie devant un singulier, *many* devant un pluriel.

I haven't got **much time.**
Je n'ai pas beaucoup de temps.

Have you got **many records ?**
Est-ce que tu as beaucoup de disques ?

2. *Much* peut aussi s'employer lorsqu'un nom singulier est sous-entendu, ou comme adverbe. *Many* s'emploie lorsqu'un pluriel est sous-entendu.

'Have you got any money ?' 'Not **much.**' (= not much **money**).
"Est-ce que tu as de l'argent ?" "Pas beaucoup."

It doesn't **interest** me **much.**
Ça ne m'intéresse pas beaucoup.

'Have you been to a lot of **countries ?**' 'Not **many.**'
"Est-ce que vous êtes allé dans beaucoup de pays ?" "Pas beaucoup."

3. *Much* et *many* s'emploient surtout dans les phrases négatives et les questions. Dans les phrases affirmatives, on les remplace généralement par *a lot of, lots of* (voir 195), *plenty of* ou une autre expression.

I **don't read many** books but I **read a lot of** comics.
Je ne lis pas beaucoup de livres mais je lis beaucoup de bandes dessinées.

He's got plenty of friends.
Il a beaucoup d'amis.

Pourtant, après *too, as, so* et parfois *very*, on peut employer *much* et *many* dans les phrases affirmatives.

'**I've got too many** books- **take as many** as you like.' '**Thank you very much.**'
"J'ai trop de livres, prenez-en autant que vous voulez." "Merci beaucoup."

EXERCICE ─────────────────────────

Mettez much *ou* many *lorsque c'est possible,* a lot (of) *dans les autres cas :*

1. There isn't ... room.
2. We've got ... English friends.
3. I drink ... milk.
4. He doesn't smoke ... cigarettes.
5. 'Have you got any whisky ?' 'Not ... .'
6. I've seen this film too ... times.
7. I don't like him ... .
8. There are ... foreigners here.

Remarque

Pour *as much / many,* voir 29. Pour *so much / many,* voir 291. Pour *too much / many,* voir 337.

207 Must

Must = "devoir", "il faut que", "être obligé de".

1. *Must* ne prend pas d's à la troisième personne (ex. : *He must*). Après *must*, on emploie l'infinitif sans *to* (ex. : *He must go*). Les questions et les négations se construisent sans *do* (ex. : *Must you go ? - I mustn't be late*). Il y a une contraction négative : *mustn't*.

> I **must see** you.
> *Il faut que je vous voie.*
>
> **Must he go** home this evening ?
> *Est-ce qu'il doit absolument rentrer ce soir ?*

2. *Must* sert surtout à imposer l'obligation. *Must not* s'emploie pour exprimer une interdiction.

> You **must work** harder.   You **mustn't smoke** here.
> *Vous devez travailler davantage.* *Vous ne devez pas fumer ici.*

Une absence d'obligation s'exprime avec *need not* (needn't) ou *don't have to*.

> You **needn't tell** me now. (*ou :* You **don't have to tell** me now).
> *Vous n'êtes pas obligé de me le dire maintenant.*

3. *Must* n'existe qu'au présent. A l'infinitif et aux autres temps, on emploie des formes de *have to* (voir 147) pour parler de l'obligation.

> I **had to** explain everything.   **I'll have to** come again tomorrow.
> *J'ai dû tout expliquer.*   *Je serai obligé de revenir demain.*

4. *Must* peut aussi exprimer une déduction. La forme négative est alors *can't*.

> She writes to him every day. She **must love** him.
> *Elle lui écrit tous les jours. Elle doit l'aimer.* (= Elle l'aime certainement.)
>
> He never answers her letters. He **can't love** her.
> *Il ne répond jamais à ses lettres. Il ne doit pas l'aimer.* (= Il ne l'aime certainement pas.)

EXERCICE —————————————————

Traduisez en anglais :
1. Il faut que je parte.
2. Dites-lui qu'il doit me téléphoner ce soir.
3. Vous ne devez pas l'écouter.
4. Il n'est pas obligé de payer maintenant.
5. J'ai été obligé de prendre le train.
6. "Je suis comédien (= an actor)." "Ça doit être intéressant."

Remarques

1. Pour la différence entre *must* et *have to*, voir 147.
2. Attention : "il faut que" ne correspond pas à *it must*. Voir 160.
   > *Il faut que je parte = je dois partir =* **I must go.**
   > *Il faut qu'il le fasse =* **He must do it.**

208   Must + infinitif passé

La structure *"must + have* + participe passé*"* sert à exprimer une déduction sur le passé. On l'emploie pour dire qu'un fait s'est certainement produit.

> The grass is soaked. It **must have rained.**
> *L'herbe est trempée. Il a dû pleuvoir.*

> Anne isn't here. She **must have gone** out.
> *Anne n'est pas là. Elle a dû sortir.*

> It smells of gas. I **must have forgotten** to turn off the tap.
> *Ça sent le gaz. J'ai dû oublier de fermer le robinet.*

Remarque

L'autre sens de *"j'ai dû"*, *"il a dû"*, etc. (= *"j'ai été obligé de"*) s'exprime avec *had to* (voir 147).

> I **had to go** to London yesterday.
> *J'ai dû aller à Londres hier.*

--------- RAPPEL ---------

I had to = *j'ai dû, j'ai été obligé de* (Obligation)
I must + have + p. passé = *j'ai dû / j'ai certainement + p. passé*
(Déduction)

EXERCICES ───────

1. *Complétez les phrases suivantes à l'aide de* must + have + *participe passé :*

1. The car is still wet. It ... a lot. (to rain)
2. Tom is very brown. He ... plenty of sun on holiday. (to have)
3. I can't see Betty's things, she ... home (to go)
4. They should be back, they ... (to get lost)

2. *Analysez le sens de "avoir dû" dans les phrases suivantes, puis traduisez-les en anglais :*

1. J'ai dû me dépêcher, j'étais en retard.
2. Il ne m'a pas téléphoné (present perfect), il a dû oublier.
3. Sa femme était tellement malade qu'il a dû appeler le médecin.
4. Elle n'est pas encore arrivée. Elle a dû rater le train.

209   Need

1. *Need* = *"avoir besoin de"*.

> **I need** some help.   **Do you need** me ?
> *J'ai besoin d'aide.*   *As-tu besoin de moi ?*

> We **don't need** any milk.
> *Nous n'avons pas besoin de lait.*

2. *"Need* + verbe*"* peut s'employer pour poser une question à propos d'une obligation, ou pour parler d'une absence d'obligation.

Do I need to come to work tomorrow ?
Faut-il que je vienne travailler demain ?

You **don't need to answer** all the questions.
Vous n'êtes pas obligé de répondre à toutes les questions.

3. *Need* peut s'employer comme verbe auxiliaire (sans *do* aux formes interrogatives et négatives, sans -*s* à la troisième personne, et suivi de l'infinitif sans *to*). Ces formes ne sont pas très courantes, sauf le négatif *need not (needn't)*.

You **needn't tell** me if you don't want to.
Tu n'es pas obligé de me le dire si tu ne veux pas.

4. Après *need*, une forme en -*ing* a un sens passif.

The car **needs cleaning** (= to be cleaned).
La voiture a besoin d'être nettoyée.

EXERCICE

Traduisez en anglais :
1. As-tu besoin d'argent ?
2. J'ai besoin de plus de temps.
3. Tout le monde a besoin d'amour.
4. Faut-il que je paie en espèces (= in cash) ?
5. Ma montre a besoin d'être réparée (réparer = to repair).
6. Je n'ai pas besoin de tes conseils (= advice).

---

210 La négation

1. Une phrase négative se construit en ajoutant *not* (contraction *n't*) à un verbe auxiliaire (*be, have, can, must, will*, etc., voir 342).

AFFIRMATION	NÉGATION
She **is** working.	She **is not (isn't)** working.
Elle travaille.	*Elle ne travaille pas.*
I **have** forgotten.	I **have not (haven't)** forgotten.
J'ai oublié.	*Je n'ai pas oublié.*
We **can** survive.	We **cannot (can't)** survive.
Nous pouvons survivre.	*Nous ne pouvons pas survivre.*
You **must** stop now.	You **must not (mustn't)** stop now.
Vous devez arrêter maintenant.	*Vous ne devez pas arrêter maintenant.*

La négation de *be* (et parfois de *have*) se fait de la même manière quand ces verbes fonctionnent comme verbes principaux et non comme auxiliaires.

She **is** at home.	She **is not (isn't)** at home.
Elle est à la maison.	*Elle n'est pas à la maison.*
The firm **has** enough capital.	The firm **has not (hasn't)** enough capital.
La société a assez de capitaux.	*La société n'a pas assez de capitaux.*

2. Avec tous les autres verbes, on forme la négation à l'aide de *do not, does not* ou *did not,* suivi de l'infinitif du verbe principal (sans *to*).

AFFIRMATION	NÉGATION
I **like** fish.	I **do not (don't) like** fish.
J'aime le poisson.	*Je n'aime pas le poisson.*
He **works** on Saturdays.	He **does not (doesn't) work** on Saturdays.
Il travaille le samedi.	*Il ne travaille pas le samedi.*
We **went** to Canterbury.	We **did not (didn't) go** to Canterbury.
Nous sommes allés	*Nous ne sommes pas allés*
à Canterbury.	*à Canterbury.*

N'oubliez pas que le verbe principal est toujours à l'infinitif (sans *to*) après *do / does / did (not)* : on dit *he does not work* et non *he does not works ; we did not go* et non *we did not went.*

EXERCICE ———————————————————————

Mettez ces phrases à la forme négative :

1. It is late.
2. I have forgotten your name.
3. Oliver was invited.
4. The meeting will be on Tuesday.
5. I dream in colour.
6. Lucy saw the boss on Saturday.
7. The shop opens on Sundays.
8. You should try to understand.
9. We are winning.
10. Anne lives near here.

Remarques

1. Attention aux contractions négatives *won't (= will not), shan't (= shall not)* et *can't (= cannot).*

2. Pour les cas où la forme négative de *have* se construit avec *do,* voir 146.

3. Pour *not...any* et *no, not...anybody* et *nobody, not...anything* et *nothing,* voir 219 et 220.

211   L'interronégation

1. En anglais parlé, l'interronégation se forme normalement ainsi : *"auxiliaire + n't + sujet + verbe".*

Why don't you listen ?
Pourquoi est-ce que tu n'écoutes pas ?

Isn't your mother coming ?
Votre mère ne vient pas ?

Dans un style formel, on emploie plus souvent la forme non contractée *not,* qui se place après le sujet.

Why **do they not** listen ? (*Et non* ~~Why do not they listen ?~~)

Is the repair not finished ?
La réparation n'est-elle pas terminée ?

2. En français parlé, on emploie souvent une forme négative pour faire une demande (ex. : *"Il n'y a pas de courrier pour moi ?" "T'as* pas un stylo ? "). La forme interronégative ne s'emploie pas de la même manière en anglais ; on l'utilise plutôt pour exprimer l'étonnement. Comparez :

- Is there any mail for me ?
  Il n'y a pas de courrier pour moi ? (Intonation montante en français)
  (= Est-ce qu'il y a du courrier pour moi ?)

- Isn't there any mail for me ?
  Il n'y a pas de courrier pour moi ? (Intonation descendante en français)
  (= C'est bizarre. Vous êtes sûre qu'il n'y a pas de courrier pour moi ?)

EXERCICE —————————————————————

Traduisez en anglais (utilisez les formes contractées) :

1. Pourquoi n'as-tu pas répondu ? (Prétérit)
2. Votre père n'est-il pas médecin ?
3. Vous n'êtes pas fatigué ?
4. N'êtes-vous pas allé à Manchester la semaine dernière ?
5. Vous ne savez pas nager ?
6. Tu ne veux pas de pain ?
7. Vous n'avez pas un timbre (= stamp), s'il vous plaît ?
8. Pourquoi n'es-tu pas venu hier ?

212 Neither (... nor)

1. *Neither* peut s'employer au sens de "ni l'un ni l'autre" (l'équivalent négatif de *either*, voir 98), ou "aucun des deux". Notez que le verbe anglais est à la forme affirmative.

Neither of the plans **is** realistic.
Aucun des deux projets n'est réaliste.

'Which do you prefer ?' '**Neither** of them.'
"Lequel préfères-tu ?" "Ni l'un ni l'autre."

Au lieu de *neither of the*, on peut dire simplement *neither* (+ nom singulier).

Neither plan is realistic.

Notez que *neither* s'emploie surtout en début de phrase. Dans les autres cas, on préfère la structure *not ... either*.

I **don't** like **either** of them.
Je n'aime ni l'un ni l'autre.

2. *Neither ... nor ...* = "ne ... ni ... ni ...".

Neither James **nor** Antonia **wants** to come. *(Le verbe est singulier.)*
Ni James ni Antonia ne souhaitent venir.

I'm **neither** a singer **nor** a musician.
Je ne suis ni chanteur ni musicien.

3. *Neither* s'emploie avec un auxiliaire affirmatif et un sujet, au sens de "moi non plus".

'I can't swim.' '**Neither** can I.'
"Je ne sais pas nager." "Moi non plus."

'I don't like travelling.' '**Neither do I.**'
"Je n'aime pas voyager." "Moi non plus."

Nor s'emploie parfois à la place de *neither* : **Nor** can I — **Nor** do I.

EXERCICE
Traduisez en anglais :
1. Aucun des deux appartements n'est assez grand.
2. "Je ne sais pas danser." "Moi non plus."
3. Ni mon père ni ma mère ne parlent anglais.
4. Aucun de ses (deux) frères n'est allé le voir.
5. "Je n'aime pas les huîtres (= oysters)." "Moi non plus."
6. Aucune des deux machines ne marche (= work).

213 Next et the next

1. Attention à la différence entre *next week / month / year* et *the next week / month / year. Next week* = "la semaine prochaine" ; *the next week* = "la semaine d'après" (la semaine suivante).
Comparez :

I'm going on holiday **next week.**
Je vais en vacances la semaine prochaine.

We're spending the first week of our holidays in Rome, and **the next week** in Venice.
Nous passons la première semaine de nos vacances à Rome, et la semaine d'après à Venise.

2. Les expressions avec *the* s'emploient aussi pour désigner une période qui commence juste au moment où l'on parle.
Comparez :

next year *(= la période qui commence au 1er janvier de l'année prochaine).*

the next year *(= les douze mois qui commencent maintenant, l'année qui vient).*

EXERCICE
Mettez next ou the next :
1. I don't know what I'm going to do ... week.
2. The first year was very difficult, but ... year was easier.
3. There's a holiday on Wednesday ... week.
4. I'm starting a new job today, so I shall be busy for ... three weeks.

214 Les noms : dénombrables et indénombrables

En anglais, comme en français, on peut diviser les noms en deux catégories : les dénombrables et les indénombrables.

1. Les dénombrables sont les noms de choses, de personnes, d'événements, etc., séparés - qu'on peut compter. Ces noms ont donc un pluriel.

a train	**two trains**	**three answers**	**five workmen**
un train	deux trains	trois réponses	cinq ouvriers

Au singulier, on peut employer l'article indéfini *a / an* (un / une), mais non *some* (= article partitif "du / de la").

There's **a train.** (*Mais non* ~~There's some train.~~)
Voilà un train.

2. Les indénombrables désignent des substances, des concepts, etc., qui ne peuvent pas se diviser en éléments séparés - donc qu'on ne peut pas compter. Normalement, ces noms n'ont pas de pluriel.

music (*mais non* ~~two musics~~)	**milk**	**astonishment**
la musique	le lait	l'étonnement

On emploie régulièrement l'article partitif "du / de la" avec les indénombrables ; cet article se traduit souvent par *some* (voir 293-294).

(some) music	**(some) milk**
de la musique	du lait

Par contre, il est très rare d'employer l'article indéfini *a / an* avec les indénombrables.

I heard soft **music.** (*Et non* ... ~~a soft music.~~)
J'ai entendu une musique douce.

horrible **weather** (*et non* ~~a horrible weather~~)
un temps horrible

very correct **English** (*et non* ~~a very correct English~~)
un anglais très correct

3. Certains noms sont dénombrables en français et indénombrables en anglais. Voici les plus courants : *hair* (= "cheveux"), *advice* (= "conseil"), *progress* (= "progrès"), *information* (= "renseignements"), *luggage* (= "bagages"), *furniture* (= "meubles"), *news* (= "information", "nouvelles"), *knowledge* (= "connaissance"), *spaghetti*.

Your **hair is** nice. (*Et non* ~~Your hairs are ...~~)
Ils sont beaux tes cheveux.

'Where**'s** your **luggage ?**' 'It**'s** in the car.'
"Où sont tes bagages ?" "Ils sont dans la voiture."

Do your parents give you **advice ?**
Est-ce que tes parents te donnent des conseils ?

"Un conseil" = *some advice* ou *a piece of advice* ; "un renseignement" = *some information* ou *a piece of information* ; "un meuble" = *a piece of furniture* ; "une nouvelle" = *some news* ou *a
piece of news*.

EXERCICES ───────────

1. *Ces noms sont-ils dénombrables
ou indénombrables ?*

house - water - unhappiness - cloud -
blood - plastic - car - soap - shoe -
generosity

2. *Traduisez en anglais :*

1. J'ai perdu mes bagages. (Present
   perfect)
2. Les informations sont à dix heures.
3. Les cheveux de Carol sont très
   longs.
4. Pouvez-vous me donner un conseil ?
5. Nous allons acheter des meubles.
6. J'ai besoin d' (= I need) un
   renseignement.
7. un meuble très cher
8. Les spaghettis sont prêts.

215 Les noms : singulier et pluriel

En règle générale, le singulier et le pluriel s'emploient de la même
manière dans les deux langues.

> **We've got a dog.**   **Dogs** don't like **cats.**
> *Nous avons un chien.*   *Les chiens n'aiment pas les chats.*

Pourtant, il y a certains cas où l'usage anglais diffère du français.

1. Les noms de groupes s'emploient souvent avec un verbe au pluriel en anglais.

> **The government have** (*ou* has) decided...
> *Le gouvernement a décidé...*
>
> **The team are** (*ou* is) confident...
> *L'équipe est confiante...*

2. Les pronoms indéfinis *anybody, somebody, everybody* et *nobody*
sont suivis d'un verbe au singulier, mais dans la langue familière,
ils sont souvent repris par les mots *they, them, their*. (A l'écrit, il
vaut mieux employer *he, him, his* - ou bien *he or she, him or her, his
or her*.)

> **Can anybody** lend me **their** pen ?
> *Est-ce que quelqu'un peut me prêter son stylo ?*
>
> **Somebody has** left **their** umbrella in the office.
> *Quelqu'un a oublié son parapluie dans le bureau.*
>
> **Everybody has** got to eat what's given **them.**
> *Tout le monde doit manger ce qu'on lui donne.*
>
> **Nobody wants** to work tomorrow, do **they** ?
> *Personne ne veut travailler demain, je suppose ?*

3. Avec des expressions comme *five pounds, ten litres, three miles,*
qui désignent une quantité ou une mesure, l'accord se fait au singulier.

Where's that five pounds I lent you ?
Où sont ces cinq livres que je t'ai prêtées ?

Ten litres isn't enough.
Dix litres ne suffisent pas.

4. Dans certains cas, un nom singulier français se traduit par un pluriel anglais.

un jean =	(a pair of) jeans
un pantalon =	(a pair of) trousers
un short =	(a pair of) shorts
un pyjama =	(a pair of) pyjamas, etc.
la douane =	the customs
le moyen âge =	the middle ages
à la montagne =	in / to the mountains.

Par contre, il y a des pluriels français qui se traduisent en anglais par des indénombrables (voir 214[2]).

des meubles =	furniture
des conseils =	advice
des informations =	news (singulier),
des bagages =	luggage, etc.

5. Avec les mots *people* et *police* le verbe est au pluriel.

People are funny.
Les gens sont marrants.

The police are unable to find him.
La police est incapable de le retrouver.

6. Attention aux mots suivants. Ce sont des singuliers, même s'ils se terminent en *-s*.

crossroads	(= *carrefour*)
news	(= *informations*)
series	(= *série*)
means	(= *moyen*)

mathematics, physics, politics, economics, athletics.

Here **is the news.**   **a series** of disasters
Voici les informations.   *une série de désastres*

Physics is my favourite subject.
Ma matière préférée, c'est la physique.

EXERCICE ————————————————

Traduisez en anglais :

1. Le gouvernement ne veut pas donner son autorisation (= permission). (1)
2. Si quelqu'un téléphone, dites-lui que je ne suis pas là. (2)
3. Est-ce que ces trois francs sont à toi ? (3)
4. Où est mon jean ? (4)
5. J'aime bien marcher à la montagne. (4)
6. Leurs meubles sont horribles (= horrible). (4)
7. Les gens ne comprennent pas. (5)
8. La police a abandonné. (= given up). (5)
9. La physique est très difficile. (6)
10. Les informations sont mauvaises. (6)

Remarque

En anglais, lorsque le possesseur est pluriel, le nom qui suit est également au pluriel s'il se rapporte à plusieurs personnes ou objets. (En français, il est souvent au singulier.)

We've all put **our cars** in the parking place.
Nous avons tous mis notre voiture au parking.

We don't always do what **we** like with **our lives.**
Nous ne faisons pas toujours ce que nous voulons de notre vie.

Analyse **the** characters' **personalities.**
Analysez la personnalité des personnages.

216 Les noms : formation du pluriel

1. En règle générale, on forme le pluriel des noms en ajoutant un *-s* au singulier.

car - car**s**   clock - clock**s**   house - house**s**

2. Les mots qui se terminent en *-s, -sh, -ch* et *-x*, forment leur pluriel en *-es*, ainsi que certains mots terminés en *-o*.

bu**s** - bu**ses**   glas**s** - glas**ses**   brush - brush**es**
mat**ch** - mat**ches**   bo**x** - bo**xes**   tomat**o** - tomat**oes**
potat**o** - potat**oes**

3. Les mots qui se terminent par un *-y* précédé d'une consonne forment leur pluriel en *-ies*.

baby - bab**ies**   country - countr**ies**   factory - factor**ies**

Les mots qui se terminent par un *-y* précédé d'une voyelle forment leur pluriel en *-s*.

day - day**s**   boy - boy**s**

4. Les mots suivants forment leur pluriel en *-ves* :

half - hal**ves**   thief - thie**ves**   loaf - loa**ves**
shelf - shel**ves**   calf - cal**ves**   self - sel**ves**
knife - kni**ves**   life - li**ves**   wife - **wives**
wolf - wol**ves**   leaf - lea**ves**

Les autres mots terminés en *-f* ont un pluriel régulier.

roof - roof**s**   cliff - cliff**s**   chief - chief**s**

5. Les mots *fish, sheep, deer,* ne prennent pas d'*s* au pluriel.

6. Pluriels irréguliers :

man - **men**   woman - **women**   foot - **feet**
tooth - **teeth**   mouse - **mice**   child - **children**

7. Prononciation du pluriel

a. Après les sons [s], [ʃ], [tʃ], [z], [ʒ] et [dʒ], *-es* se prononce [iz].

buses [ˈbʌsiz]	roses [ˈrəuziz]
brushes [ˈbrʌʃiz]	garages [ˈgɶraːʒiz]
matches [ˈmæʃiz]	bridges [ˈbridʒiz].

b. Dans les autres cas, le *-es* ou *-s* du pluriel se prononce [s] après une consonne "sourde" ([p], [f], [θ], [t], [k]), et [z] après tous les autres sons.

cups [kʌps]	heads [hedz]
baths [baːθs]	clothes [kləuðz]
hats [hæts]	names [neimz]
books [buks]	days [deiz]

EXERCICES ─────────────────────────

1. *Écrivez le pluriel de :* table (1) - coat (1) - kiss (2) - fox (2) - story (3) - toy (3) - tree (1) - lamp (1) - journey (3) - boss (2) - spy (3) - watch (2) - thief (4) - roof (4) - child (6) - mouse (6).

2. *Dites si la désinence du pluriel se prononce* [iz] [s] *ou* [z] *dans les mots suivants* (7) :
shoes - clothes - churches - judges - ships - chairs - boats - paths.

217 Les noms composés

1. Il est extrêmement fréquent en anglais de mettre un nom devant un autre. Le premier nom a alors presque la même fonction qu'un adjectif.

a **road map**	a **business trip**
une carte routière	*un voyage d'affaires*

Attention à l'ordre des mots - c'est le dernier mot qui fonctionne comme nom.

a race **horse**	a horse **race**	a postage **stamp**
un cheval de course	*une course de chevaux*	*un timbre-poste*

Un nom utilisé comme adjectif se met normalement au singulier (même s'il a un sens pluriel).

a **photo** exhibition	a **question** box
une exposition de photos	*une boîte à questions*
a **dog** trainer	a **tooth**brush
un dresseur de chiens	*une brosse à dents*

2. Certains noms composés s'écrivent avec un trait d'union et d'autres en un seul mot. Il n'y a pas de règle générale - il faut se référer au dictionnaire.

a **dining-room**	a **toothbrush**
une salle à manger	*une brosse à dents*

3. La structure "nom + nom" n'est pas la seule sorte de combinaison possible. Il en existe d'autres : le cas possessif (voir 253), et les structures avec préposition. Comparez :

a war film
un film de guerre

my **sister's car**
la voiture de ma sœur

the top of the page
le haut de la page

Il n'y a pas de règles pour indiquer laquelle des trois combinaisons s'emploie dans un cas particulier - il faut les apprendre au fur et à mesure.

EXERCICE —————————————————————————

Choisissez la bonne combinaison :

1. Un cheval de course : a horse race *ou* a race horse ?
2. Une vitrine : a shop window *ou* a window shop ?
3. Un casier à disques : a record rack *ou* a rack record ?
4. Un jardin potager : a garden vegetable *ou* a vegetable garden ?
5. Un billet de train : a train ticket *ou* a ticket train ?
6. Un numéro de téléphone : a number telephone *ou* a telephone number ?
7. Un bonhomme de neige : a snowman *ou* a mansnow ?
8. Un réveil : a clock alarm *ou* an alarm clock ?

218 Les nombres

1. On dit *a hundred, a pound, a kilometre,* etc., plus souvent que *one hundred, one pound, one kilometre,* etc.

a hundred and fifty pounds (£150)
cent cinquante livres

A pound of rump steak, please.
Une livre de rumsteak, s'il vous plaît.

2. En anglais britannique, *and* s'emploie après *hundred* dans les nombres.

315 : three **hundred and** fifteen (*anglais américain :* three hundred fifteen)
1,908 : one thousand, nine **hundred and** eight

3. Les décimales sont précédées d'un point et non d'une virgule comme en français. Par contre, on met une virgule pour les milliers.

1.625 (*dites* one point six two five) = *1,625 français*
1,625 (*dites* one thousand, six hundred and twenty-five) = *1.625 français*

4. Les fractions se lisent ainsi :

1 $\frac{3}{7}$: **one and three sevenths**   6 $\frac{5}{9}$: **six and five ninths**

5. "... et demi" se dit *and a half*.

$12\frac{1}{2}$ = twelve **and a half**

Notez que $1\frac{1}{2}$ *(one and a half)* est suivi d'un pluriel.

one and a half **hours**
une heure et demie

6. *Dozen, hundred, thousand* et *million* ne prennent pas d'*s* après un numéral précis, ni après *several, a few, many*.

three hundred houses   **several million** people
trois cents maisons   *plusieurs millions de personnes*

Dans les autres cas, ils prennent un *-s* au pluriel et sont suivis de *of*.

hundreds of houses   **millions of** people
des centaines de maisons   *des millions de personnes*

7. Les dates comme 1789 ou 1492 se disent en deux moitiés.

1789 : **seventeen eighty-nine**   1492 : **fourteen ninety-two**

On dit *0* [əu] plutôt que *zero*. 1908 = nineteen **0** eight.

8. Les numéros de téléphone se disent chiffre par chiffre :

47150 : **four seven one five 0.**   31226 : **three one double two six**

9. On emploie les ordinaux pour les rois, les papes, etc.

Louis **the Fourteenth**   John **the Twenty-third**
Louis Quatorze   *Jean Vingt-trois*

EXERCICES ———————————————————————————

1. *Lisez :*

(1) 100 - 1 km
(2) 177 - 284
(3) 3,865 - 5.2
(4) $\dfrac{4}{7}$ - $\dfrac{2}{9}$
(5) $10\dfrac{1}{2}$ - $13\dfrac{1}{2}$

(6) 200 people - 4,500 trees
(7) the year 1628 - the year 1982
(8) my phone number is 4991236
my phone number is 3983570
(9) King Henry VIII - Queen Elizabeth II

2. *Traduisez en anglais et écrivez en toutes lettres (cf. 6) :*

trois cents jours -   deux douzaines d'œufs -
des milliers de gens -   quelques milliers d'années -
cinq mille enfants -   six cents voitures.

219 Not... any, no, none

1. "(Ne) ... pas de" se traduit généralement par *not...any*.

I haven't got **any** matches.   We don't want **any** help.
Je n'ai pas d'allumettes.   *Nous ne voulons pas d'aide.*

Notez bien que *any* tout seul n'est pas un mot négatif. (*Any* = "du / de la / des / de"). Il ne prend un sens négatif que combiné à *not*.

2. Au lieu de *not ... any,* on peut employer *no*. Le verbe est alors à la forme affirmative et le sens est un peu plus fort.

I've got no matches.
We want no help.

3. "Aucun" se traduit par *no* devant un nom et par *none* lorsqu'il est seul (= pronom).

No problem.   'Did you have any problems ?' '**None.**'
Aucun problème.   *"Tu as eu des problèmes ?" "Aucun."*

EXERCICE

Traduisez en anglais :
1. Je n'ai pas de verres. (= glasses)
2. Il n'a pas d'argent.
3. "Tu as posé beaucoup de questions ?" "Non, aucune."

4. Je n'ai pas de frères.
5. Il n'y a pas de place (= room) pour toi.
6. Il n'y a aucune possibilité (= possibility)

Remarque

Devant un dénombrable singulier (voir 293, Remarque 5), "(ne) ... pas de" se traduit plus souvent par *not ... a* que par *not ... any*.

I haven't got **a car.**
Je n'ai pas de voiture.

220 Not ... anything et nothing, not ... anybody et nobody, not ... anywhere et nowhere.

Ils suivent les mêmes règles que *not ... any* et *no*.

1. "(Ne) ... rien" se traduit généralement par *not ... anything*, "(ne) ... personne" par *not... anybody*, et "(ne) ... nulle part" par *not ... anywhere*.

I didn't see **anything.**   Don't speak to **anybody.**
Je n'ai rien vu.   *Ne parle à personne.*

We can't find him **anywhere.**
On ne le trouve nulle part.

160

2. Au lieu de *not ... anything, not ... anybody,* et *not ... anywhere,* on peut employer *nothing, nobody, nowhere.* Le verbe est alors à la forme affirmative et le sens est plus emphatique.

> **I saw nothing.**   **Speak** to **nobody.**   **We can** find him **nowhere.**

3. Lorsque ″rien″, ″personne″ et ″nulle part″ se trouvent en début de phrase ou seuls, ils se traduisent toujours par *nothing, nobody, nowhere.*

> **Nothing** moved.   **Nobody** came.
> *Rien ne bougea.*   *Personne n'est venu.*
>
> 'What's the matter ?' '**Nothing.**'
> *″Qu'est-ce qu'il y a ?″ ″Rien.″*
>
> 'Who are you looking at ?' '**Nobody.**'
> *″Qui regardes-tu ?″ ″Personne.″*
>
> 'Where have you been ?' '**Nowhere.**'
> *″Où es-tu allé ?″ ″Nulle part.″*

EXERCICE ————————————————————————————

Traduisez en anglais :
1. Je n'ai rien dit.
2. Ne le donnez à personne.
3. Je n'ai rien compris.
4. Personne n'a parlé.

5. ″Qu'est-ce que vous voulez ?″ ″Rien.″
6. ″Qui est à la porte ?″ ″Personne.″

Remarque
Anyone s'emploie souvent au lieu de *anybody.*

---

221 Not ... any more, not ... any longer, no longer

---

1. ″Ne ... plus″ se traduit normalement par *not ... any more.*

> 'More potatoes ?' 'No thanks, I do**n't** want **any more.**'
> *″Tu veux encore des pommes de terre ?″ ″Non merci, je n'en veux plus.″*
>
> Annie does**n't** live here **any more.**
> *Annie n'habite plus ici.*

2. Dans un style plus soigné, on peut employer *not ... any longer* ou *no longer* (placé devant le verbe) pour exprimer le sens temporel de ″ne ... plus″.

> I do **not** wish to work here **any longer.**
> I **no longer** wish to work here.
> *Je ne veux plus travailler ici.*

EXERCICE ————————————————————————————

Traduisez en anglais :
1. Je n'habite plus avec mes parents.
2. Je ne veux plus jouer.
3. Je ne peux plus boire, merci.

4. Il ne pouvait plus marcher.
5. Mon père ne travaille plus.
6. Nous n'avons plus de pain.

---

222 Omission de l'infinitif : emploi de "to"

Quand on veut éviter de répéter un infinitif, on emploie généralement *to* à la place de l'infinitif entier.

'Do you want to come ?' 'No, I don't want **to.** ' (*Et non* ... I don't want.)
"Tu veux venir ?" "Non, je (ne) veux pas."

'Would you like to live in America ?' 'No, I wouldn't like **to.** '
"Est-ce que tu aimerais vivre en Amérique ?" "Non, je n'aimerais pas."

'Why are you doing that ?' 'Harry told me **to.** '
"Pourquoi tu fais ça ?" "Harry m'a dit de le faire."

En règle générale, on ne peut pas omettre ce *to* (voir exemples ci-dessus). Pourtant, on emploie souvent *want* et *like* sans *to* après une conjonction.

Come **when** you like.   Take **what** you want.   **If** you like.
Viens quand tu veux.   *Prends ce que veux.*   *Si vous voulez.*

EXERCICE

Réécrivez les phrases suivantes en supprimant les répétitions :
1. Please do what I ask you to do.
2. 'Why are you driving so fast ?' 'Because I want to drive fast.'
3. 'Let's swim in the lake.' 'I don't think we're allowed to swim in the lake.'
4. I haven't heard from her, but I expect to hear from her.
5. 'Have you ever seen 'Gone with the Wind ' ?' 'No, but I'd like to see it.'
6. 'Why don't you ask your father for money ?' 'Yes, I'm going to ask him.'

Remarque

Ne pas confondre *I don't want to, I'd like to,* etc. (où *to* reprend un verbe) avec *I don't want it, I'd like it,* etc. (où *it* reprend un nom). Comparez :

Some people want **to travel** round the world, but I wouldn't like **to.**
Il y a des gens qui veulent faire le tour du monde, mais moi je n'aimerais pas.

She tasted **my new whisky,** but she didn't like **it.**
Elle a goûté mon nouveau whisky, mais elle ne l'a pas aimé.

223 Omission de mots après un auxiliaire

On évite souvent de répéter un verbe principal après un auxiliaire.

He said he'd write, but **he hasn't.** (= ... he hasn't written.)
Il a dit qu'il écrirait, mais il ne l'a pas fait.

I haven't phoned her yet, but **I will.** (= ... I will telephone her.)
Je ne lui ai pas encore téléphoné, mais je le ferai.

'Have you finished ?' 'Yes, **I have.** ' (= ... I have finished.)
"Avez-vous terminé ?" "Oui."

'We haven't paid the rent.' 'Nor **have we.** '(= ... Nor have we paid the rent.)
"Nous n'avons pas payé le loyer." "Nous non plus."

Réécrivez les phrases suivantes. en supprimant les répétitions.

1. I haven't told them, but I will tell them.
2. I thought it would rain, but it didn't rain.
3. I wanted to run, but I couldn't run.
4. We thought she didn't understand, but she did understand.
5. 'Are you waiting for somebody ?' 'Yes, I am waiting.'
6. 'Can you swim ?' 'No, I can't swim.'

224 Omission de mots après and et or

Souvent, après *and* ou *or*, on ne répète pas un mot ou une expression utilisés antérieurement. C'est souvent le cas pour les articles, les pronoms et les prépositions.

a knife **and** fork
un couteau et une fourchette

She opened the letter **and** read it.
Elle ouvrit la lettre et (elle) la lut.

It's for me **and** all my friends.
C'est pour moi et pour tous mes amis.

in France **and** Spain
en France et en Espagne

a dog **or** cat
un chien ou un chat

EXERCICE

Réécrivez ces expressions en omettant des mots lorsque c'est possible :

1. my friends and my family
2. the house and the garden
3. in England and in Scotland
4. I sing and I play the guitar
5. He's asleep or he's deaf (= sourd).
6. Do you want some wine or some beer ?

225 Omission de mots en début de phrase

En anglais parlé, on omet souvent des "petits mots" en début de phrase, si le sens reste clair.

___Car's running well. (= The car's...)
La voiture roule bien.

___Leg hurts. (= My leg hurts.)
J'ai mal à la jambe.

___Couldn't understand what he wanted. (= I couldn't...)
Je n'arrivais pas à comprendre ce qu'il voulait.

___Seen Andy ? (= Have you seen... ?)
Tu as vu Andy ?

EXERCICE

Rétablissez les phrases complètes.

1. 'You OK ?' 'Yes, fine.'
2. Weather isn't nice.
3. Been to school, love ?
4. 'Mary telephoned ?' 'Not yet.'
5. 'Don't want to go.' 'Come on, Tommy.'
6. Difficult to answer that question, isn't it ?

226 Omission de "of" (expressions de quantité)

1. Les mots suivants s'emploient sans *of* quand ils se trouvent juste devant un nom.

enough *(= assez de)*
much *(= beaucoup de)*   many *(= beaucoup de)*
more *(= plus de)*   most *(= la plupart de)*
little *(= peu de)*   few *(= peu de)*
less *(= moins de)*   least *(= le moins de)*

enough time   **not much money**   **more effort**
assez de temps   *pas beaucoup d'argent*   *plus d'effort*

most people   **less difficulty**
la plupart des gens   *moins de difficulté*

2. Ces mots s'emploient avec *of* (comme en français) quand ils sont suivis d'un article, d'un possessif ou d'un démonstratif.

There's not **much of the** wine left !   **enough of my** friends
Il n'en reste pas beaucoup du vin !   *un bon nombre de mes amis*

most of these people
la plupart de ces gens

EXERCICE

Traduisez en anglais :
1. assez de tomates
2. pas beaucoup de temps
3. la plupart des femmes *(n'employez pas* the)
4. la plupart de vos amis
5. peu d'intelligence
6. suffisamment de chaises

227 Omission de "that"

En anglais parlé, on omet souvent la conjonction *that* après les verbes et les adjectifs les plus fréquents.

He **said (that)** he was coming.
Il a dit qu'il venait.

I **suppose (that)** you want something to drink.
Je suppose que vous voulez boire quelque chose.

I'm **glad (that)** you could come.
Je suis content que vous ayez pu venir.

I'm **surprised (that)** she didn't phone.
Je suis étonné qu'elle n'ait pas téléphoné.

Le pronom relatif *that* peut aussi être omis, mais seulement lorsqu'il est complément d'objet. Comparez :

The people **that live** next door... (That *est sujet.*)
Les gens qui habitent à côté...

The people **(that) I invited** to dinner... (That *est complément d'objet.*)
Les gens que j'ai invités à dîner...

Traduisez en anglais, en omettant that :
1. J'ai dit que je ne savais pas.
2. Je suis content qu'on soit (= it is) samedi.
3. Je pense que tu as raison.
4. Je suppose qu'elle comprendra.
5. le livre que je t'ai donné
6. l'argent que j'ai payé

228 Comment traduire "on" ?

1. "On" (au sens de "les gens en général") peut se traduire par *one* ou *you*.
One s'emploie plutôt dans un style soigné, *you* dans un style familier.

> **One** can't make an omelette without breaking eggs.
> **You** can't make an omelette without breaking eggs.
> *On ne peut pas faire d'omelette sans casser des œufs.*

> **One** needs crampons on a glacier.
> **You** need crampons on a glacier.
> *On a besoin de crampons sur un glacier.*

Contrairement à "on", *one* et *you* peuvent s'employer à la forme possessive et comme compléments d'objet.

> One should always check **one's** bank statement.
> You should always check **your** bank statement.
> *On devrait toujours vérifier son relevé de compte.*

> One believes what **one's** teachers tell **one**.
> You believe what **your** teachers tell **you**.
> *On croit ce que disent les professeurs.*

2. "On" ne se traduit par *one* ou *you* que dans les généralisations. Pour parler d'un fait précis ou pour désigner un individu, il faut utiliser une autre tournure (par exemple *they, people, somebody, nobody*, etc., un passif...). Comparez :

> **One never knows** the whole truth.
> *On ne sait jamais toute la vérité.*

> **Nobody ever knew** the truth about her death.
> *On n'a jamais su la vérité sur sa mort.*

Autres exemples :

> **They managed** to save him.   **I'm being served.**
> *On a réussi à le sauver.*   *On s'occupe de moi.*

> **Somebody's knocking** at the door.
> *On frappe à la porte.*

> **We've been invited** to a meeting in Zürich.
> *On nous a invités à une réunion à Zurich.*

3. En français familier, "on" peut remplacer "nous". En anglais, il faut employer *we* dans ce cas-là.

> Yesterday evening **we went** to see a film.   What shall **we** do ?
> *Hier soir on est allé voir un film.*   *Qu'est-ce qu'on fait ?*

Traduisez en anglais :
1. On a besoin d'argent pour voyager.
2. On ne peut pas vivre complètement seul.
3. On ne peut pas changer son caractère (= character).
4. On m'a envoyé une publicité (= an advertisement) pour les voyages bon marché. (Present perfect)
5. On a trouvé un très bon hôtel à Londres. (Prétérit)
6. Est-ce qu'on s'occupe de vous ?
7. On parle anglais ici. (= dans cette boutique)
8. On n'a pas vu Patrick depuis longtemps.

229 One(s)

1. Pour éviter de répéter un nom, on le reprend souvent par *one*.

I'd like a nice room. Have you got **one** with a bath ?
Je voudrais une bonne chambre. Est-ce que vous en avez une avec bain ?

Avec un adjectif, on met *a ... one.*

I've got two scarves : **a blue one** and **a red one.** *(Et non ~~a blue~~ ou ~~a red~~ ; "a + adjectif seul" est généralement impossible en anglais.)*
J'ai deux foulards : un bleu et un rouge.

Pour reprendre un pluriel, on utilise *ones.*

These boots are too small. Have you got bigger **ones ?**
Ces bottes sont trop petites. Est-ce que vous en avez de plus grandes ?

2. *One* ne peut pas remplacer un indénombrable, comme *hair.* (Voir 214².)

Which do you prefer - dark hair or fair **hair ?** *(Et non ~~fair one~~.)*
Qu'est-ce que tu préfères : les cheveux bruns ou les cheveux blonds ?

Remplacez le deuxième nom par one *ou* ones.
Exemple : I don't want her old shoes, I want new shoes.
   I want new ones.

1. Pam's got a yellow bike. Bob's got a blue bike.
2. 'What kind of apples would you like ?' 'A pound of the green apples.'
3. I don't want this small map. I want a bigger map.
4. 'Which sweater do you prefer ?' 'This sweater.'
5. I don't know many jokes (= "blagues"), but I know some good jokes.
6. 'Which gloves do you want ?' 'The gloves in the window.'

230 Open et opened

1. Attention à la différence entre l'adjectif *open* et le participe passé *opened.* Comparez :

The door was **open.**
La porte était ouverte.

The door **was opened** by a small girl.
La porte a été ouverte par une petite fille.

2. Le verbe *to open* ne peut pas être suivi d'un objet indirect. "Je lui ai ouvert la porte" = *I opened the door for her*, et non ~~I opened her the door~~.

EXERCICE —————————————————————————————

Mettez open *ou* opened :

1. Why is the window ... ?
2. Who ... the window ?
3. My wallet (= portefeuille) was lying on the table. It was ... and the money had gone.
4. The theatre will be ... from 9.00 to 5.00.
5. The new school was ... by the Princess last Friday.
6. Are the banks ... on Saturdays ?

---

231 L'ordre des mots : place des adverbes (1)
(Ne pas séparer le verbe du complément d'objet)

En français, les adverbes se mettent souvent entre le verbe et le complément d'objet. Ce n'est presque jamais le cas en anglais. L'adverbe se met normalement soit avant le verbe, soit après le complément, selon les cas.

— I **often wash** my hair. (*Et non* ~~I wash often...~~)
  Je me lave souvent les cheveux.

  He **always forgets** my name. (*Et non* ~~He forgets always...~~)
  Il oublie toujours mon nom.

  She **never pays** her debts. (*Et non* ~~She pays never...~~)
  Elle ne paie jamais ses dettes.

— I like **skiing very much.** (*Et non* ~~I like very much skiing~~.)
  J'aime beaucoup le ski.

  He speaks **English very well.** (~~Et non He speaks very well English.~~)
  Il parle très bien anglais.

EXERCICE —————————————————————————————

Traduisez en anglais en vous inspirant des exemples ci-dessus :

1. Elle aime beaucoup le sport. *(Ne pas traduire "le".)*
2. Je ne parle pas très bien espagnol.
3. Je perds souvent mes clés (= keys).
4. Il ne donne jamais son opinion.
5. Tu ne vois jamais mon point de vue (= point of view).
6. J'entends quelquefois un bruit bizarre (= a strange noise).

Remarque

Pour la place exacte de l'adverbe avant le verbe, voir la section suivante.

232 L'ordre des mots : place des adverbes (2)

(Adverbes placés à côté du verbe)

Certains adverbes se placent généralement à côté du verbe. Leur position exacte dépend de la structure du verbe.

1. Adverbes concernés

Voici les plus fréquents :

● Adverbes de fréquence

> often - always - never - sometimes - usually (= *en général*) - mostly / mainly (= *surtout*) - hardly ever (= *pratiquement jamais*).

Autres adverbes

> also - just - only - even (= *même*) - nearly (= *presque*) - hardly (= *à peine*) - really - probably - certainly - soon (= *bientôt*) - last (= *pour la dernière fois*).

All, both et *each* suivent la même règle.

2. Position exacte

a. Quand le verbe est formé d'un seul mot, l'adverbe se met devant lui.

> He **often writes** letters.
> *Il écrit souvent des lettres.*

> She **probably wanted** some money.
> *Elle voulait probablement de l'argent.*

Exception : l'adverbe se met après *am, are, is, was* et *were.*

> I'm **always** late. (*Et non* ~~I always am late.~~)
> *Je suis toujours en retard.*

> We **were certainly** better than the others.
> *Nous étions certainement mieux que les autres.*

b. Quand le verbe est formé de deux mots ou plus, l'adverbe se met normalement après le premier auxiliaire (comme en français).

> I **have often** thought...
> *J'ai souvent pensé...*

> They **have certainly** been warned.
> *Ils ont certainement été prévenus.*

> The girls **are probably** going home.
> *Les filles rentrent probablement chez elles.*

A la forme interrogative, l'adverbe se place toujours après le sujet et à la forme négative après la négation.

Do you often go dancing ?
Tu vas souvent danser ?

She **has not even** signed her letter !
Elle n'a même pas signé sa lettre !

EXERCICE ───────────────────────────────

Mettez l'adverbe au bon endroit dans la phrase :
1. I eat fish. (never)
2. We watch the news on TV. (always)
3. Your ticket is in the post. (probably)
4. This is a good match. (certainly)
5. She would have been invited... (probably)
6. It's been a great evening. (really)
7. I have wondered why everything is so complicated. (often)
8. Janet is at home. (never)

Remarque

L'adverbe peut se mettre devant le premier auxiliaire pour renforcer l'idée exprimée par la phrase. Comparez :

I'm really working hard.
Je travaille vraiment beaucoup.

I really am working hard.
Qu'est-ce que je travaille !

233 L'ordre des mots : adverbes ou compléments en fin de phrase

Les adverbes ou les compléments qui viennent en fin de phrase indiquent le plus souvent COMMENT, OÙ , QUAND un événement s'est passé. L'ordre est assez flexible, mais on a tendance à préférer l'ordre "comment, où, quand" (= manière, lieu, moment).

She sang **very well at the club last night.**
Elle a très bien chanté hier soir au club.

I'm going **to Bristol tomorrow.**
Je vais à Bristol demain.

I must be **at the office at ten o'clock.**
Il faut que je sois à dix heures au bureau.

EXERCICE ───────────────────────────────

Mettez les mots dans le bon ordre :
1. last I to went week Manchester
2. house ten to o'clock my at come
3. Alex concert London is a in on giving Tuesday
4. be I in Cambridge before want to lunchtime
5. hard yesterday worked I at Helen's
6. Mary this morning in class to sleep went

234 L'ordre des mots : inversion (1)

(Inversion en anglais, pas d'inversion en français)

1. Après *neither, nor* et *so,* on met le verbe avant le sujet dans les
"réponses courtes". (Voir 306 et 307.)

> 'I don't like Mozart.' '**Neither do I.**' (*Ou* **Nor do I.**)
> *"Je n'aime pas Mozart." " Moi non plus."*

> 'I've got a headache.' '**So have I.**'
> *"J'ai mal à la tête." "Moi aussi."*

2. L'inversion se fait aussi après certains autres adverbes et
expressions à sens négatif, comme *at no time.* Cette tournure
s'emploie surtout dans la langue écrite. Voir appendice 12[5], p 293.

> **At no time had I** suspected the truth.
> *A aucun moment je n'avais soupçonné la vérité.*

235 L'ordre des mots : inversion (2)

(Inversion en français, pas d'inversion en anglais)

Dans certains cas, le sujet précède le verbe, en anglais, alors qu'en
français, il le suit.

1. Dans les subordonnées introduites par *what, how, where, what
time,* etc.

> the opposite of **what my parents want**
> *le contraire de ce que veulent mes parents*

> I am learning **how English people live.**
> *J'apprends comment vivent les Anglais.*

> I wonder **where the children are.**
> *Je me demande où sont les enfants.*

> Ask him **what time the concert starts.**
> *Demande-lui à quelle heure commence le concert.*

2. Dans les exclamations.

> **What** a nice garden **Mrs. Anson has !**
> *Quel joli jardin (elle) a Madame Anson !*

3. Après les pronoms relatifs, et *where* (ùtilisé comme relatif).

> The cakes **that my mother makes...**
> *Les gâteaux que fait ma mère...*

> The place **where the car stopped...**
> *L'endroit où s'est arrêtée la voiture...*

> **what your wife says**
> *ce que dit ta femme*

4. Après *see, hear, let, make.*

I **saw two soldiers come in.**
J'ai vu entrer deux soldats.

I **heard the door bang.**
J'ai entendu claquer la porte.

windows that **let the light come in**
des fenêtres qui laissent entrer la lumière

He **made everybody work.**
Il a fait travailler tout le monde.

5. Après *perhaps.*

Perhaps he's right.
Peut-être a-t-il raison.

EXERCICE

Traduisez en anglais :

1. Je me demande comment vivent les Esquimaux (= Eskimos).
2. Je leur ai demandé où se trouvaient les toilettes.
3. Voici la maison qu'a construite (= built) mon oncle
4. Quelle belle robe (elle) a ta mère ! (*Ne pas traduire "elle".*)
5. Est-ce que tu as vu sortir ma sœur ?
6. Pouvez-vous me dire à quelle heure arrive le train de (= from) Manchester ?
7. Peut-être avez-vous oublié.
8. Écoutez ce que dit Robert (= en ce moment).

236 L'ordre des mots : les expressions de quantité

En français, les mots "trop", "beaucoup", "tous", "tout", "rien", "assez", "moins", "plus", précèdent un participe passé quand ils sont employés comme compléments d'objet. En anglais, ils le suivent.

He's drunk **too much.**
Il a trop bu.

You've eaten **a lot.**
Vous avez beaucoup mangé.

He's broken **everything.**
Il a tout cassé.

I've lost them **all.**
Je les ai tous perdus.

I haven't seen **anything.**
Je n'ai rien vu.

You've smoked **enough.**
Vous avez assez fumé.

EXERCICE

Traduisez en anglais, en mettant les verbes au present perfect :

1. J'ai trop mangé.
2. Je n'ai rien cassé.
3. Il n'a rien entendu.
4. Vous avez assez bu.
5. J'ai tout perdu.
6. Elle a beaucoup lu.

237 L'ordre des mots : problèmes divers

1. *Such, rather* et *quite* précèdent normalement l'article *a / an*.
(Voir 290, 274 et 273.)

> **such a** nice house (*et non* ~~a such nice house~~)
> *une si jolie maison*

> **rather a** tiring afternoon (*ou* a rather tiring afternoon)
> *un après-midi assez fatigant*

> **quite a** useful meeting
> *une réunion assez utile*

2. *Ago* vient en fin d'expression. (Voir 15.)

> three years **ago**
> *il y a trois ans*

3. *Enough* suit un adjectif. (Voir 108.)

> rich **enough**
> *suffisamment riche*

4. *About* (= *"environ"*) vient en début d'expression. (Voir 4.)

> **about** three years
> *trois ans, environ*

5. *Last* (= *"dernier"*) et *next* (= *"prochain"*) précèdent les nombres.

> the **last three** weeks   the **next five** years
> *les trois dernières semaines*   *les cinq prochaines années*

6. Attention à l'ordre des mots dans les noms composés et au cas possessif. (Voir 217 et 253.)

> a **race horse** (*et non* ~~a horse race~~)
> *un cheval de course*

> my **brother's room** (*et non* ~~my room's brother~~)
> *la chambre de mon frère*

7. Dans les questions, seul l'auxiliaire précède le sujet ; le reste du verbe vient après (voir 271).

> **Will your mother be** in Oxford ? (*Et non* ~~Will be your mother... ?~~)
> *Est-ce que votre mère sera à Oxford ?*

8. Attention à la position de *not* et de *n't* dans les phrases interronégatives (voir 211). Comparez :

> **Will she not** be there ?
> **Won't she** be there ?
> *Ne sera-t-elle pas là ?*

Pour l'ordre des mots dans les verbes à particule (ex. : *I woke him up*), voir 255².

Pour les structures avec une préposition en fin de phrase (ex. : *Who did you give it to ?*), voir 258.

Pour la place des adjectifs, voir 7.

Pour la position des deux compléments d'objet avec des verbes comme *give*, voir 341.

238   Other et others

Lorsque *other* est adjectif, il ne prend jamais d's au pluriel.

the other boys   **the other** people
les autres garçons   *les autres gens*

Par contre, lorsqu'il est employé comme pronom, il prend un *s* au pluriel.

Where are **the others ?**
Où sont les autres ?

EXERCICE ————————————————————————————

Mettez other *ou* others :

1. I can't find the ... tickets.
2. Tell the ... to come as soon as they can.
3. I'll take the two big boxes and you bring the ... .
4. We need the ... knives - these are too big.

239   Ought

Formes

Ought est un auxiliaire modal. Il ne prend pas d's à la troisième personne, pas *do* aux formes interrogatives et négatives. Il n'a ni infinitif ni prétérit et est suivi de l'infinitif avec *to*. Il existe une forme contractée *oughtn't*.

He **ought to go.**   She **oughtn't to smoke.**
Il devrait partir.   *Elle ne devrait pas fumer.*

Emploi

Ought s'emploie − comme *should* − pour exprimer une idée de devoir et pour donner des conseils. L'équivalent français est, le plus souvent, "devrais" (ou "il faudrait que...").

Everybody **ought to give** money for the Third World.
Tout le monde devrait donner de l'argent pour le Tiers Monde.

He **ought to see** a doctor.
Il faudrait qu'il voie un médecin.

Traduisez en anglais (utilisez ought to*) :*

1. Tu devrais être plus gentil avec (= nicer to) ta sœur.
2. Les gens devraient penser aux autres.
3. Il faudrait que j'écrive à ma mère.
4. Tu devrais faire la vaisselle (= the washing up).
5. Les gens ne devraient pas fumer dans les trains.
6. Elle ne devrait pas se coucher si tard.

Remarque

Il y a une nuance entre *should* et *ought.* Lorsqu'on emploie *should,* on exprime généralement une opinion subjective. *Ought* a une valeur plus objective : on l'emploie pour parler de lois ou de règlements, ou lorsqu'on veut donner à son opinion personnelle la force d'une loi. Ainsi *You ought to go and see Mary* est plus fort que *You should go and see Mary.*

240   Ought to + infinitif passé

"Ought to + have + participe passé*"* = *"*aurais dû + infinitif*".* (*Ought to* est un peu plus fort que *should ;* voir 239, Remarque.)

> You **ought to have warned** me.
> *Tu aurais dû me prévenir.*

> We **ought to have started** earlier.
> *Nous aurions dû commencer plus tôt.*

EXERCICE ──────────────────────────────────

Traduisez en anglais :

1. J'aurais dû le savoir. *Ne pas traduire "le".)*
2. Vous auriez dû m'appeler.
3. Il n'aurait pas dû te le dire.
4. Qu'est-ce que j'aurais dû faire ?
5. Elle aurait dû demander.
6. J'aurais dû payer en espèces (= in cash).

241   Pardon

1. *Pardon* s'emploie (comme le français *"*pardon*"*) pour demander une répétition.

> 'Where's Arthur ?' '**Pardon ?**' 'I said "Where's Arthur ?".'
> *"Où est Arthur ?" "Pardon ?" "J'ai dit « Où est Arthur ? »."*

On peut aussi demander une répétition en disant *Sorry ?*

2. *Pardon* ne s'emploie pas pour s'excuser (par exemple, quand on vient de bousculer quelqu'un). A ce moment-là on dit *Sorry.*

> **Sorry** - I didn't see your foot.
> *Excusez-moi, je n'avais pas vu votre pied.*

Mettez pardon *ou* sorry *(les deux sont parfois possibles) :*
1. 'Time to go.' '... ?' 'Time to go.'   3. 'You're late.' '... .'
2. 'Look where you're going !' '... .'   4. 'Where do you live ?' 'In
   Glyndyfrdwy.' '... ?'

Remarques

1. En anglais américain, on dit parfois *Pardon me* pour demander une répétition et *Excuse me* (au lieu de *Sorry*) pour s'excuser.

2. En anglais britannique, on emploie *Excuse me* pour attirer poliment l'attention de quelqu'un.

> **Excuse me,** could you tell me the time, please ?
> *Excusez-moi, pouvez-vous me dire l'heure, s'il vous plaît ?*

242   Le passif : formation

Le passif se forme comme en français : avec *"to be + participe passé"*.
Pour former le passif d'un verbe, il suffit donc de mettre *to be* au temps voulu et d'ajouter le participe passé du verbe. (Notez qu'en ce cas-là, *be* peut s'employer aux temps progressifs.) Exemple (temps passifs de *help*) :

PRÉSENT SIMPLE	**I am helped** (= *Je suis aidé ; on m'aide*)
PRÉSENT PROGRESSIF	I am being helped
PRÉTÉRIT SIMPLE	**I was helped**
PRÉTÉRIT PROGRESSIF	I was being helped
PRESENT PERFECT S.	**I have been helped**
(PRESENT PERFECT PR.	I have been being helped)
PLUPERFECT SIMPLE	**I had been helped**
(PLUPERFECT PROGR.	I had been being helped)
FUTUR	**I will be helped**
CONDITIONNEL	**I would be helped**
CONDITIONNEL PASSÉ	**I would have been helped**
INFINITIF	**to be helped**
FORME EN -ING	being helped

Remarque : les formes avec *been being* sont très rares.

Écrivez les temps passifs du verbe to watch *(sauf le present perfect progressif et le pluperfect progressif).*

243 Le passif : emploi

1. En règle générale, les temps passifs suivent les mêmes règles que les temps actifs. Le présent progressif passif, par exemple, s'emploie pour parler d'une action en cours, ou d'un événement prévu, exactement comme le présent progressif actif (voir 314).

> Our conversation **is being recorded** while we're speaking.
> *Notre conversation est enregistrée pendant que nous parlons.*
>
> **She's being interviewed** tomorrow.
> *On l'interviewe demain.*

Pour les règles d'emploi des divers temps, se reporter aux sections sur chaque temps.

2. Le passif s'emploie beaucoup plus en anglais qu'en français. Un passif anglais correspond souvent à une structure avec "on" ou à un verbe pronominal (voir 228 et 280).

> **I'm being served.** English **is spoken** here.
> *On s'occupe de moi. On parle anglais ici.*
>
> **You'll be called.** **She's called** Alice. The passive **is used...**
> *On vous appellera. Elle s'appelle Alice. Le passif s'emploie...*

3. On emploie *by* pour introduire le "complément d'agent" (c'est-à-dire la personne ou l'objet qui fait l'action).

> The play was written **by Shaw.**
> *La pièce a été écrite par Shaw.*
>
> He was knocked down **by a car.**
> *Il a été renversé par une voiture.*
>
> The new hospital will be opened **by the Queen.**
> *Le nouvel hôpital sera inauguré par la reine.*

EXERCICE

Mettez au passif (pour la formation des temps passifs, voir 242).
Exemple : They found him in the garden. - He was found in the garden.

1. Somebody will tell her.
2. They are questioning her.
3. They interviewed me yesterday.
4. They often invite him to give a lecture (= une conférence).
5. Somebody has damaged my motorbike.
6. Nobody ever opens this room.
7. People speak English in a lot of countries.
8. They have put up the ticket prices.

---

244 Le passif : give, send, show, etc.

Les verbes à deux compléments (*give, send, show, tell, lend, offer, teach,* etc., voir 341,) peuvent se construire au passif avec un sujet personnel, ce qui n'est pas le cas pour leurs équivalents français.

> **I was given** a watch.
> *On m'a donné une montre.*

She was sent a telegram on behalf of the Queen.
On lui a envoyé un télégramme de la part de la reine.

They were shown several flats.
On leur a montré plusieurs appartements.

Julie will be told the whole truth.
On dira à Julie toute la vérité.

Notez que le complément indirect français (*"m', lui, leur, Julie"*) devient en anglais le sujet de la phrase (*I, she,* etc.).

EXERCICES ———————————————————

1. *Mettez ces phrases au passif comme dans l'exemple :*
They told us to sit down.
We were told to sit down.

1. They sent me the programme last week.
2. They taught him Latin and Greek.
3. Someone offered them money.
4. They told me to come again.

2. *Traduisez en anglais :*
1. On a donné une radio à Paul. (Prétérit.)
2. On vous montrera la lettre.
3. On leur a prêté £10.000 l'année dernière.
4. On vous enverra un chèque.

Remarque

Notez aussi la structure avec *allow, ask, think, expect, tell* ou *teach :* sujet personnel + verbe passif + *to*-infinitif.

We were allowed to go.
On nous a permis de partir.

She was asked to sing.
On lui a demandé de chanter.

I was told to shut up.
On m'a dit de la fermer.

You will be taught to survive.
On vous apprendra à survivre.

245 Pay et buy

1. *"Payer"* se traduit généralement par *pay* ou *pay for*, lorsqu'on parle de ce qu'on achète. La préposition *for* s'emploie devant un complément. Comparez :

How much did you **pay ?**　　How much did you **pay for** your ticket ?
Combien as-tu payé ?　　*Combien as-tu payé ton billet ?*

2. Mais lorsque *"payer"* signifie *"offrir"*, il se traduit par *buy*.

I'll **buy** you a drink.　　I've **bought** myself a stereo.
Je te paie un verre.　　*Je me suis payé une chaîne Hi-Fi.*

EXERCICE ———————————————————

Mettez pay, pay for *ou* buy *à la forme qui convient :*
1. How much did you ... your coat ?
2. Then we went out and he ... me a bunch of flowers.
3. It's my turn to ... .
4. Who will ... his studies ?

1. *People* correspond le plus souvent au français "gens" : c'est un **pluriel.**

"Les gens" en général = *people* (sans article).

> I met some interesting **people** yesterday.
> *J'ai rencontré des gens intéressants hier.*

> **People are** funny. (*Et non* ~~People is funny. The people are funny.~~)
> *Les gens sont marrants.*

People s'emploie aussi comme pluriel de *person* (*persons* est peu courant).

> There's enough room for **five people** in my car.
> *Il y a assez de place pour cinq personnes dans ma voiture.*

2. Il existe aussi un mot singulier *people* (pluriel *peoples*), qui s'emploie parfois, dans un style recherché, au sens de "nation", "peuple".

> **the** English-speaking **peoples**
> *les peuples anglophones*

EXERCICE ───────────────────────

Traduisez en anglais :

1. J'aime voir beaucoup de gens.
2. Les gens pensent toujours que...
3. Il y avait trois personnes avant moi.

4. Elle aime la musique, la nature et les gens. (*Ne pas traduire les articles.*)

Remarque

"Tous les gens", "tout le monde" = *everybody* (et non ~~all the people~~).

Everybody est singulier (voir 26).

247 Comment traduire "permettre" ?

1. "Permettre" au sens de "donner la permission" = *to allow* (voir 45).

> We **have allowed** her to go out.
> *Nous lui avons permis de sortir.*

2. "Permettre" au sens de "rendre capable de, donner la possibilité de" = *to enable* ou *to make it possible.*

a. *To enable* est obligatoirement suivi d'un complément personnel (*me, us, the children*, etc.).

> A car would **enable us** to travel more easily.
> *Une voiture nous permettrait de voyager plus facilement.*

b. Lorsqu'il n'y a pas de complément personnel, il faut utiliser *to make it possible*.

> A car **makes it possible** to travel easily.
> *Une voiture permet de voyager facilement.*

EXERCICE ———————————————————————————

Mettez allow, enable *ou* make it possible *à la forme qui convient :*

1. Television ... us to travel freely.
2. The progress of science ... to contemplate a better future.
3. If she had a grant (= une bourse), it would ... her to study in better conditions.
4. When I was a teenager, my parents didn't ... me to go to parties.

Remarque

To make it possible peut être suivi d'un complément personnel. Il est alors introduit par *for*.

> Your gifts **will make it possible for** hundreds of children to go on holiday.
> *Vos dons permettront à des centaines d'enfants d'aller en vacances.*

248. Place et room

Place est un dénombrable (voir 214) : *a place* = "un endroit", "un lieu", parfois "une place". "De la place" se traduit par *room* (indénombrable). Comparez :

> I couldn't find **a place** to park my car.
> *J'ai eu du mal à trouver une place pour me garer.*

> There's **room** for five people in my car.
> *Il y a de la place pour cinq personnes dans ma voiture.*

EXERCICE ———————————————————————————

Traduisez en anglais :

1. Nous avons dormi dans un très bel endroit. (Prétérit.)
2. Désolé, il n'y a pas assez de place pour tout le monde.
3. Viens à notre table, il y a une place pour toi.
4. C'est un lieu merveilleux.

Remarque

En anglais parlé, *place* s'emploie également au sens de *house* ou *flat*. *My place* = "chez moi".

> We went **to his place** for dinner.
> *Nous sommes allés dîner chez lui.*

249 To play et to act

1. *Play* s'emploie sans préposition. Devant les noms d'instruments de musique, on met généralement *the* − mais pas devant les noms de sports.

> Can you **play the guitar ?** (*Et non* ... ~~play guitar ?~~)
> *Est-ce que tu sais jouer de la guitare ?*
>
> He **plays tennis** very well. (*Et non* ... ~~at tennis...~~)
> *Il joue très bien au tennis.*

2. Au sens théâtral, "jouer" se traduit normalement par *act*. *Play* s'emploie parfois devant un nom de rôle.

> The person who **acted** (ou **played**) Hamlet was good. I thought the others **acted** very badly.
> *La personne qui jouait Hamlet était très bien. J'ai trouvé que les autres jouaient très mal.*

Remarques

− "Je fais" (du piano, du football, etc.) se traduit par *I play* (et non ~~I do~~). Par contre on peut dire *to do sport* (= "faire du sport").

− "Je fais du théâtre" = *I go to a drama club*.
"Je fais un peu de théâtre" = *I do a bit of drama*.

EXERCICE ——————————————————————————

Traduisez en anglais :
1. Je ne sais pas jouer du piano.
2. Je fais de la guitare tous les jours.
3. Mon frère fait du rugby.

4. "Quel rôle (= which part) as-tu joué ?" "Hamlet."
5. Je fais du théâtre mais je joue très mal.
6. Est-ce que tu fais du sport ?

---

250 Politics et policy

1. "La politique" au sens général (= "les rapports de pouvoir dans un état", "l'activité du gouvernement et de l'opposition", etc.) se traduit par *politics*. C'est un singulier, malgré la terminaison.

> **Politics is** sometimes a very dishonest business.
> *La politique est parfois une affaire très malhonnête.*

2. *Policy* s'emploie pour désigner une ligne de conduite, une règle de comportement d'un état ou d'un individu.

> **Britain's policy** towards South Africa
> *la politique de la Grande-Bretagne à l'égard de l'Afrique du Sud*
>
> **foreign policy** between the wars
> *la politique étrangère entre les deux guerres*
>
> **It's my policy** never to lend money to people.
> *C'est pour moi une règle de ne jamais prêter d'argent.*

Mettez politics *ou* policy :

1. I think the Government's social ... is improving.
2. 'Are you interested in ... ?' 'Yes, a lot.'
3. ... is sometimes a disgusting business.
4. I don't agree with the Party's economic ... .

251 Adjectifs possessifs

```
my  ........ mon, ma mes
your  ....... ton, ta, tes
his  ⎫
her  ⎬ ...... son, sa, ses
its  ⎭
our  ........ notre, nos
your  ....... votre, vos
their  ....... leur(s)
```

my uncle	**my** aunt	**my** brothers
mon oncle	*ma tante*	*mes frères*

A la troisième personne, le choix du possessif ne dépend pas du nom qui suit (comme en français), mais du possesseur.
Si le possesseur est du sexe masculin, on met *his*.
Si le possesseur est du sexe féminin, on met *her*.
Dans les autres cas, on met *its*.

son poids (le poids de John)	= **his** weight
son poids (le poids de Susan)	= **her** weight
son poids (le poids d'un sac)	= **its** weight
sa condition (celle de John)	= **his** condition
sa condition (celle de Susan)	= **her** condition
sa condition (celle d'un objet)	= **its** condition

Mettez des adjectifs possessifs dans les phrases :

1. I've finished ... work.
2. John bought ... wife a ring for their wedding anniversary.
3. Alice looks very much like ... brother.
4. Mr. and Mrs. Cousins are going to sell ... house.
5. I've found ... glasses — you left them in the kitchen.
6. I like Carol, but I don't like ... husband at all.
7. This church is very old, ... tower was built in the 12th century.
8. We've lost ... cat.

Remarques

1. Ne confondez pas : *him* (= "le", "lui") et *his* (= "son", "sa") ; *us* (= "nous") et *our* (= "notre"). *Him* et *us* sont des pronoms personnels compléments (voir 261). Comparez :

I can see **him**.	I can see **his** boat.
Je le vois.	*Je vois son bateau.*

He likes **us**.	He likes **our** house.
Il nous aime.	*Il aime bien notre maison.*

2. Notez que *its* s'écrit sans apostrophe. *It's* = *it is* ou *it has*.

3. Pour l'emploi de *Whose...* ? comme adjectif possessif, voir 346.

4. Sachez qu'en anglais, on met souvent des possessifs devant les parties du corps dans des cas où il y a en français l'article "le / la / les".

> I often walk with **my** hands in **my** pockets.
> *Je marche souvent les mains dans les poches.*
>
> ... with **his** hat on **his** head...
> *... le chapeau sur la tête...*

252 Pronoms possessifs

mine .... à moi ;	*le mien / la mienne / les miennes*
yours .... à toi ;	*le tien / la tienne / les tiennes*
his ...... à lui	; *le sien / la sienne / les siennes*
hers ..... à elle	
ours ..... à nous ;	*le nôtre / la nôtre / les nôtres*
yours .... à vous ;	*le vôtre / la vôtre / les vôtres*
theirs .... à elles / à eux :	*le leur / la leur / les leurs*

It's **mine.** **Yours** is on the table. (*Et non* ~~The yours...~~)
C'est à moi. *Le tien est sur la table.*

'Whose is that motorbike ?' '**His.**'
"A qui est cette moto ?" "A lui."

EXERCICE

Mettez des pronoms possessifs dans les phrases :

1. 'Here's your coat.' 'That's not ... .'
2. Philip likes his job very much, but Lucy doesn't like ... much.
3. Put that down ! It's not ... !
4. He earns more money than I do, but my work is more interesting than ... .
5. We went to live in their house for a month, and they lived in ... .
6. 'Whose is this £5 note ?' '... !'

Remarque

Pour l'emploi de *Whose...* ? comme pronom possessif, voir 346.

253 Cas possessif

1. Formation

● Pour former le cas possessif, on ajoute **'s** à un nom singulier. Attention à l'ordre des mots.

> **my father's job**
> *le métier de mon père*
>
> **Bob's birthday**
> *l'anniversaire de Bob*

On ajoute également **'s** à un nom pluriel sans -*s*.

> **the children's** room
> *la chambre des enfants*
>
> **people's** opinions
> *les opinions des gens*

● On forme le cas possessif d'un pluriel terminé par -*s* en ajoutant simplement une apostrophe (').

> **my parents'** house
> *la maison de mes parents*

Remarques

— Notez que l'article du nom qui suit le cas possessif ne se traduit pas : on dit, par exemple, *Bob's birthday*, et non ~~Bob's the birthday~~ ou ~~the Bob's birthday~~.

— Le **'s** du cas possessif se prononce exactement comme le -*s* du pluriel (voir 216[7]).

— On peut ajouter **'s** ou **'** à une expression de plusieurs mots (ex. : *John and Mary's children ; the Duke of Edinburgh's tailor ; Alice and her sisters' flat*).

2. Emploi

a. On emploie le cas possessif, en règle générale, avec les noms d'êtres vivants, de groupes et d'institutions.

my brother's room	**my parents'** attitude
la chambre de mon frère	*l'attitude de mes parents*
your children's health	**the cat's** milk
la santé de vos enfants	*le lait du chat*
the party's doctrine	**America's** 650,000 Indians
la doctrine du parti	*les 650.000 Indiens d'Amérique*

Mais : **the door of the car** (*et non* ~~the car's door~~)
la portière de la voiture

b. On trouve également le cas possessif dans un certain nombre d'expressions se rapportant à une date, une durée ou une distance : *yesterday's* (*paper, news, meeting*, etc.), *today's, tomorrow's, Sunday's* (*Monday's*, etc.), *next week's, this year's, last month's*, etc.

a **three months'** old baby	**two weeks'** delay
un bébé de trois mois	*un retard de deux semaines*
ten minutes' walk	
dix minutes à pied	

EXERCICES ——————————————

1. *Traduisez en anglais :*
1. les amis de Tom
2. la maison de ton frère
3. la voiture de mes parents
4. le mari de la Reine
5. le petit déjeuner du bébé
6. le jardin des voisins
7. l'avenir des jeunes
8. l'émancipation (= liberation) des femmes

2. *Traduisez en anglais, en mettant le cas possessif ou une structure avec* of *selon les cas :*
1. les projets du gouvernement (= plans)
2. le prix (= price) de la maison
3. cinq minutes à pied
4. la fin du film
5. les problèmes économiques de l'Italie (= Italy)
6. l'appartement de Robert et Pamela
7. le journal d'hier
8. le toit (= roof) du garage

Remarques

1. N'employez pas le cas possessif quand il ne s'agit pas de la possession, ou d'une idée apparentée à la possession. "Un concerto de Bach" = *a concerto by Bach*, et non ~~a Bach's concerto~~; "une exposition de Picasso" = *a Picasso exhibition*, et non ~~a Picasso's exhibition~~.

2. Notez les expressions *the butcher's, the baker's, the hairdresser's*, etc. (= *the butcher's shop*, etc.).

> 'Where's Patrick ?' 'He's gone **to the butcher's.**'
> *"Où est Patrick ?" "Il est parti chez le boucher."*

3. Pour traduire des expressions comme "un ami de Jean", "un collègue de ma femme", "une idée de mon patron", on peut employer le "double possessif".

> a friend of **John's**   a colleague of **my wife's**
> an idea of **my boss's**

254   Prefer

1. Quand on parle de ce qu'on préfère en général, on emploie la forme en *-ing* après *prefer*.

> I don't like the sea. I **prefer walking** in the mountains.
> *Je n'aime pas la mer. Je préfère la marche en montage.*

2. Pour dire ce qu'on préfère sur le moment, on emploie l'infinitif avec *to*.

> 'Would you like a lift ?' 'No thanks. I **prefer to walk.**'
> *"Voulez-vous que je vous emmène ?"* (= en voiture) *"Non merci, je préfère marcher.'*

EXERCICE ————————————————

Mettez le verbe à la forme qui convient :

1. I prefer ... to tennis. (to swim / swimming)
2. 'Would you like to come to a film ?' 'I'd prefer ... to bed. ' (to go / going)
3. Please don't help me. I prefer ... it myself. (to do / doing)
4. 'Do you like flying ?' 'I prefer ... by train.' (to travel / travelling).

255 Verbes prépositionnels et verbes à particule

En anglais il y a un très grand nombre de "verbes composés". Ils comportent deux éléments : une base verbale (ex. : *look, run, work*) et une préposition ou une particule (ex. : *up, after, away, off*).

1. Les verbes prépositionnels

Certains verbes anglais s'emploient avec une préposition devant un complément d'objet, tandis que leur équivalent français s'emploie sans préposition.

to look **at** something	to listen **to** something
regarder quelque chose	*écouter quelque chose*
to pay **for** something	to look **for** something
payer quelque chose	*chercher quelque chose*

(Pour d'autres exemples, voir 256.)

2. Les verbes à particule

Dans des verbes comme *get up* (= "se lever"), *blow up* (= "exploser"), *put off* (= "remettre") ou *put away* (= "ranger"), les mots *up, off, away,* etc., ne sont pas des prépositions, mais des particules adverbiales. En effet :

— Ils ne sont pas forcément suivis d'un complément d'objet, contrairement aux prépositions. (On peut dire *I'm getting up*, mais pas ~~*I'm looking at.*~~)

— Lorsqu'il y a un complément d'objet, la particule ne se met pas toujours à la même place.

3. Place de la particule

● Une particule peut se mettre avant ou après un **nom** complément.

We **put off** the meeting.	I **picked up** my glass.
We **put** the meeting **off**.	I **picked** my glass up.
Nous avons remis la réunion.	*J'ai pris mon verre.*

● Une particule se met toujours après un **pronom** complément.

We put **it off**.	I picked **it up**.
Nous l'avons remise.	*Je l'ai pris.*

EXERCICE

Transformez le complément d'objet en pronom et mettez la particule au bon endroit. Exemple : I filled in the form. - I filled it in.

1. I threw away the letters.
2. She took off her shoes.
3. I'm going to put on my anorak.
4. The supermarket has put up its prices.
5. We'll have to put the party off.
6. Let's ring up Betty (= Let's telephone Betty).

256 Préposition après verbe, adjectif ou nom

Beaucoup de mots peuvent être suivis d'une préposition (ex. : "discuter de quelque chose", "être gentil avec quelqu'un", "échapper à quelque chose").

Ces prépositions ne s'emploient pas toujours de la même manière en anglais et en français. Voici quelques exemples.

1. Autre préposition en anglais

ABOUT

to think **about**
penser à

AT

good / bad **at** maths / English, etc.   to laugh **at**
bon / mauvais en maths / anglais, etc.   *se moquer de*

FOR

the reason **for** something   responsible **for**
la raison de quelque chose   *responsable de*

FROM

to borrow / take / steal **from** somebody
emprunter / prendre / voler à quelqu'un

to suffer **from**   different **from**
souffrir de   *différent de*

to hide / escape **from** somebody / something   separate **from**
cacher / échapper à quelqu'un / quelque chose   *séparé de*

IN

interested **in** something   to be interested **in**   dressed **in**
intéressé par quelque chose   *s'intéresser à*   *habillé de*

to succeed **in** doing something   to participate **in**
réussir à faire quelque chose   *participer à*

INTO

to divide **into**   to translate **into**
diviser en   *traduire en*

OF

made **of** (wood, etc.)
fait en (bois, etc.)

ON

to depend **on**   to live **on**   to spend money **on**
dépendre de   *vivre de*   *dépenser de l'argent en / pour*

TO

kind / nice / polite / rude **to** somebody   married **to**
gentil / poli / impoli avec quelqu'un   *marié avec*

WITH

delighted / pleased / happy / satisfied **with** something
ravi / content / heureux / satisfait de quelque chose

to cover **with**   to fill **with**
couvrir de   *remplir de*

2. Aucune préposition en français

to look **at** something
regarder quelque chose

to wait **for** something / somebody
attendre quelque chose / quelqu'un

to look **for** something
chercher quelque chose

to remind somebody **of** something
rappeler quelque chose à quelqu'un

to ask **for** something
demander quelque chose

to listen **to** something
écouter quelque chose

to pay **for** something
payer quelque chose

3. Aucune préposition en anglais

to answer a question
répondre à une question

to lack something
manquer de quelque chose

to ask somebody
demander à quelqu'un

to play the guitar / the piano, etc.
jouer de la guitare / du piano, etc.

to discuss a problem
discuter d'un problème

to play football / rugby, etc.
jouer au football / rugby, etc.

to doubt something
douter de quelque chose

to please somebody
plaire à quelqu'un

to enter a room
entrer dans une pièce

to remember something / somebody
se souvenir de quelque chose / quelqu'un

EXERCICE ──────────────────────────

1. *Mettez la préposition qui convient (1) :*

1. It depends ... you.
2. He's responsible ... it.
3. It's made ... wood.
4. I'm interested ... Africa.
5. You're different ... your sister.
6. Are you pleased ... your life ?
7. How can you escape ... your problems ?
8. The mountains are covered ... snow.
9. He suffers ... feelings of inferiority.
10. She's always very nice ... me.
11. He's married ... an actress.
12. I spend a lot of money ... records.

2. *Traduisez en anglais (2 et 3) :*

1. Pourquoi ne réponds-tu pas à mes questions ?
2. Ne me regarde pas comme ça.
3. Attendez-nous !
4. Est-ce que tu te souviens de ton premier amour ?
5. Je joue du piano.
6. Mon frère fait du tennis.
7. Écoute les oiseaux.
8. Ça me rappelle un film.
9. Combien as-tu payé ton manteau ?
10. Demande à Daniel de t'aider.

---

257 Préposition en début d'expression

Certaines expressions commencent par une préposition différente en anglais et en français. Voici quelques exemples :

AT

at night   **at** the same time
la nuit   *en même temps*

BY

by bicycle / bus / car / train, etc.
en vélo / autobus / voiture / train, etc.

IN

in the morning / afternoon / evening
le matin / l'après-midi / le soir

in the 16th century
au 16e siècle

in the country
à la campagne

in the sun
au soleil

in the rain / snow
sous la pluie / neige

in a loud / quiet, etc., voice
à voix haute / basse, etc.

in my opinion
à mon avis

in a hat
avec un chapeau

ON

on foot
à pied

on a bus / train, etc.
dans un autobus / train, etc.

on the first / second, etc., floor
au premier / second, etc., étage

on holiday
en vacances

on the radio / TV
à la radio / télé

on the other side
de l'autre côté

EXERCICE ———————————————————

Mettez la préposition qui convient :
1. He lives ... the country.
2. My flat is ... the 5th floor.
3. London is sad ... the rain.
4. We heard it ... the radio.
5. ... the 20th century

6. I always go to my office ... bus.
7. I sometimes come back home ... foot.
8. Is Janet ... holiday ?

258 Prépositions en fin de groupes verbaux

Lorsqu'un verbe et une préposition forment une sorte de verbe composé (ex. : *to look at*) on les sépare rarement en anglais, même si le verbe vient en fin de proposition. C'est pourquoi on trouve souvent des prépositions :

1. en fin de questions (surtout en anglais parlé).

'**Where** do you **come from** ?' 'Paris.' (*Et non* 'From where do you come ?')
"D'où êtes-vous ?" "De Paris."

Who did you **go with** ?
Avec qui es-tu allé ?

What's it **made of** ?
C'est en quoi ?

EXERCICE ———————————————————

Retrouvez les questions :
Exemples : I went with Henry. - Who did you go with ?
I'm looking for my keys. - What are you looking for ?
1. I bought it for my mother.
2. I'm thinking about my holidays.
3. She was smiling at you.
4. He comes from Liverpool.

5. I danced with everybody.
6. I opened it with a hammer.
7. It's made of glass.
8. I'm laughing at this picture.

2. en fin de structures relatives (surtout en anglais parlé). Le pronom relatif est alors généralement sous-entendu.

I was born in the house **you're staying in.** (*Plutôt que* ... the house in which you're staying.)
Je suis né dans la maison où tu habites.

I don't like the boy **she's talking to.**
Je n'aime pas le garçon avec qui elle parle.

EXERCICE

Reliez les phrases comme dans l'exemple :
> I was staying in a house. It was very old.
> The house I was staying in was very old.

1. I was living with a girl. She was Scottish.
2. I wrote to a boy. He never answered.
3. We looked at some pictures. They were boring.
4. We listened to some records. They were very good.
5. We talked to some people. They were nice to us.
6. We went on a train. It was terribly dirty.

3. en fin de structures passives. (En anglais, un verbe suivi d'une préposition peut s'employer au passif, ce qui n'est pas le cas en français).

He **was operated on** yesterday. (*Opérer* = to operate on)
On l'a opéré hier.

She likes **to be looked at.**   **You're being spoken to.**
Elle aime qu'on la regarde.   *On vous parle.*

EXERCICE

Mettez les phrases au passif comme dans l'exemple :
I like people to look at me. - I like to be looked at.

1. I like people to smile at me.
2. I like people to write to me.
3. I like people to think about me.
4. I like people to take care of me.

4. en fin de structures infinitives (surtout après un adjectif).

She's **interesting to talk to.**
C'est intéressant de parler avec elle.

I'm **easy to work with.**
Il est facile de travailler avec moi.

EXERCICE

Complétez les phrases à l'aide d'une des expressions suivantes (selon le sens) :
boring to listen to - something to write with - frightening to think about - nice to look at.

1. Miss World is ...
2. Death is ...
3. Sermons are often ...
4. Can you lend me ... ?

Présent
Prétérit   **voir 310 à 326**
Present perfect
Pluperfect

259 Pronoms personnels sujets

Les pronoms personnels sujets *I, you, he, she, it, we, you, they* ne posent pas beaucoup de problèmes. Notez pourtant que :

1. Dans un style très soigné, on emploie parfois un pronom sujet après *as, than.*

> She is nearly as tall **as I.**
> *Elle est presque aussi grande que moi.*

> I arrived earlier **than he.**
> *Je suis arrivé plus tôt que lui.*

Mais il est beaucoup plus fréquent d'employer, soit un pronom complément, soit une proposition.

> She is nearly as tall **as me.** (Style familier)

> She is nearly as tall **as I am.**

> I arrived earlier **than him.** (Style familier)

> I arrived earlier **than he did.**

2. Dans un "double sujet", on emploie un pronom sujet.

> My mother and I live in a small flat. (*Et non* ~~My mother and me live ...~~ *ou* ~~My mother and me, we live ...~~)
> *Ma mère et moi vivons dans un petit appartement.*

3. On ne répète pas le sujet en début de phrase en anglais.

> Your brother doesn't know what he wants. (*Et non* ~~Your brother, he ...~~)
> *Ton frère, il ne sait pas ce qu'il veut.*

> Mary and Peter are coming tomorrow. (*Et non* ~~Mary and Peter, they are ...~~)
> *Mary et Peter, ils viennent demain.*

> The place that I like best is the Lake District. (*Et non* ~~The place that I like best, it is ...~~)
> *L'endroit que je préfère, c'est la Région des Lacs.*

4. De même, "Moi, je ..." se traduit simplement par *I* ... et non par ~~Me, I~~ ...

> I think he's right.
> *Moi, je trouve qu'il a raison.*

> I often go there.
> *Moi, j'y vais souvent.*

"C'est moi qui ..." peut aussi se traduire par *I* ... . On l'accentue alors en parlant.

> *I*'ll start.
> *C'est moi qui commence.*

EXERCICE

Traduisez en anglais :

1. Tu es aussi gourmande (= greedy) que moi. (1)
2. Paul et moi, nous ne pouvons pas venir ce soir. (2)
3. Sa mère et lui étaient tous les deux très maigres. (2)
4. Mon compositeur préféré (= favourite composer), c'est Beethoven. (3)
5. Moi, j'aime beaucoup les fleurs. (4)
6. Alice, elle conduit plus vite que lui. (3 et 1).

Remarques

1. *They* s'emploie parfois pour reprendre un pronom singulier à sens indéfini (comme *somebody, anybody*). Voir 215².

> If **anybody** wants some wine, **they** can open another bottle.
> *Si quelqu'un veut du vin, il peut ouvrir une autre bouteille.*

2. Pour la différence entre *he / she* et *it* en début de phrase, voir section suivante.

260 Les pronoms "he / she et it"

It ne s'emploie pas normalement pour désigner une personne. *"C'"* se traduit par *he* s'il s'agit d'un homme et *she* s'il s'agit d'une femme.

> I looked at him curiously. **He** was a tall, stooped man... (*Et non ~~It was a tall stooped man ...~~)*
> *Je le regardais curieusement. C'était un grand homme voûté...*

> **She** is a pleasant woman ... (*Et non* ~~It is~~.)
> *C'est une femme agréable...*

Toutefois, on peut employer le pronom neutre (*it*), comme en français, lorsqu'on donne l'identité de quelqu'un (nom, lien de parenté ou profession).

> 'Who's that ?' '**It** 's John.'
> *"Qui est-ce ?" "C'est John."*

> A tall man stood up and shook my hand. **It** was Captain Lowrie.
> *Un grand homme se leva et me serra la main. C'était le Capitaine Lowrie.*

EXERCICE

Traduisez en anglais :
1. C'est un homme très intéressant.
2. Un homme entra (= came in). C'était un policier.
3. Le garçon me regarda. C'était mon cousin.
4. C'était une jolie petite fille.

261 Pronoms personnels compléments

1. Les pronoms personnels compléments sont : *me, you, him, her, it, us, you, them* (= "me, te, le, la, nous, vous, les" et souvent aussi "moi, toi, lui, elle, eux, leur").

> Where are my glasses ? I can't find **them**.
> *Où sont mes lunettes ? Je ne les trouve pas.*

> They've forgotten **us**.
> *Ils nous ont oubliés.*

> 'Who said that ?' '**Me**.'
> *"Qui a dit ça ?" "Moi."*

> I gave **them** the rest.
> *Je leur ai donné le reste.*

2. Notez bien que les pronoms compléments se mettent toujours après le verbe et non avant comme en français.

> He often **gives her** presents. (*Et non* ... ~~her gives~~ ...)
> *Il lui fait souvent des cadeaux.*

3. Lorsqu'un verbe est suivi d'une particule (ex. : *ring up, take out, put on*), les pronoms compléments se mettent toujours entre le verbe et la particule (*up, out,* etc.).

> Don't forget to **ring me up.** (*Et non* ... ~~to ring up me.~~)
> *N'oublie pas de me téléphoner.*

EXERCICE ———————————————————————

Traduisez en anglais :

1. Ils m'ont oublié. (Present perfect)
2. Peux-tu me passer le beurre, s'il te plaît ? (Passer = pass)
3. Je ne la connais pas.
4. Est-ce que vous l'aidez souvent ? (l' = Mary)
5. Je ne veux pas le voir. (le = John)
6. Dites leur que c'est vrai.
7. ″J'ai trouvé vos lunettes.″ ″Mettez-les sur la table, s'il vous plaît.″
8. ″Où est le journal ?″ ″Je l'ai vu quelque part.″ (Present perfect)

———————————————————————

Remarques

1. Les pronoms compléments indirects se traduisent généralement par *to me, to you,* etc.

> He explained it **to me.**   **I spoke to her** for ten minutes.
> *Il me l'a expliqué.*   *Je lui ai parlé pendant dix minutes.*

Mais certains verbes peuvent être suivis par un complément indirect sans *to*. (Voir 341.)

> I **gave her** a list.   We **sent them** a note.
> *Je lui ai donné une liste.*   *Nous leur avons envoyé un petit mot.*

2. Lorsqu'un pronom complément renvoie à la même personne que le sujet, il faut généralement mettre un pronom réfléchi en anglais. (Voir 262.)

> I looked at **myself** in the mirror. (*Et non* I ~~looked at me~~ ...)
> *Je me suis regardé dans la glace.*

3. On emploie parfois *them* pour reprendre un pronom singulier à sens indéfini (comme *anybody, somebody*). Voir 215[2].

> If **anybody** telephones, tell **them** I'm out.
> *Si quelqu'un téléphone, dites-lui que je suis sorti.*

262 Les pronoms réfléchis

Les pronoms réfléchis sont : *myself, yourself, himself, herself, itself, ourselves, yourselves, themselves* et *oneself*.
Ils ont deux emplois.

1. On les emploie comme compléments d'objet lorsque le pronom complément (″me, te, se″, etc.) renvoie à la même personne que le sujet.

> I looked at **myself** in the mirror. (*Et non* I ~~looked at me~~ ...)
> *Je me suis regardé dans la glace.*

> Did **you** hurt **yourself ?**   **to** defend **oneself**
> *Est-ce que tu t'es fait mal ?*   *se défendre*

2. Ils correspondent aussi à ″moi-même″, ″toi-même″, etc.

> I went there **myself.**
> *J'y suis allé moi-même.*

> Do it **yourself.**   One must go there **oneself.**
> *Faites-le vous-même.*   *Il faut y aller soi-même.*

EXERCICES

1. *Complétez les phrases par des pronoms réfléchis :*
1. Little Susie can already dress ... .
2. He washes his clothes ... .
3. We repaired the car ... .
4. It's strange to listen to ... with a tape-recorder.
5. It's a pity people can't see ... as others see them.
6. I must get ... some new shoes.

2. *Traduisez en anglais :*
1. Il s'est fait mal. (Prétérit)
2. Tu te vois sur (= in) la photo ?
3. ″Donne-moi le pain.″ ″Va le chercher (= get it) toi-même.″
4. Je parle souvent de moi.
5. Elle se regarde pendant des heures (= for hours).
6. Je vais m'acheter des fleurs.

Remarques

1. Ne pas confondre les pronoms réfléchis avec *each other* (= ″l'un l'autre″). Voir 95.

2. Pour les différentes traductions de ″se″, voir 280.

3. *By myself* = ″seul″.

> I went there **by myself.**
> *J'y suis allé seul.*

4. *Help yourself* = ″Servez-vous″ - *Make yourself at home* = ″Faites comme chez vous″ - *Behave yourself* = ″Sois sage″ - *Please yourself* = ″Faites comme vous voulez.″

1. "Qui" (pronom relatif) se traduit généralement par *who* ou *which*. On emploie *who* pour parler des personnes, et *which* pour les choses.

the **boy who** bought my motorbike
le garçon qui a acheté ma moto

a **woman who** works with my father
une femme qui travaille avec mon père

a **product which** replaces steel
un produit qui remplace l'acier

an **idea which** changed the world
une idée qui a changé le monde

2. "Que" (pronom relatif complément d'objet) peut se traduire par *who(m)* ou *which*. (Mais le pronom complément est souvent sous-entendu - voir la section suivante.) *Whom* est rare en anglais parlé.

the **boy who(m) I met** yesterday evening
le garçon que j'ai rencontré hier soir

the **meat which you bought**
la viande que vous avez achetée

EXERCICE

Mettez who *ou* which :

1. I don't like people ... don't like me.
2. This is the record ... I promised to give you.
3. You must stop eating things ... make you fat.
4. He's the man ... wants to marry my sister.
5. A dictionary is a book ... uses difficult words to explain easy ones.
6. The people ... live downstairs have got a new TV.

Remarque

"Qui" ne se traduit pas toujours par un pronom relatif en anglais. Attention aux tournures suivantes, fréquentes dans la langue familière :

1. "Il y a / avait des gens, etc., qui ..." = *some people*, etc.

Some people are always complaining.
Il y a des gens qui se plaignent tout le temps.

Some men were running ...
Il y avait des hommes qui couraient ...

2. "C'est moi qui ..." se traduit le plus souvent par *I* ... (accentué ; voir 101).

I made the cake.
C'est moi qui ai fait le gâteau.

3. "Une feuille qui tombe" = *a falling leaf ;* "un enfant qui pleure" = *a crying child* (voir 171).

... I watch the **falling leaves** ...
... je regarde les feuilles qui tombent ...

4. "Et ... qui ... ! "

    Seven o'clock already ! And my mother's waiting for me !
    Déjà sept heures ! Et ma mère qui m'attend !

264 Les pronoms relatifs : emploi et omission de "that"

1. A la place des pronoms relatifs *who* et *which,* on emploie souvent *that* - surtout en anglais parlé.

    the **boy that** bought my motorbike
    le garçon qui a acheté ma moto

    a **product that** replaces steel
    un produit qui remplace l'acier

That s'emploie presque toujours (plutôt que *which*) après *everything, nothing, anything, something, only, all,* et les superlatifs.

    something that will surprise you
    quelque chose qui vous étonnera

    the **only** thing **that** matters
    la seule chose qui compte

    the **most fantastic** thing **that** has ever happened
    la chose la plus fantastique qui se soit jamais passée

    everything that moves (*et non* ~~everything what moves~~)
    tout ce qui bouge

* Notez que "tout ce qui / ce que" ne se traduit jamais par *all what* ou *everything what* (voir dernier exemple). On dit *all that* et *everything that.*

2. *That,* comme *who* ou *which,* est généralement sous-entendu lorsqu'il est complément (surtout en anglais parlé).

    the man I invited to dinner
    l'homme que j'ai invité à dîner

    a window someone had opened
    une fenêtre que quelqu'un avait ouverte

    an attitude I hate
    une attitude que je déteste

EXERCICE

Réécrivez ces phrases en mettant that *comme pronom sujet, ou en sous-entendant le pronom complément :*

1. I disagree with everything ... you say.
2. The phone number ... you gave me was the wrong one.
3. I prefer films ... have happy endings.
4. I like poetry ... I can understand.
5. I'm feeling ill. It must be something ... I ate.
6. Everybody ... comes here admires the garden.
7. There are a lot of things ... I like in the world.
8. There are not so many things ... are cheap enough for me to buy.

265 Les pronoms relatifs : comment traduire "ce qui / ce que" ?

1. "Ce qui / ce que" se traduit le plus souvent par *what*.

I know **what** I want.
Je sais ce que je veux.

What he did shocked everybody.
Ce qu'il a fait a choqué tout le monde.

You've got **what** counts in life - self-confidence.
Tu as ce qui compte dans la vie, la confiance en soi.

2. Dans certains cas, on emploie "ce qui / ce que" pour reprendre une proposition précédente. (Il y a alors généralement une virgule avant "ce".) L'équivalent anglais est ici *which*.

He drives like a maniac, **which** I hate.
Il conduit comme un fou, ce que je déteste.
("Ce que" reprend "il conduit comme un fou".)

I found the house empty, **which** surprised me.
J'ai trouvé la maison vide, ce qui m'a étonné.
("Ce qui" reprend "j'ai trouvé la maison vide".)

3. Après *everything, anything, all,* etc. (voir 264), on emploie *that* au lieu de *what* ou *which*.

everything that interests me (*et non* ~~everything what ...~~)
tout ce qui m'intéresse

You can take **anything (that)** you want
Tu peux prendre tout ce que tu veux.

Comparez :

all that counts   **what** counts
tout ce qui compte   *ce qui compte*

EXERCICE ───────────────

Mettez what, which *ou* that :

1. ... I like best is staying in bed.
2. I'll give you anything ... you need.
3. I've found ... I was looking for.
4. I've found all ... I was looking for.
5. She's always talking about herself, ... irritates me.
6. Everything ... is on the table is mine.
7. ... is on the floor is yours.
8. He always keeps quiet, ... I admire.
9. I don't mind ... people say.
10. You can't listen to all ... people say.

---

266 Pronoms relatifs : whose

Le pronom relatif *whose* correspond plus ou moins à "dont" (voir 90 pour les différences).

A man **whose children** go to school with mine told me...
Un homme dont les enfants vont à l'école avec les miens m'a dit ...

a question **whose purpose** I do not understand
une question dont je ne comprends pas le but

Attention aux points suivants :

1. Comme tous les possessifs, *whose* s'emploie sans article. Comparez :

the children   **his** children
whose children (*et non* whose the children)

2. On ne peut pas séparer *whose* du nom auquel il se rapporte (c'est en effet un adjectif possessif relatif)

... **whose purpose** I do not understand
... dont je ne comprends pas le but

... **whose wife** I met yesterday
... dont j'ai rencontré la femme hier

3. *Whose* s'emploie pour les personnes ou pour les choses. Toutefois, pour parler des choses on emploie souvent la tournure *of which*. Attention à l'ordre des mots : *of which* suit normalement le nom.

a question **the purpose of which** I do not understand
(*ou : ...* **whose purpose** *...*)

4. "Dont" s'emploie aussi dans un sens non-possessif (ex. : "l'homme dont vous avez parlé"). *Whose* ne s'emploie pas dans ce sens (ex. : *the man you spoke about*). Voir 90.

EXERCICE ────────────────────────────────

Traduisez en anglais :

1. une femme dont le mari travaille avec moi
2. une femme dont je connais le mari
3. un artiste dont j'aime bien le travail
4. un ami dont le père est célèbre
5. une décision dont vous comprenez tous l'importance
6. une pièce dont les fenêtres donnent sur (= look on to) le jardin

267   Pronoms relatifs : when, where, why

When, where et *why* peuvent s'employer un peu comme les pronoms relatifs − c'est-à-dire pour relier un nom à une proposition descriptive qui suit.

Do you remember **the place where** we had that picnic ?
Tu te rappelles l'endroit où on a fait ce pique-nique ?

I'll never forget **the day when** I met you. (*Et non ...* ~~the day where ...~~)
Je n'oublierai jamais le jour où je vous ai rencontré.

The reason why I'm here is quite simple. (*Et non* ~~The reason for which ...~~)
La raison pour laquelle je suis là est assez simple.

268 Les propositions relatives

En anglais parlé, une proposition relative sert le plus souvent à identifier le sujet.

> The woman **who just came in** works in the same office as me.
> *La femme qui vient d'entrer travaille dans le même bureau que moi.*

Dans l'exemple, la proposition *who just came in* identifie le sujet *the woman,* en précisant de quelle femme on parle. Sans cette proposition, la phrase serait dépourvue de sens.

Il existe une autre sorte de proposition relative (fréquente en anglais écrit), qui sert, non pas à identifier le sujet, mais simplement à donner des renseignements supplémentaires à son égard.

> Mrs Bowden, **who was not at all a suspicious woman,** felt none the less a little uneasy.
> *Madame Bowden, qui n'était pas du tout une femme méfiante, se sentait pourtant un peu inquiète.*

Ici, la proposition relative ne sert pas à identifier le sujet (nous savons déjà que c'est de *Mrs Bowden* qu'il s'agit) ; elle nous donne juste un renseignement sur son caractère. Sans cette proposition, nous aurions toujours une phrase intelligible. Le fait que la proposition relative pourrait être omise est signalé par des virgules.

La deuxième sorte de proposition relative (celle avec des virgules) ne suit pas toutes les règles de la section 263. En particulier, on ne peut ni omettre le pronom relatif complément d'objet, ni le remplacer par *that.* Comparez :

> — The people **who / that** live next door...
> *Les gens qui habitent à côté...*
>
> The Johnson family, **who** live next door, ... (*et non* ..., that live...)
> *La famille Johnson, qui habite à côté, ...*
>
> — The train **(which)** I usually catch...
> *Le train que je prends d'habitude...*
>
> The 10.15 train, **which** I caught this morning, ... (*et non* The 10.15 train, that I caught... *ou* The 10.15 train, I caught...)
> *Le train de 10 h 15, que j'ai pris ce matin, ...*

EXERCICES ────────────────────────

1. *Est-ce qu'on peut remplacer* who / which *par* that *dans les phrases suivantes ?*

1. The house which you can see behind the church...
2. St Paul's Cathedral, which was built by Wren, ...
3. The rule which applies in this case...
4. Major Courtenay, who joined our firm, ...
5. My yellow sweater, which I bought in Portugal ...
6. This painting, which is believed to be by Canaletto ...

2. *Est-ce qu'on peut omettre le pronom relatif dans les phrases suivantes ?*

1. The egg which I had for breakfast wasn't very good.
2. Our house, which we bought in 1978, ...
3. This typewriter, which Annette gave me for Christmas, ...
4. 'Buddenbrooks', which Thomas Mann wrote in his early twenties, ...
5. Give me all the money that you've got in your pockets.
6. That isn't the coat which you had on when you came.

269 Propositions relatives : place de la préposition

1. Dans la plupart des cas, la préposition se met en fin de proposition (voir 258), surtout en anglais parlé.
Le pronom *who(m)* / *which* / *that* (= "qui" ou "lequel / laquelle") est généralement sous-entendu.

> Who's the girl **(that)** you were talking **to** ?
> *Qui est la fille avec qui tu parlais ?*

> The house she lives **in** ...
> *La maison dans laquelle elle habite ...*

2. Dans les propositions relatives avec virgules (voir 268), la préposition se met plus souvent devant le pronom, qui ne peut pas être omis.

> Bob Littlewood, **with whom** I travelled to Greece,
> *Bob Littlewood, avec qui j'ai fait un voyage en Grèce, ...*

> The house on the corner, **in which** Mrs Carstairs used to live, ...
> *La maison au coin de la rue, dans laquelle habitait Madame Carstairs, ...*

270 Comment traduire "que" ?

"Que" se traduit de plusieurs façons selon le contexte. Voici les cas les plus importants :

1. Dans les "comparaisons d'égalité" on emploie *as*. "Aussi ... que' = *as ... as* (voir 28) ; 'autant ... que' = *as much / many ... as* (voir 29) ; "le même ... que" = *the same ... as* (voir 278).

> She's **as** tall **as** me.   at **the same** place **as** before
> *Elle est aussi grande que moi.*   *au même endroit qu'avant*

2. Après un adjectif ou adverbe comparatif on emploie *than*. (Voir 66 à 68.)

> She's **taller than** me.
> *Elle est plus grande que moi.*

> You can't go **faster than** light.
> *On ne peut pas aller plus vite que la lumière.*

3. Dans presque tous les autres cas, "que" se traduit par *that*.

> I **think that** you're right.   He **said that** he disagreed.
> *Je pense que vous avez raison.*   *Il a dit qu'il n'était pas d'accord.*

> I'm **surprised that** you're angry.   The man **that** she married...
> *Je suis étonné que vous soyez en colère.*   *L'homme qu'elle a épousé...*

Mettez as, than *ou* that :

1. You're as beautiful ... your sister.
2. It's colder ... yesterday.
3. I know ... it is very difficult.
4. Here are the papers ... you asked for.
5. It's better ... nothing.
6. Come as quickly ... you can.
7. I don't think ... she will come.
8. Pittsburgh is farther ... New York.

Remarques

1. Dans les propositions relatives, "que" se traduit parfois par *who(m)* ou *which*. Voir 263².

2. Pour la traduction de "ce que", voir 265.

3. *That* est souvent sous-entendu (ex. : *I think you're right*). Voir 264.

4. "Ne ... que" = *only*.

> **It's only** three o'clock.
> *Il n'est que trois heures.*

271 Les questions

1. Dans les questions écrites, et dans la plupart des questions parlées, il faut mettre un auxiliaire avant le sujet. Notez la formule ⎡ Auxiliaire + Sujet + Verbe ... ? ⎤ et la variété des traductions françaises.

>   A   S   V
> **Have you seen** John ? (*Et non* ~~You have seen ... ?~~)
> *Avez-vous vu John ? / Vous avez vu John ? / Est-ce que vous avez vu John ?*

>   A   S   V
> **Has your mother finished ?**
> *Votre mère a-t-elle terminé ?*

>   A   S   V
> **Are Peter and Kate coming** tomorrow ? (*Et non* ~~Are coming Peter ... ?~~)
> *Est-ce que Peter et Kate viennent demain ?*

2. Le redoublement du sujet est très rare en anglais.

> **Has the postman** come ? (*Et non* ~~The postman, has he come~~ ? *ou* ~~Has he come, the postman ?~~)
> *Le facteur est-il venu ? / Il est venu, le facteur ?*

3. S'il n'y a pas d'autre auxiliaire, on met, devant le sujet, *do / does* au présent et *did* au prétérit. (*Can, may, must*, etc. sont des auxiliaires ; voir liste 342 B). Comparez :

I **can** swim.	**Can you** swim ?
Je sais nager.	*Savez-vous nager ?*
I like swimming.	**Do you** like swimming ? (*Et non* ~~Like you ... ?~~)
J'aime la natation.	*Aimez-vous la natation ?*

Do, does et *did* sont suivis de l'infinitif sans *to*.

> How much **does** the ticket **cost** ? (*Et non* ... ~~does the ticket costs ?~~)
> *Combien coûte le billet ?*

> **Did** you **see** Boris ? (*Et non* ~~Did you saw Boris ?~~)
> *As-tu vu Boris ?*

4. *Do* ne s'emploie pas dans les questions dont le sujet est *who*, *what* ou *which*.

> **Who said** that ? (*Et non* ~~Who did say that ?~~)
> *Qui a dit ça ?*

> **What happened ?** (*Et non* ~~What did happen ?~~)
> *Qu'est-ce qui s'est passé ?*

> **Which costs** more ? (*Et non* ~~Which does cost more ?~~)
> *Lequel coûte le plus cher ?*
>
>   A   S   V
> *Mais :* What **did you say** (What *est complément d'objet.*)
> *Qu'est-ce que tu as dit ?*

EXERCICES —————————————————————————

1. *Mettez les phrases à la forme interrogative :*
1. His parents know her.
2. Alex Benson works here.
3. Carol and Deborah are coming tomorrow.
4. Her mother arrived safely.
5. Nothing happened.
6. Robert likes music.
7. Nick can dance well.
8. She will be pleased.

2. *Mettez les mots dans le bon ordre :*
1. time this you did morning up get what ?
2. live parents do where your ?
3. Mrs. telephoned Smith has ?
4. Live sister boyfriend's your does where ?

3. *Traduisez en anglais* (4) :
1. Qui est venu hier ?
2. Qui as-tu vu hier ?
3. Qu'est-ce qui compte (= to matter) le plus ?
4. Qu'est-ce que tu as acheté ?

Remarques

1. Pour plus de détails sur la formation des divers temps, consulter l'index. Pour les temps actifs, voir également les tableaux, p. 294 à 297.

2. En anglais parlé, les questions se font parfois sans inversion. Voir section suivante.

3. L'inversion ne se fait pas normalement dans le discours indirect. (Ex. : *I asked where she was going.*) Voir 84.

4. Une question peut se terminer par une préposition (surtout en anglais parlé). Ex. : *Who did you go with ?* Voir 258[1].

5. Pour les "question-tags" (ex. : *You're German, aren't you ?*), voir 304.

272 Les questions sans inversion

1. En anglais parlé, on pose parfois des questions sans inversion du verbe et du sujet, et sans *do*.

> **You know** what I want ?
> *Tu sais ce que je veux ?*

Cette structure s'emploie surtout :

a. pour confirmer une supposition

> **Take-off is** at eight ?   **You're** from Canada ?
> *C'est bien à huit heures, le décollage ?*   *Vous êtes bien Canadien ?*

b. pour exprimer l'étonnement

> **That's** the boss ?   **We're supposed** to eat that ?
> *C'est lui le patron ?*   *On est censés manger ça ?*

2. Après un mot interrogatif, l'inversion est obligatoire.

> **Where can I** buy sunglasses ? (*Et non ~~Where I can buy... ?~~*)
> *Où est-ce que je peux acheter des lunettes de soleil ?*

273 Quite

1. En anglais britannique, *quite* a deux sens : "assez" (= "moyennement") et "tout à fait", "complètement", selon l'adjectif avec lequel on l'emploie. Comparez :

> **quite** cold   **quite** good   **quite** old   **quite** tired
> *assez froid*   *assez bon*   *assez vieux*   *assez fatigué*
>
> **quite** finished   **quite** perfect   **quite** exhausted
> *tout à fait terminé*   *tout à fait parfait*   *tout à fait épuisé*

En général, il n'y a pas de confusion possible (parce que "assez" et "tout à fait" expriment des idées qui ne s'appliquent pas, normalement, aux mêmes adjectifs).
Notez *quite different* = "tout à fait différent" et non "~~assez différent~~".

2. Lorsqu'il signifie "assez", *quite* précède l'article *a / an.*

> **quite a** nice day   **quite an** interesting idea
> *un jour assez beau*   *une idée assez intéressante*

3. *Quite* peut aussi précéder un verbe ou un nom.

> I **quite like** skiing.   I **quite agree.**
> *J'aime assez le ski.*   *Je suis tout à fait d'accord.*
>
> It's **quite a problem.**
> *C'est tout un problème*

4. *Quite a lot (of)* = "pas mal (de)"

There were quite a lot of people.
Il y avait pas mal de monde.

EXERCICE ────────────────────────────

Traduisez en anglais :
1. une règle (= rule) assez difficile
2. complètement impossible
3. tout à fait correct
4. assez cher
5. une maison assez grande
6. une décision assez importante
7. J'aime assez la lecture (= reading).
8. Il a pas mal de disques.

Remarque

En anglais américain, *quite* s'emploie rarement au sens de "assez".

274 Rather

---

1. *Rather* = "assez", "plutôt".

He's rather nice.   **I rather like swimming.**
Il est assez sympathique   *J'aime assez la natation.*

It's rather hot.
Il fait plutôt chaud.

Rather peut précéder l'article *a / an.*

It's rather a strange family.
C'est une famille assez bizarre.

2. *I'd (= I would) rather* = "j'aimerais mieux", "je préférerais"
ou "j'aime mieux", "je préfère". Cette expression est suivie de
l'infinitif sans *to.*

I'd rather go home.   **I'd rather have** a glass of water.
Je préférerais rentrer.   *J'aimerais mieux un verre d'eau.*

Would you rather stay here or go somewhere else ?
Est-ce que tu préfères rester là ou aller ailleurs ?

EXERCICE ────────────────────────────

Traduisez en anglais (en utilisant rather*) :*
1. J'aimerais mieux rester là (= here).
2. "Une bière ?" "Je préférerais un coca-cola." (*Rajoutez* have.)
3. Est-ce que tu préfères voir un film ou aller au théâtre, ce soir ?
4. Il fait plutôt froid.
5. Je suis plutôt inquiet (= worried).
6. Qu'est-ce que tu aimerais mieux faire ?

Remarques

1. *Rather* est un peu plus fort que *quite* (voir 273).
Si on fait la critique d'un film, par exemple, *rather good* est plus
positif que *quite good.*

2. *Fairly* et *pretty* peuvent aussi correspondre à "assez" ou à "plutôt". *Fairly* est plus négatif que *quite, pretty* est plus positif que
rather (et *quite*).
Voici, pour mémoire, un tableau reliant ces quatre mots entre eux,
avec des notes approximatives.

fairly good	**quite** good	**rather** good	**pretty** good
12	13	14	15

3. Dans les grammaires et méthodes d'anglais éditées en France,
on trouve souvent la forme *had rather* comme variante de *would
rather*. Cette forme n'existe pas en anglais moderne.

275 Remember et forget + to-infinitif ou -ing

1. "*Remember + to*-infinitif" = "se rappeler ce qu'on a à faire",
"ne pas oublier de faire quelque chose".
"*Forget + to*-infinitif" = "oublier de faire quelque chose".

> When I **remembered to go** to the post office it was too late.
> *Quand je me suis rappelé que je devais aller à la poste, il était trop tard.*

> **Remember to telephone** me tomorrow.
> *N'oublie pas de m'appeler demain.*

> I **forgot to go** shopping so there's nothing to eat.
> *J'ai oublié de faire les courses, alors il n'y a rien à manger.*

2. "*Remember + -ing*" = "se souvenir de ce qu'on a fait".
"*Forget + -ing*" = "oublier ce qu'on a fait".

> I **remember meeting** you in 1968 − or was it 1969 ?
> *Je me souviens de vous avoir rencontré en 1968 − ou bien était-ce 1969 ?*

> I shall never **forget seeing** her dance.
> *Je n'oublierai jamais comme elle dansait.*

EXERCICE —————————————

Mettez l'infinitif ou la forme en -ing :

1. Do you remember ... me something last week ? (promise)
2. Did you remember ... the letters ?
(post)
3. I don't remember ... you to this
party. (invite)
4. No, you didn't remember ... me -
but I came anyway. (invite)
5. You forget ... me this morning.
(wake)
6. ... Venice in the moonlight is an
experience I can never forget.
(see)
7. Don't forget ... Harry for his keys.
(ask)
8. Did you forget ... the door? (lock)

204

276 Remember et remind

1. *Remember* = "se souvenir de", "se rappeler". Ce n'est pas un verbe pronominal, et il s'emploie sans préposition.

I remember your face, but I don't **remember your name.**
Je me souviens de votre tête, mais je ne me souviens pas de votre nom.

There are three things I can never **remember** - names, faces, and I've forgotten the other.
Il y a trois choses dont je ne me souviens jamais : les noms, les têtes et... j'ai oublié la troisième.

2. *Remind* = "rappeler (quelque chose à quelqu'un)". Attention à la construction de la phrase : on dit soit *to remind somebody to do something*, soit *to remind somebody of something*.

I reminded him to telephone his mother.
Je lui ai rappelé qu'il devait téléphoner à sa mère.

I reminded her of her promise.
Je lui ai rappelé sa promesse.

EXERCICE ─────────────────────────────────

Traduisez en anglais :

1. Vous souvenez-vous de notre conversation ?
2. Je ne me rappelle pas le prix exact.
3. Rappelez-moi votre nom.
4. Rappelle-moi que je dois acheter des tomates.
5. Je ne me souviens pas.
6. Ce vin me rappelle mes vacances en Italie.

Remarque

Pour la différence entre "*remember* + *to*- infinitif" et "*remember* + *-ing*", voir 275.

277 Comment traduire "rendez-vous" ?

1. "Un rendez-vous d'affaires ou chez le dentiste, le médecin", etc. = *an appointment (with)*.

I have **an appointment with** the dentist tomorrow at four.
J'ai rendez-vous chez le dentiste demain à quatre heures.

2. "Un rendez-vous amoureux" = *a date*.

Susie's all excited, she's got **a date** tonight.
Susie est toute excitée, elle a un rendez-vous ce soir.

3. Pour "un rendez-vous avec des parents ou des amis", il faut utiliser l'expression *I'm meeting...*

I'm meeting my brother at six.
J'ai rendez-vous avec mon frère à six heures.

What time **are you meeting** John and Betty ?
A quelle heure as-tu rendez-vous avec John et Betty ?

Traduisez en anglais :

1. A quel âge as-tu eu ton premier rendez-vous ? (amoureux)
2. J'ai rendez-vous chez le docteur mardi matin.
3. J'ai rendez-vous avec mes parents à cinq heures et demie.
4. Lucy, à quelle heure as-tu rendez-vous avec Barbara ?

Remarques

1. En anglais moderne, le nom *rendez-vous* ne s'emploie qu'en langage militaire, pour désigner un lieu de rencontre.

2. "Je vois Christian à cinq heures" = *I'm seeing* Christian at five.

278 The same ... as, etc.

1. *The same ... as* = "le même ... que".

> Her dress is **the same** colour **as** her eyes.
> *Sa robe a la même couleur que ses yeux.*

> I like **the same** books **as** you.
> *J'aime les mêmes livres que toi.*

The same as (sans nom) = "la même chose que".

> I think **the same as** you.
> *Je pense la même chose que toi.*

2. "En même temps" = *at the same time* ; "quand même" ou "tout de même" = *all the same*.

EXERCICE

Traduisez en anglais :

1. Elle va à la même école que ma sœur.
2. "Que voulez-vous boire ?" "La même chose qu'hier."
3. J'ai le même âge que vous. (*Attention au verbe !*)
4. Elle peut danser et chanter en même temps.
5. Je te verrai demain à la même heure.
6. "Au même endroit (= place) ?" "Oui."

279 Say et tell

1. *Say* peut s'employer sans qu'on précise à qui la parole est adressée.

> **Say** your name. **Say** hello. **Say** what you want.
> *Dites votre nom.* *Dis bonjour.* *Dites ce que vous voulez.*

Tell doit normalement être suivi d'un complément personnel.

> **Tell me** your name. (~~Tell your name~~ serait impossible.)
> *Dites-moi votre nom.*

> **Tell us** what you want. (*Et non* ~~Say us...~~)
> *Dites-nous ce que vous voulez.*

Comparez :

> He **told me** that he was tired.
>
> He **said** that he was tired.

2. Si on emploie un complément personnel après *say*, il faut utiliser la préposition *to*.

> **Say** your name **to everybody.**   **Say** hello **to the man.**
> *Dites votre nom à tout le monde.*   *Dis bonjour au monsieur.*
>
> **Say** something **to me.** (*Et non* ~~Say me something.~~)
> *Dis-moi quelque chose.*

EXERCICE ─────────────────────────────────

Mettez say *ou* tell :

1. What did you ... to the policeman ?
2. I ... him that I was a foreigner.
3. And what did he ... then ?
4. He ... he didn't believe me.

5. He ... me to drive more carefully in future.
6. I ... that I would.

Remarques

Tell peut aussi avoir le sens de "raconter". En ce cas, le complément personnel n'est pas obligatoire.

> I like **telling (children)** stories.
> *J'aime raconter des histoires (aux enfants).*

On dit aussi *to tell jokes* (= "raconter des blagues") ; *to tell the
truth* (= "dire la vérité") ; *to tell a lie* (= "dire / raconter un
mensonge").

280   Comment traduire "se" ? (les verbes pronominaux)

Les verbes pronominaux peuvent se traduire de quatre façons différentes, selon leur sens.

1. Quand le pronom réfléchi ("me, te, se", etc.) s'emploie littéralement pour dire que quelqu'un fait quelque chose à lui-même, il se
traduit par l'un des pronoms réfléchis anglais. Ce sont *myself,
yourself, himself, herself, itself, ourselves, yourselves, themselves* et
oneself (voir 262).

> He killed **himself.**
> *Il s'est tué. (= Il s'est suicidé.)*
>
> Stop looking at **yourself** in the mirror.
> *Arrête de te regarder dans la glace.*

2. Dans beaucoup de cas, "se, nous, vous", signifient "l'un
l'autre". Ils se traduisent alors par *each other* (voir 95).

> They looked at **each other** for a long time.
> *Ils se regardèrent pendant longtemps.*
>
> We love **each other.**   You should help **each other.**
> *Nous nous aimons.*   *Vous devriez vous aider.*

3. Il y a d'autres verbes pronominaux où "se" a un sens passif. Lorsqu'on dit, par exemple, que telle ou telle bière "se boit" partout, ou qu'un mot "se traduit" de telle ou telle manière, ce n'est évidemment pas la bière qui boit ou le mot qui traduit - c'est quelqu'un d'autre qui fait l'action. Les pronoms réfléchis anglais ne s'emploient pas dans ces cas-là. On utilise alors normalement une structure passive.

> This beer **is drunk** all over the world.
> *Cette bière se boit partout dans le monde.*

> 'Que' **can be translated** as 'that', 'than' or 'as'.
> *"Que" peut se traduire par "that", "than" ou "as".*

> **I'm bored.**
> *Je m'ennuie.* (= C'est "la situation" qui m'ennuie, ce n'est pas "moi".)

Dans certains cas, un verbe pronominal se traduit par une structure passive avec *get* (voir 136).

> My watch **got broken.**
> *Ma montre s'est cassée.*

4. Certains verbes pronominaux français correspondent, en anglais, à des verbes ordinaires. ("Se" ne se traduit pas.)

s'apercevoir	to notice	s'habiller	to get dressed / to dress
s'arrêter	to stop		
se battre	to fight	se laver	to wash
se cacher	to hide	se raser	to shave
se concentrer	to concentrate	se rencontrer	to meet
se décider	to decide	se sentir	to feel
se demander	to wonder	se servir de	to use
se dépêcher	to hurry	se souvenir de / se rappeler	to remember

> I **feel** fine in the country.
> *Je me sens bien à la campagne.*

> My neighbours **are** always **fighting.**
> *Mes voisins se battent tout le temps.*

EXERCICE ———————————————

Traduisez en anglais :

1. Je me suis coupé avec ton couteau. (Prétérit.)
2. Van Gogh s'est tué en 1890. (= Il s'est suicidé.)
3. Nous nous parlons pendant (= for) des heures.
4. Ça ne se fait pas.
5. Ils se détestent (= hate).
6. En Angleterre le porc (= pork) se mange avec de la compote de pommes (= apple sauce).
7. Je me suis regardé dans la glace.
8. Je me suis levé vite ce matin.

————————————— RAPPEL —————————————

1. *Se, nous, vous* (réfléchis) = **himself, herself, ourselves,** etc.
2. *Se, nous, vous* (réciproques) = **each other.**
3. *Se* (passif) = **to be + participe passé.**
4. *Se lever, se sentir,* etc. = **to get up, to feel,** etc.

281 See et hear : (+ infinitif sans to ou -ing)

See et *hear* peuvent être suivis d'un complément d'objet + infinitif sans *to*, ou d'un complément d'objet + *-ing*.

> **I saw him get** out of the train.
> *Je l'ai vu descendre du train.*

> **I heard her coming** up the stairs.
> *Je l'ai entendue monter l'escalier.*

Il y a une légère différence. La structure avec l'infinitif s'emploie quand on voit ou entend une action complète ; la forme en *-ing* s'emploie quand il s'agit d'une action en cours. Comparez :

> — **I heard him play** the Beethoven concerto the other night.
> *Je l'ai entendu jouer le concerto de Beethoven l'autre soir.*
> (= Il a joué le concerto.)

> **I heard him practising** the violin when I walked past his house.
> *En passant devant chez lui, je l'ai entendu jouer du violon.*
> (= Il jouait du violon.)

> — **I saw her cross** the road and go into a shop.
> *Je l'ai vue traverser la rue et entrer dans un magasin.*
> (= She crossed the road.)

> I glanced out of the window and **saw her crossing** the road.
> *J'ai jeté un coup d'œil par la fenêtre et je l'ai vue qui traversait la rue.*
> (= She was crossing the road.)

EXERCICE

Reliez les phrases comme dans les exemples :
— You kissed him. I saw you.
  I saw you kiss him.
— You were laughing. I heard you.
  I heard you laughing.

1. He got on the train. I saw him.
2. She was walking in her room. I heard her.
3. I took the letter. He didn't see me.
4. Someone opened the door. She heard it.
5. You screamed in your sleep. I heard you.
6. They were running away. I saw them.

Remarque

Pour l'emploi de *can* avec *see* et *hear*, voir 59.

282 Comment traduire "seul" ?

1. Devant un nom, "seul" (= "unique") se traduit le plus souvent par *only*.

> The **only problem** is that...
> *Le seul problème, c'est que...*

"Un seul" = *only one*, ou (après une négation) *a single*.

> He has **only one** fault.
> *Il a un seul défaut.*

> She didn't say **a single** word.
> *Elle n'a pas dit un seul mot.*

2. Dans les autres cas, "seul" se traduit le plus souvent par *alone*, *by oneself* ou *lonely*.

> I can do it **alone.**
> *Je peux le faire seul.*

> She was sitting in the corner **by herself.**
> *Elle était assise toute seule dans le coin.*

> All my friends have gone on holiday, and I feel very **lonely.**
> *Tous mes amis sont partis en vacances, et je me sens très seul.*

✱ *Alone* et *by oneself* décrivent une réalité objective (= sans personne d'autre). *Lonely* se réfère à un sentiment intérieur de solitude. (On peut être *lonely* au milieu d'une foule mais pas *alone*.) C'est pourquoi on dit souvent *to feel lonely*.

EXERCICE

Traduisez en anglais :
1. C'est ma seule chemise propre (= clean shirt).
2. leur seul enfant
3. Elle se sentait terriblement seule.
4. Je ne peux pas y aller seul.
5. J'ai une seule objection.
6. Elle n'a pas écrit une seule lettre. (Prétérit)

283 Shall et will

1. *Shall* peut s'employer à la première personne du futur, au lieu de *will* (voir 126). Les contractions sont *I'll, we'll* et *shan't*.
A l'affirmation et à la négation, il n'y a pas de différence de sens entre les deux mots.

> I **shall / will be** in Scotland before you. (*Ou* I'll be...)
> *Je serai en Écosse avant toi.*

> We **shall overcome.**   I **shan't be** long.
> *Nous vaincrons.*   *Je ne serai pas long.*

2. Dans les questions, il y a une différence entre *shall* et *will*. *Will* s'emploie pour demander un renseignement, tandis que *shall* s'emploie pour faire une suggestion, pour proposer son aide, ou pour demander un conseil. Comparez :

> — If I take the 7.15 train, what time **will I arrive** in Edinburgh ?
> *Si je prends le train de 7 h 15, à quelle heure est-ce que j'arriverai à Edimbourg ?*

> — **Shall we go** and see Alice ?   **Shall I set** the table ?
> *On va voir Alice ?*   *Je mets la table ?*

> What **shall I do** ?
> *Qu'est-ce que je dois faire ?*

Notez que la structure *shall I / we ... ?* correspond souvent à un simple présent français.

Mettez shall *ou* will :
1. She ... be here at eight.
2. I ... never forget you.
3. ... I carry your bag ?
4. Where ... I put the flowers ?

5. What time ... I have to start work tomorrow ?
6. ... we go to Liverpool this week-end ?
7. When ... you be back ?
8. The train's gone ! What ... we do ?

Remarque

Shall s'emploie très rarement aux deuxième et troisième personnes en anglais moderne.

284   Should : introduction

Should se traduit de diverses façons selon le contexte.

1. *Should* = "devrais", etc. (voir 285).

> You **should stop** smoking.
> *Tu devrais t'arrêter de fumer.*

C'est le cas le plus fréquent.

2. *Should* = "dois", "il faut (que) ...", etc.
Comparez :

> A. At present there's a barrier between pupils and teachers and I think it's a pity.
> A. *Actuellement Il y a une barrière entre élèves et professeurs et je trouve que c'est dommage.*
>
> B. I don't. I think there **should be** one.
> B. *Pas moi. Je trouve qu'il en faut une. ("Il en faudrait une" impliquerait qu'il n'y en a pas.)*

3. *Should* = *would* (1re personne du conditionnel ; voir 74).

> I **should / would be** careful if I were you.
> *A ta place, je ferais attention.*

En anglais moderne, *I would* est plus fréquent que *I should* au conditionnel. La forme contractée est *'d* dans les deux cas.

4. *Should* + infinitif sans *to* = subjonctif français (ou une autre structure ; voir 288 et 289).

> It's essential that people **should become** aware of the problem.
> *Il est essentiel que les gens prennent conscience de ce problème.*

285 Should (= devrais, etc.)

1. Formes

Should est un "auxiliaire modal". Il ne prend pas d's à la troisième personne, pas *do* aux formes interrogatives et négatives. Il n'a ni infinitif ni prétérit et il est suivi de l'infinitif sans *to*. Il existe une contraction négative *shouldn't*. (Par contre, à l'affirmation, *should* ne se contracte pas.)

> He **should go.**　　　He **shouldn't smoke.**
> *Il devrait partir.*　　*Il ne devrait pas fumer.*

2. Emploi

Should s'emploie pour exprimer une idée de devoir ou pour donner des conseils. L'équivalent français est, le plus souvent, "devrais".

> Everybody **should take** some exercise.
> *Tout le monde devrait faire de l'exercice physique.*
>
> You **should eat** more slowly.
> *Tu devrais manger plus lentement.*

EXERCICE

Traduisez en anglais :
1. Vous devriez aider les autres.
2. Tu devrais conduire moins vite (= more slowly).
3. Nous devrions aller voir Mamie (= Granny).
4. Tu devrais baisser (= turn down) la radio, il est onze heures.
5. Tu devrais aller te coucher.
6. Christian devrait partir en vacances de temps en temps (= from time to time).

286 Should + infinitif passé

"J'aurais dû + infinitif" = "*I should + have* + participe passé."

> You **should have known.**　　Anne **should have phoned.**
> *Tu aurais dû le savoir.*　　　*Anne aurait dû téléphoner.*
>
> We **shouldn't have gone.**
> *Nous n'aurions pas dû partir.*

EXERCICE

Traduisez en anglais :
1. J'aurais dû écrire à Steve la semaine dernière.
2. Je n'aurais pas dû dire ça.
3. Elle n'aurait jamais dû l'épouser.
4. Ils auraient dû y penser.
5. Tu n'aurais pas dû prendre mes clés (= keys).
6. Je n'aurais pas dû essayer de réparer la radio. (Réparer = to repair.)

287 Should après how et why

Should s'emploie après *how* et *why* pour exprimer l'irritation.

'What's the time?' '**How should** I know?'
"Quelle heure est-il?" "Comment veux-tu que je le sache?"

'Give me a drink.' '**Why should** I?'
"Donne-moi à boire." "En quel honneur?"

288 Should après that

"*Should* + infinitif sans *to*" s'emploie au lieu du subjonctif (surtout en anglais britannique) dans certaines propositions introduites par *that*. On le trouve notamment dans les cas suivants:

1. Lorsqu'il s'agit de l'importance d'une action.

It's important / essential / necessary **that** he **should** be warned of the danger.
Il est important / essentiel / nécessaire qu'il soit prévenu du danger.

2. Lorsqu'il s'agit d'ordres et de demandes.

The general **ordered** / requested **that** the prisoner **should** be brought in.
Le général ordonna / demanda que le prisonnier fût amené.

3. Lorsqu'il s'agit de la réaction émotionnelle provoquée par une situation.

I was delighted / pleased / surprised / shocked / furious **that** she **should** speak to me in such a tone.
J'étais ravi / heureux / étonné / choqué / furieux qu'elle me parle sur un ton pareil.

EXERCICE ———————————————————

Traduisez en anglais:

1. Il est important que les jeunes reçoivent une bonne formation (= education).
2. J'étais ravi qu'elle me demande de rester.
3. Le roi ordonna que les prisonniers fussent exécutés (= executed).
4. Je suis furieuse qu'il réagisse aussi stupidement.

Remarque

Après *important, essential,* etc., une structure avec *for... to...* est également possible (voir 122). Elle est plus fréquente dans la langue parlée.

289 Should après so that, in order that et in case

Should s'emploie après *so that, in order that* et *in case* dans des phrases qui se rapportent au passé.

I walked very quietly **so that** he **shouldn't** wake up.
J'ai marché très doucement afin de ne pas le réveiller.

I spoke very clearly **in order that** everybody **should** understand.
J'ai parlé très clairement, pour que tout le monde comprenne.

I took my typewriter **in case** I **should** want to do some typing.
J'ai pris ma machine à écrire pour le cas où j'aurais besoin de taper quelque chose.

290 So et such

1. *So* et *such* servent à rendre les adjectifs ou adverbes plus emphatiques (= "tellement", "si", "aussi", "qu'est-ce que", etc.).
On emploie *so* lorsqu'il n'y a pas de nom après l'adjectif, et avec les adverbes.

It's **so hot.**
Il fait si / tellement chaud (ou : Qu'est-ce qu'il fait chaud !)

I was **so pleased.**   She went **so fast !**
J'étais tellement contente.   *Elle allait tellement vite !*

On emploie *such* lorsqu'un adjectif est suivi d'un nom. Attention à l'ordre des mots.

He's **such a nice boy.** (*Et non* ... a such nice boy.)
C'est un garçon tellement gentil.

I had never seen **such enormous animals.**
Je n'avais jamais vu d'animaux aussi énormes.

2. *So* et *such* peuvent tous deux être suivis d'une proposition introduite par *that.*

I was **so** tired **that** I couldn't walk any more.
J'étais tellement fatigué que je ne pouvais plus marcher.

It was **such** a lovely day **that** we decided to go on a picnic.
Il faisait si beau que nous avons décidé de faire un pique-nique.

EXERCICE

Mettez such *ou* so :
1. You're ... stupid !
2. I've had ... a good idea.
3. Have you ever seen ... big trees ?
4. It was ... cold that his breath turned to ice.
5. I've got ... an interesting job that I don't like going home at the end of the day.
6. He plays ... badly !

Remarque

Notez l'expression *such as* (= "comme", "comme par exemple").

The countries of the Third World, **such as** Mali or Upper Volta, ...
Les pays du Tiers Monde, comme (par exemple) le Mali ou la Haute Volta, ...

291   So much et so many

So much / many = "tant / tellement (de)".

1. *So much* s'emploie avec un singulier (exprimé ou sous-entendu).

They've got **so much money.**
Ils ont tellement d'argent.

It costs **so much.** (= so much **money.**)
Ça coûte tellement d'argent.

So much s'emploie aussi comme adverbe.

Don't talk **so much.**
Ne parle pas tant.

2. *So many* s'emploie avec un pluriel (exprimé ou sous-entendu).

There are **so many things** I like.
Il y a tellement de choses que j'aime.

'How many **records** have you got ?' 'I don't know - I've got **so many**'.
"Combien avez-vous de disques ?" "Je ne sais pas, j'en ai tellement."

Remarque

Ne confondez pas *so much / many* avec *too much / many* (voir 337).

EXERCICE ─────────────────────────────

Mettez so much *ou* so many :
1. She had ... children that she didn't know what to do.
2. You shouldn't eat ... .
3. There are ... nice people in the world.
4. I've got ... to do.
5. I've got ... things to do.
6. There's ... that I want to say to you.

---

292   Reprise par so et not

1. Les réponses courtes "je crois", "je suppose", "j'espère" se traduisent par *I think so, I suppose so, I hope so.*

'Is Bob ready ?' '**I think so.**'
"Est-ce que Bob est prêt ?" "Je crois."

'Are they coming by car ?' '**I suppose so.**'
"Est-ce qu'ils viennent en voiture ?" "Je suppose."

'Do you think you'll be happy one day ?' '**I hope so.**'
"Tu crois que tu seras heureux un jour ?" "J'espère."

So s'emploie de la même manière avec l'expression *I'm afraid* (= "Je suis désolé, mais...").

'Is she hurt ?' '**I'm afraid so.**'
"Est-ce qu'elle est blessée ?" "Oui, je suis désolé."

2. A la forme négative on dit *I suppose not, I hope not* et *I'm afraid not,* mais *I don't think so.*

'Do you think there'll be an atomic war one day ?' '**I hope not.**'
"Est-ce que tu crois qu'il y aura une guerre atomique un jour ?" "J'espère que non."

'Can you lend me some money ?' '**I'm afraid not.**'
"Peux-tu me prêter de l'argent ?" "Je suis désolé, mais c'est impossible."

'Will you be back late ?' '**I don't think so.**'
"Tu rentreras tard ?" "Je ne crois pas."

EXERCICE

Répondez aux questions en utilisant les verbes entre parenthèses :

1. Are you a nice person ? (think)
2. Will the weather be fine tomorrow ? (think)
3. Will you be rich one day ? (hope)
4. Is your English perfect ? (afraid)
5. Do you sometimes make mistakes ? (afraid)
6. Will you end your life in prison ? (hope)

Remarque

On peut dire également *I don't suppose so.*

293 Some et any

Some *et* any = *" du / de la / des" au sens de "un peu (de)", "quelques(-uns)".*
Not any : *" ne ... pas de".*

---

1. Cas général

● *Some* s'emploie dans une phrase affirmative.

I'd like some coffee.
Je voudrais du café.

● *Any* s'emploie dans les questions, avec le même sens que *some.*

Have you got **any** stamps ?
Avez-vous des timbres ?

● *Any* s'emploie aussi avec *not* dans les négations.

I haven't got **any** money.
Je n'ai pas d'argent.

Notez que le mot *any* n'a pas lui-même un sens négatif. Dans la combinaison *not any* (= "ne ... pas de"), *not* = "ne ... pas", et *any* = "de".

2. Cas particuliers

● *Some* s'emploie (plutôt que *any*) dans les questions qui ont un sens affirmatif − par exemple, quand on propose quelque chose à quelqu'un.

> **Would you like some** more meat ? (= Have some more meat.)
> *Tu reveux de la viande ?*

● Par contre, on emploie *any* dans les phrases affirmatives à sens négatif − par exemple, les phrases avec *hardly* (= "presque pas", etc.), *without*, *never*.

> I **hardly** know **any** people here.
> *Je ne connais presque personne ici.*

> He tried to make a cake **without** using **any** eggs.
> *Il a essayé de faire un gâteau sans utiliser d'œufs.*

> She **never** makes **any** suggestions.
> *Elle ne fait jamais de suggestions.*

If s'emploie parfois avec *some*, parfois avec *any*.

> **If** you buy **some / any** bread, get some for me.
> *Si tu achètes du pain, prends-en pour moi.*

EXERCICE

Mettez some *ou* any :

1. Have you got ... matches ? (1)
2. I've found ... money - is it yours ? (1)
3. She hasn't got ... brothers or sisters. (1)
4. I went to bed without ... supper. (2)
5. We've got hardly ... milk in the fridge. (2)
6. Would you like ... beer ? (2)
7. Are there ... English people living near here ? (1)
8. No, I don't think there are ... . (1)

Remarques

1. *Some* se prononce normalement [səm] devant un nom.

2. *Some* et *any* peuvent s'employer comme pronoms (c'est-à-dire, sans nom).

> Have you got **some ?**   There aren't **any.**
> *Vous en avez ?*   *Il n'y en a pas.*

3. *Any* peut aussi s'employer comme équivalent de "n'importe quel". Voir 26.

4. *No* est une forme plus emphatique de *not any* (voir 219). Comparez :

> I **haven't** got **any** money.   I've got **no** money.
> *Je n'ai pas d'argent.*   *Je n'ai pas (du tout) d'argent.*

5. Devant un dénombrable au singulier, "ne ... pas de" se traduit normalement par *not ... a*, et non ~~not ... any~~.

> I **haven't** got **a** car.
> *Je n'ai pas de voiture.*

294 Some, any et "du / de la / des / de"

1. "Du / de la / des / de" ne se traduisent pas toujours en anglais.
Comparez :

> She's got **some** good records.   She's got beautiful toes.
> *Elle a de bons disques.*   *Elle a de beaux doigts de pied.*

Some et *any* s'emploient surtout quand il s'agit d'un nombre ou
d'une quantité un peu vague. Il serait très bizarre de dire *She's got
some beautiful toes* - comme si l'on n'était pas sûr du nombre !

2. Notez également que *some* est impossible lorsque "du / de la /
des / de" implique une grande quantité *(= a lot)*.

> If I had **(a lot of)** money, I would travel round the world.
> *Si j'avais de l'argent, je ferais le tour du monde.*

(Il faut beaucoup plus que *some money* pour faire le tour du
monde !)

295 Les composés de some, any, every, no

Some, any, every et *no* peuvent se combiner à *-body, -one, -thing* et
-where.

somebody	**anything**	**everywhere**	**no-one / nobody**
quelqu'un	*quelque chose*	*partout*	*personne*

Les composés suivent les mêmes règles d'emploi que *some, any,
every* et *no.* (Voir 293, 26 et 219.) Notez que *everybody* et *everything*
sont des singuliers (= "tout le monde" et "tout").

> **Everybody loves** her. (*Et non* ~~Everybody love her.)~~
> *Tout le monde l'aime.*
>
> **Everything's** ready. (*Et non* ~~Everything are ready.)~~
> *Tout est prêt.*

Il n'y a pas de différence entre *somebody* et *someone, anybody* et
anyone, etc.

EXERCICE ───────────────────────

Traduisez en anglais :

1. Je vous ai vu quelque part. (Present perfect)
2. Est-ce qu'il y a quelqu'un ?
3. Il n'y a personne.
4. Je ne comprends rien.
5. "Où habitez-vous ?" "Nulle part."
6. Quelqu'un a téléphoné. (Prétérit)

Remarques

1. *Everybody* peut aussi correspondre à "tous les gens" ou "les gens ... tous ...".

> **Everybody was** surprised.
> *Tous les gens étaient étonnés. (Ou : Les gens étaient tous étonnés.)*

2. En anglais parlé, on emploie souvent *they, them, their* pour reprendre *somebody, anybody* et *nobody* (ex. : *Somebody's lost their umbrella*). Voir 215².

296 Sometimes et some time

1. *Sometimes* = "quelquefois", "parfois", "des fois".

> I **sometimes** get depressed.
> *Je suis parfois déprimé.*

2. *Some time* = "quelque temps", "un peu de temps".

> I spent **some time** in Brussels last year.
> *J'ai passé quelque temps à Bruxelles l'année dernière.*

3. *Some time* peut également signifier "un de ces jours".

> I'll come and see you **some time.**   See you **some time !**
> *Je viendrai te voir un de ces jours.*   *A un de ces jours !*

EXERCICE

Traduisez en anglais :

1. Je vais parfois dans les musées (= museums).
2. Il faut que je visite un musée un de ces jours.
3. Elle a passé quelque temps à l'hôpital (= in hospital) l'été dernier.
4. "Est-ce que tu vois toujours Bob ?" "Quelquefois." (Toujours = still)

297 Steal et rob

To steal = "voler un objet / de l'argent", etc. (= quelque chose qu'on emporte avec soi).
To rob = "voler quelqu'un" ou "cambrioler une banque", etc.

> My moped has been **stolen.**   I've been **robbed.**
> *On m'a volé ma mobylette.*   *On m'a volé.*

> He **robbed** a bank and **stole** several cars.
> *Il a cambriolé une banque et volé plusieurs voitures.*

EXERCICE

Mettez steal ou rob à la forme qui convient :

1. My neighbour has been ... several times.
2. ... a bank is not easy these days !
3. Someone has just ... my purse (= porte-monnaie).
4. 'What did they ... ?' 'Money and a few jewels.'

Remarque

"Voler (quelque chose) à quelqu'un / dans un lieu" = *to steal (something) from somebody / from a place* ou *to rob somebody of something*.

> **Some kids steal from shops.**
> *Certains gosses volent dans les magasins.*

> **She was robbed of her favourite necklace.**
> *On lui a volé son collier favori.*

298 Still et yet

1. *Still* = "encore", "toujours".

> **She's still asleep.**
> *Elle dort encore.*

> **They still live in the same little village.**
> *Ils habitent toujours dans le même petit village.*

> **Are you still studying the guitar ?**
> *Tu fais toujours de la guitare ?*

2. Dans une question, *yet* se traduit généralement par "déjà".

> **Have they arrived yet ?**
> *Est-ce qu'ils sont déjà arrivés ?*

> **Have you met Professor Clark yet ?**
> *Est-ce que vous avez déjà rencontré le professeur Clark ?*

3. *Not yet* = "pas encore".

> **It isn't time to go home yet.**
> *Il n'est pas encore l'heure de rentrer.*

✱ Attention à la place de *yet*, généralement en fin de proposition.

EXERCICE ───────────────────────

Traduisez en anglais :

1. Est-ce que Christine est déjà levée ? (= up)
2. Vous êtes toujours aussi belle.
3. Je ne suis pas encore prêt.
4. Il est encore à Londres.
5. Vous êtes toujours à l'université ?
6. Je ne veux pas encore me marier.

Remarque

1. Pour la différence entre *still* et *always,* voir 24, Remarque 2.

2. "Déjà", dans une question, peut aussi correspondre à *ever* (voir 82²).

299 Stop + to-infinitif ou -ing

"*Stop* + to-infinitif" = "s'arrêter pour (faire quelque chose)".

I met Leslie on my way home, so I **stopped to talk** to her for a few minutes.
J'ai rencontré Leslie en rentrant, alors je me suis arrêté quelques minutes pour lui parler.

"*Stop* + -*ing*" = "arrêter de".

I must **stop smoking.**
Il faut que j'arrête de fumer.

EXERCICE

Mettez le verbe à la forme qui convient.

1. Please stop ... - I'm trying to concentrate. (talk)
2. If you stop ... I'll give you £100. (smoke)
3. I'm getting tired - I think I'll stop ... a cigarette. (smoke)
4. I'll stop ... when I'm 60. (work)

300 Strange, stranger, foreign et foreigner

Strange = "bizarre", "étrange" ; *a stranger* = "un inconnu".
Foreign = "étranger" (adjectif) ; *a foreigner* = "un étranger".
Comparez :

You're wearing a very **strange** shirt today.
Tu portes une chemise très bizarre aujourd'hui.

One afternoon, **a stranger** arrived in the town.
Un après-midi un inconnu est arrivé dans la ville.

Not many Americans speak **foreign** languages.
Il n'y a pas beaucoup d'Américains qui parlent une langue étrangère.

She's going to marry **a foreigner** - a Mexican, I think.
Elle va se marier avec un étranger - un Mexicain, je crois.

EXERCICE

Mettez strange, stranger, foreign *ou* foreigner :

1. He's a ... - listen to his accent.
2. Do you like eating ... food, like spaghetti or paella ?
3. She had a very ... expression on her face.
4. 'Who's that ?' 'I don't know. He's a complete ... .'
5. There are all sorts of ... in Paris - Germans, Americans, Greeks, Japanese and many others.
6. It's not easy for ... to get work in London.
7. I feel ... today.
8. He's English, but he's got a ... wife. (She's French.)

301 Le subjonctif

1. Le verbe *to be* possède deux formes subjonctives : *be* (au lieu de *am / are / is*) au présent, et *were* (au lieu de *was*) aux première et troisième personnes du prétérit.

> It's important that **he be** told at once.
> *Il est important qu'il soit informé tout de suite.*

> If **I were** you...
> *Si j'étais vous...*

Les autres verbes possèdent une seule forme subjonctive - une forme sans *-s* à la troisième personne du singulier présent.

> It's essential that **she come** here.
> *Il est essentiel qu'elle vienne ici.*

2. La seule forme subjonctive qui s'emploie fréquemment en anglais britannique est *were*. On la trouve au lieu de *was* après *if* et *I wish* (mais *was* est tout aussi correct).

> **If it weren't** so cold I'd go out. (*Ou :* **If it wasn't** ...)
> *S'il ne faisait pas si froid je sortirais.*

> **I wish I were** older ! (*Ou :* **I wish I was** older !)
> *Si seulement j'étais plus âgé !*

3. Les autres formes subjonctives sont rares en anglais britannique. (Elles sont normalement remplacées par une structure avec *should* ; voir 288-289.) Elles s'emploient :

a. après des expressions comme *It is necessary / essential / desirable / important that...*

> **It is important that** she **realize** that this is a delicate situation.
> *Il est important qu'elle se rende compte que c'est une situation délicate.*

b. après des verbes comme *order, demand, command, request.*

> The President **requested that** the interview **be** tape-recorded.
> *Le Président demanda que l'interview soit enregistrée.*

302 Surely et certainly

En anglais britannique, *surely* n'a pas du tout le même sens que *certainly.*

1. On emploie *certainly* lorsqu'on est pratiquement sûr de ce que l'on affirme (= "certainement", "sûrement").

> Dan will **certainly** be pleased to see you.
> *Dan sera sûrement content de te voir.*

2. On emploie surtout *surely* pour exprimer une certaine incrédulité. (Les phrases avec *surely* peuvent se terminer par un point d'interrogation). L'équivalent français est souvent "Mais ..." (ou "Ma parole, mais ..."), "C'est pas vrai, ...", "Ce n'est pas possible", etc.

Surely that's Lucy talking to Harry. I thought she was in Australia.
Mais... c'est Lucy qui parle avec Harry. Je la croyais en Australie.

Surely you don't believe in Father Christmas ?
C'est pas vrai, tu ne crois pas au père Noël ?

EXERCICE

Mettez surely *ou* certainly :
1. ... you don't want *another* beer ?
2. John will ... agree with you.
3. The biggest danger to world peace is ... the existence of the atom bomb.
4. ... you're not going out at this time of night ?

Remarque
En anglais américain, *surely* peut s'employer au sens de *certainly*.

303 Les 'tags' : introduction

1. Les 'tags' sont ces petites reprises, très typiques de l'anglais, qui sont composées d'un pronom et d'un verbe auxiliaire (ex. : *'It doesn't.' 'She has.' 'Is she ?'*). Ils s'emploient de plusieurs façons : pour les détails, voir les sections suivantes.

You're American, **aren't you ?**
Vous êtes américain, n'est-ce pas ?

'Kate's going out with Jim.' **'Is she ?'**
"Kate sort avec Jim." "Ah oui ?"

'**I don't** like speed.' '**I do.**'
"Je n'aime pas la vitesse." "Moi, si."

2. Le tag reprend normalement le verbe auxiliaire de la phrase précédente (voir exemples ci-dessus). S'il n'y a pas de verbe auxiliaire, on emploie *do / does / did* dans le tag.

You **understand, don't you ?**
Vous comprenez, n'est-ce pas ?

'**Oliver got up** at six this morning.' '**Did he** really ?'
"Oliver s'est levé à six heures ce matin." "Vraiment ?"

There peut être le sujet d'un tag.

There's a meeting this evening, **isn't there ?**
Il y a une réunion ce soir, n'est-ce pas ?

304 Les 'question-tags'

On appelle "question-tags" les petites questions (auxiliaire + pronom sujet) qui viennent souvent en fin de phrase en anglais. Elles correspondent à "n'est-ce pas ?" ou "hein ?", mais varient selon le verbe de la phrase principale. Le plus souvent, une phrase affirmative est suivie d'une question-tag négative, et vice-versa.

1. Phrase affirmative, tag négatif.

You're lucky, **aren't you ?**
Vous avez de la chance, n'est-ce pas ?

He'll come, **won't he ?**
Il viendra, n'est-ce pas ?

You've got my money, **haven't you ?**
Tu as mon argent, hein ?

She can do it, **can't she ?**
Elle sait le faire, je suppose ?

2. Phrase négative, tag positif.

It wasn't much good, **was it ?**
C'était pas terrible, hein ?

She didn't understand, **did she ?**
Elle n'a pas compris, hein ?

3. Do.

Après une phrase qui ne contient pas d'auxiliaire, le tag se compose avec *do / does* ou *did*.

You like fish, **don't you ?**
Vous aimez le poisson, n'est-ce pas ?

She doesn't live in Liverpool now, **does she ?**
Elle n'habite plus à Liverpool, n'est-ce pas ?

4. Prononciation.

Lorsqu'on emploie une question-tag pour demander un renseignement, on la prononce avec une intonation montante.

'He'll come, **won't he ?**' 'No, he won't.'
"Il viendra, n'est-ce pas ?" "Non, il ne viendra pas."

'You like fish, **don't you ?**' 'Most fish.'
"Vous aimez le poisson, n'est-ce pas ?" "La plupart des poissons, oui."

Mais très souvent, la question-tag n'est qu'une formule (comme "n'est-ce pas") par laquelle on ne demande aucun renseignement. En ce cas, on la prononce avec une intonation descendante.

'Nice day, **isn't it ?**' 'Yes, it is.'
"Il fait beau, hein ?" "Oh oui."

'You're tired, **aren't you ?**' 'Yes, I am.'
"Vous êtes fatigué, n'est-ce pas ?" "Oui."

EXERCICES

1. *Complétez les phrases avec des question-tags :*
1. You're English, ... ?
2. You can't swim, ... ?
3. Alice works in a bank, ... ?
4. You haven't got a light, ... ?
5. You'll be here tomorrow, ... ?
6. It rains a lot in Scotland, ... ?
7. It's a lovely day, ... ?
8. You were late this morning, ... ?

2. *Prononcez la question-tag avec une intonation montante ou descendante, selon les indications fournies entre parenthèses :*

1. You're John Brown, aren't you ? (= Tell me if it's true.)
2. You're John Brown, aren't you ? (= I'm not asking for information.)
3. That's our train, isn't it ? (= Tell me if it's true.)
4. That's our train, isn't it ? (= I'm not asking for information.)
5. You're leaving tomorrow, aren't you ? (= Tell me if it's true.)
6. She plays tennis well, doesn't she ? (I'm not asking for information).
7. It's not very nice weather, is it ? (I'm not asking for information.)
8. He lives near you, doesn't he ? (= Tell me if it's true.)

Remarque

Une question-*tag* ne peut pas suivre une question. On ne peut pas dire, par exemple, ~~Are you German, aren't you ?~~

305   Les tags : reprises interrogatives

Un tag interrogatif (voir 303) peut s'employer comme réponse, au même sens que "Ah oui ?" ou "Ah bon ?".

> 'It was a bad film.' 'Was it ?'
> *"Le film était mauvais." "Ah oui ?"*

> 'Peter wants to get married.' '**Does he ?**'
> *"Peter veut se marier." "Ah bon ?"*

> 'I can't understand anything.' '**Can't you ?** I *am* sorry.'
> *"Je ne comprends rien." "Ah bon ? Je suis vraiment désolé."*

On emploie un tag positif pour répondre à une phrase affirmative (voir les deux premiers exemples ci-dessus) et un tag négatif pour répondre à une phrase négative (voir dernier exemple).

EXERCICE

Répondez aux phrases suivantes :

1. 'I'm tired.' '...?'
2. 'Sally 's coming here tomorrow.' '...?'
3. 'My brother's got five girl-friends.' '...?'
4. 'My brother looks like Robert Redford.' '...?'
5. 'I don't like this music.' '...?'
6. 'She hasn't written to me for months.' '...?'

306   Les tags : réponses courtes

1. En anglais parlé, on répond souvent à une remarque ou à une question par un tag non-interrogatif (voir 303) qui reprend l'auxiliaire de la phrase qui précède.

> 'You're late.' '**Yes, I am.**'
> *"Vous êtes en retard." "Oui."*

> '**Can you** help me ?' '**No, I can't.**'
> *"Pouvez-vous m'aider ?" "Non."*

225

S'il n'y a pas d'auxiliaire on emploie *do* / *does* ou *did*.

'I'm sure you **want** an ice-cream.' 'Oh **yes, I do.**'
"Je suis sûr que tu veux une glace." "Oh oui."

'I think he **went** there in July.' '**Yes, he did.**'
"Je crois qu'il y est allé en juillet." "C'est exact."

EXERCICE ——————————————————————————

Complétez les phrases suivantes :

1. 'Are you tired ?' 'No, ...'
2. 'Can you swim ?' 'Yes, ...'
3. 'You've got my money.' 'No, ...'
4. 'Does she ever go skiing ?' 'No, ...'
5. 'It's a lovely house.' 'Yes, ...'

6. 'Did they enjoy the film ?' 'No, ...'
7. 'Was your mother pleased ?' 'Oh yes, ...'
8. 'Do you understand now ?' 'Yes, ...'

---

2. Un tag peut apporter une contradiction (français parlé "pas moi", "moi si", etc.). Le tag est affirmatif ou négatif selon le sens.

'**I'm** tired.' '**I'm not.**'
"Je suis fatigué." "Pas moi."

'I **don't** like him much.' '**I do.**'
"Je ne l'aime pas beaucoup." "Moi si."

EXERCICE ——————————————————————————

Apportez la contradiction :

1. 'I love getting up early.' 'I ... .'
2. 'I don't like fish.' 'I ... .'
3. 'I agree with her.' 'I ... .'
4. 'I'm very lazy.' 'I ... .'

5. 'I can't sing.' 'I ... .'
6. 'I haven't got a pen.' 'I ... .'
7. 'I don't believe in God.' 'I ... .'
8. 'I was terrified.' 'I ... .'

---

307 Les tags : réponses courtes avec **so** et **neither / nor**
(= Moi aussi - Moi non plus, etc.)

---

1. "Moi aussi" ("lui aussi", etc.), peut se traduire par "*so* + auxiliaire + sujet". (Pour le choix de l'auxiliaire, voir 303².)

'**I'm** hot.' '**So am I.**'   'I **like** swimming.' '**So do I.**'
"J'ai chaud." "Moi aussi."   *"J'aime bien nager." "Moi aussi."*

'My girlfriend **works** at Barclay's.' '**So does my sister.**'
"Mon amie travaille chez Barclay." "Ma sœur aussi."

2. "Moi non plus" ("lui non plus", etc.), peut se traduire par "*neither* ou *nor* + auxiliaire + sujet".

'**I've** never been abroad.' '**Neither have I.**' (*Ou :* '**Nor have I.**')
"Je ne suis jamais allé à l'étranger." "Moi non plus."

'**I can't** dance.' '**Nor can I.**'
"Je ne sais pas danser." "Moi non plus."

Répondez aux phrases suivantes en utilisant So ... *ou* Neither ... .

1. 'I can't fly.' '... .'
2. 'I'm learning English.' '... .'
3. 'I often forget things.' '... .'
4. 'I've got a nice personality.' '... .'
5. 'I don't understand everything I read.' '... .'
6. 'I've never seen a ghost (= "un fantôme"). '... .'

Remarque

"Moi aussi" se traduit souvent par *me too*, en anglais parlé familier, et par *I am / I do*, etc. *too*, en anglais parlé ou écrit (voir 22).

———— RAPPEL ————

FORMULE	LANGUE	STYLE
so do I, etc.	parlée ou écrite	neutre
I do too, etc.	parlée ou écrite	légèrement familier
me too	parlée	familier

308 Talk et speak

1. On emploie *talk* (plutôt que *speak*) pour parler d'une conversation. Par contre, on emploie plutôt *speak* lorsqu'il s'agit d'une situation où une seule personne parle. Comparez :

— We all sat in Jane's room **talking** until midnight.
On est resté bavarder dans la chambre de Jane jusqu'à minuit.

I **was talking to** Andrew when Sheila came in.
J'étais en train de parler avec Andrew quand Sheila est entrée.

— I was so shocked that I couldn't **speak.**
J'étais si bouleversé que je ne pouvais plus parler.

That child is getting very disobedient - I must **speak to** him.
Cet enfant devient très désobéissant, il faut que je lui parle.

2. Quand on demande quelqu'un au téléphone, on dit normalement *'Can I speak to ... ?'* (anglais américain *'Can I speak with ... ?'*)

3. On emploie *speak* pour parler de la connaissance ou de l'utilisation des langues.

Can you **speak German ?**
Parlez-vous allemand ?

I'd like to be able to **speak Japanese.**
J'aimerais savoir parler le japonais.

Mettez speak *ou* talk *à la forme qui convient :*

1. My sister and I spend hours ... .
2. (On the phone) Can I ... to Dan, please ?
3. She can't ..., she's lost her voice.
4. 'What did you do with your friends ?' 'Oh we just ... and listened to records.'

309 Talk about et tell about (= parler de)

1. *Talk* fonctionne comme *say*. Il peut s'employer avec ou sans complément personnel. Lorsqu'il y en a un, il est précédé de *to*.

> What did you **talk about ?**
> *De quoi avez-vous parlé ?*

> Do you **talk to your parents about** your personal problems ?
> *Est-ce que tu parles à tes parents de tes problèmes personnels ?*

2. *Tell* ne peut s'employer qu'avec un complément personnel.

> I don't want to **tell them about** it.
> *Je ne veux pas leur en parler.*

EXERCICE —————————

Traduisez en anglais :
1. Nous avons parlé de nos vacances.
2. Il m'a parlé de ses vacances.
3. Je t'en parlerai.
4. Je ne parle pas beaucoup à mon père.

310 Les temps des verbes et les formes progressives : introduction

1. Le système des temps est plus compliqué en anglais qu'en français, surtout à cause de l'existence des "temps progressifs" ou "temps continus". Ces formes s'emploient, en général, pour indiquer qu'une action ou un événement est (était / sera) en cours à un moment donné. Comparez :

> — John **smokes.** (Present simple)
> *John fume* (au sens de "John a l'habitude de fumer").

> John **is smoking.** (Présent progressif)
> *John fume* (au sens de "John est actuellement en train de fumer").

> — John **smoked** a cigarette. (Prétérit simple)
> *John a fumé une cigarette.*

> John **was smoking** when I went in. (Prétérit progressif)
> *John fumait au moment où je suis entré.*

En ce qui concerne le temps des verbes, il est donc impossible de dire que telle ou telle forme anglaise est "l'équivalent" ou "la traduction" de telle ou telle forme française. La traduction d'un présent français, par exemple, ou d'un passé composé, dépend du sens exact qu'il exprime. Pour les détails, voir les sections suivantes.

2. Certains verbes n'ont pas de formes progressives. Ils s'emploient donc toujours aux temps simples, même si, d'après le contexte, ils devraient être à un temps progressif. Les plus importants sont :

be *(dans la plupart des cas)*	imagine	see *(sauf au sens de*
believe	know	*"rencontrer")*
dislike	like	suppose
doubt	love	think *(au sens de "avoir une*
feel *(au sens de "croire")*	mean	*opinion")*
hate	prefer	understand
have *(au sens de "posséder")*	recognize	want
hear	remember	wish

> I **want** an ice-cream now.
> *Je veux une glace maintenant.*

Hear et *see* s'emploient avec *can* pour exprimer le sens "progressif". Voir 59.

311 Le présent simple : formation

Exemple : to work

AFFIRMATION	I work
	you work
	he / she / it works
	we work
	they work
INTERROGATION	do I work ... ?
	do you work ... ?
	does he / she / it work ... ?
	do we work ... ?
	do they work ... ?
NÉGATION	I do not (don't) work
	you do not work
	he / she / it does not (doesn't) work
	we do not work
	they do not work
INTERRONÉGATION	do I not (don't I) work ... ?
	etc.

Remarques

1. Il y a toujours un *-s* à la troisième personne du singulier. A l'affirmation, il s'ajoute au verbe principal ; aux autres formes il se trouve à l'auxiliaire *does*.

> he work**s**   doe**s** he work ... ?   he doesn't work

2. Après *-ss, -sh, -ch* et *-x,* on ajoute *-es* à la troisième personne.

> she pa**sses**   it bru**shes**   he wat**ches**   he mi**xes**

Notez aussi *goes, does.*

Les verbes qui se terminent en *-y* forment leur troisième personne en *-ies* (sauf quand le -y est précédé d'une voyelle).

> try - tr**ies**   fly - fl**ies**   worry - worr**ies**
> *mais :* enj**oy** - enj**oys**   pl**ay** - pl**ays.**

3. Le -s de la troisième personne suit les mêmes règles de prononciation que celui du pluriel. Voir 216[7].

4. Dans les questions qui ont pour sujet *who* ou *what*, on ne met pas *do / does*. Pour la structure des questions, voir 271. Pour les négations, voir 210. Pour l'interronégation, voir 211.

EXERCICES

1. *Mettez les verbes suivants à la troisième personne du singulier :*
to like - to start - to hurry - to stay - to catch - to push - to read - to buy - to sell - to fix - to miss - to hope - to send

2. *Retrouvez les questions :*
1. (I live in a flat.) Where ... ?
2. (She goes swimming every week.) How often ... ?
3. (I like pop music.) What sort of ... ?
4. (Bob works on Saturday mornings.) When ... ?
5. (She plays the guitar and she sings.) What ... in her spare time ?
6. (I travel by bus.) How ... to your office in the mornings ?

312 Le présent simple : emploi

1. Le présent simple s'emploie surtout pour parler d'habitudes, d'actions répétées et de faits plus ou moins permanents (sans référence au moment présent).

'Where **do you live** ?' 'I **live** in Clapham.'
"Où habitez-vous ?" "J'habite à Clapham."

My father often **goes** to America.
Mon père va souvent en Amérique.

Light **takes** eight minutes to come from the sun to the earth.
La lumière met huit minutes pour venir du soleil à la terre.

On n'emploie pas le présent simple pour indiquer qu'une action est en cours actuellement. Cette idée s'exprime par le présent progressif (voir 314).

Why **are you looking** out of the window ? (*Et non* ~~Why do you look ... ?~~)
Pourquoi regardes-tu par la fenêtre ?

2. Le présent simple s'emploie dans les narrations au temps présent — par exemple, dans les blagues.

A man **comes** into a bar and **orders** a whisky. Then he **looks** at the barman and **says...**
Un homme entre dans un bar et commande un whisky. Puis il regarde le barman et dit...

On l'emploie également lorsqu'on donne des instructions, surtout en anglais parlé.

You **take** two eggs, some flour and some milk. You **beat** the eggs...
Vous prenez deux œufs, de la farine et du lait. Vous battez les œufs...

3. Le présent simple s'emploie dans la plupart des subordonnées à la place du futur (voir 133[1]).

> We'll buy it **when we go** to London. (*Et non* ... ~~when we will go~~)
> *On l'achètera quand on ira à Londres.*
>
> I'll phone you **before I leave.** (*Et non* ... ~~before I will leave.~~)
> *Je vous téléphonerai avant de partir.*

Le présent simple n'est pas beaucoup utilisé dans un sens futur. On l'emploie dans les subordonnées (voir 133[1]), et pour parler de programmes, d'horaires et d'emplois du temps (voir 127). Mais en général, c'est le présent progressif qu'on emploie pour parler du futur (voir 127). Comparez :

> **The train leaves** at 8 o'clock.
> *Le train part à huit heures.*
>
> **I'm leaving** for London tomorrow.
> *Je pars pour Londres demain.*

EXERCICE ──────────────────────────────────

Traduisez en anglais :

1. Je vais souvent au cinéma.
2. Est-ce que vous habitez à Londres ?
3. Je ne voyage pas souvent.
4. La lumière met quatre ans pour venir de l'étoile la plus proche (= the nearest star)
5. Est-ce que vous fumez ?
6. Je ne parle pas allemand.
7. Est-ce que Paul travaille dans votre banque ?
8. Le train arrive à dix heures.

Remarque

Notez qu'on emploie le présent simple dans les indications scéniques.

> The scene **takes place** at a bus stop.
> *La scène se passe à un arrêt d'autobus.*
>
> BOB (to Peter)   Hello. What are you doing here ?
> PETER   I'm waiting for Julie.
>
> A bus **arrives.**
> *Un autobus arrive,* etc.

313   Le présent progressif : formation

Le présent progressif (ou "présent continu") se forme à l'aide de *to be* + *-ing*.

> **I'm reading.**   **He's working.**
> *Je lis* (en ce moment).   *Il est en train de travailler.*
>
> **Is your brother listening** to us ?
> *Est-ce que ton frère nous écoute ?*
>
> Look, **they're not making** any effort.
> *Regarde, ils ne font pas d'effort.*

Attention à l'ordre des mots dans les questions : on dit par exemple : *Are your mother and father coming ?* et non ~~Are coming your mother and father~~ ? Ce n'est que l'auxiliaire qui se met devant le sujet.

EXERCICE

Mettez les verbes au présent progressif :
1. I / to write.
2. Why / they / to laugh ?
3. We / not / to go.
4. Mary / to sing.
5. What / John / to wear ?
6. I / to wait.
7. You / not / to eat.
8. Bob and Janet / to come ?

---

314   Le présent progressif : emploi

1. On emploie surtout le présent progressif pour indiquer qu'une action ou un événement est en cours au moment où l'on parle.

> 'What **are you doing ?**' ' **I'm waiting** for you.' (*Et non* ~~I wait...~~)
> *"Qu'est-ce que tu fais ?" "Je t'attends."*

> Look, **it's raining.** (*Et non* ~~It rains.~~)
> *Regarde, il pleut.*

2. Le présent progressif s'emploie aussi pour parler du futur, comme le présent français. (Voir 127.)

> **I'm seeing** Alex tomorrow. (*Et non* ~~I see...~~)
> *Je vois Alex demain.*

> **We're moving** in July.
> *Nous déménageons en juillet.*

EXERCICE

Traduisez en anglais :
1. "Pourquoi pleures-tu, Susie ?" (= en ce moment)
2. Chut ! (= Sssh !) Quelqu'un vient.
3. Je ne vais pas à l'école aujourd'hui.
4. Est-ce que ton père travaille ce matin ?
5. Qu'est-ce que tu fais demain ?
6. "Dépêche-toi ! " "J'arrive."
7. Regarde ! Elle fume une cigarette.
8. Nous pouvons sortir. Il ne pleut pas.

Remarques

1. Certains verbes n'ont pas de forme progressive (voir 310²). Ces verbes se mettent donc toujours au présent simple même lorsqu'ils se rapportent au moment présent.

> **I want** an ice-cream now. (*Et non* ~~I'm wanting...~~)
> *Je veux une glace maintenant.*

2. Pour l'emploi du présent progressif avec *always*, voir section suivante.

3. Pour la comparaison des deux temps présents, voir 316.

315 Le présent progressif : sens fréquentatif avec "always"

Le présent progressif s'emploie parfois avec *always* pour indiquer une répétition. En ce cas, *always* correspond à "tout le temps".

It's always raining.
Il pleut tout le temps.

Cette structure s'emploie souvent pour parler d'événements qui arrivent fréquemment mais d'une façon inattendue. Comparez :

I'm always meeting interesting people at concerts.
Je rencontre tout le temps des gens intéressants au concert.

I always meet Susie after school.
Je retrouve toujours Susie après l'école.

EXERCICE

Traduisez en anglais :

1. Il perd tout le temps ses lunettes.
2. J'oublie tout le temps mes clés (= keys).
3. Elle rit tout le temps.
4. Ma mère se plaint tout le temps. (Se plaindre = to complain)

316 Comparaison des deux temps présents

N'oubliez pas que les deux temps présents sont très différents l'un de l'autre.
— Le présent simple s'emploie surtout pour parler d'habitudes, d'actions ou d'événements qui se répètent, ainsi que de faits plus ou moins permanents.
— Le présent progressif s'emploie pour indiquer qu'une action ou un événement est en cours au moment où l'on parle.
En utilisant le présent simple, on ne pense pas spécialement au moment présent ; en utilisant le présent progressif, c'est surtout au moment présent qu'on s'intéresse. Comparez :

PRÉSENT SIMPLE	**I work** on Saturdays. *Je travaille le samedi.*
PRÉSENT PROGRESSIF	'What **are you doing ?**' 'I'm working.' *"Qu'est-ce que tu fais* (en ce moment)*?" "Je travaille."*
PRÉSENT SIMPLE	It often **snows** in January. *Il neige souvent en janvier.*
PRÉSENT PROGRESSIF	Look, **it's snowing !** *Regarde, il neige !*
PRÉSENT SIMPLE	**Water boils** at 100 °C. *L'eau bout à 100 °C.*
PRÉSENT PROGRESSIF	**The water's boiling.** Shall I make coffee ? *L'eau bout. Tu veux que je fasse du café ?*

1. *Choisissez entre le présent simple et le présent progressif :*

1. Look out of the window. ... (It rains / It's raining.)
2. My father ... in a bank. (works / is working)
3. I ... pancakes (= "crêpes"). Would you like some ? (make / am making)
4. 'What ...?' 'A letter to my mother.' (do you write / are you writing)
5. Andrée is Swiss. She ... French and German. (speaks / is speaking)
6. I ... a flat (= "un appartement"). (look for / am looking for).

2. *Traduisez en anglais :*

1. Il pleut toujours le dimanche.
2. Tu fumes beaucoup aujourd'hui.
3. Nous allons souvent à Londres.
4. Je ne comprends rien, ils parlent espagnol (= Spanish).
5. "Qu'est-ce que tu lis ?" "Une lettre de Betty." (= from Betty).
6. Le courrier (= the post) arrive généralement à huit heures.
7. Ne dérange pas Tom, il fait ses devoirs. (Déranger = to disturb.)
8. C'est moi que vous attendez ? (= M'attendez-vous ?)

317 Les temps passés : introduction

L'anglais emploie six temps différents pour parler du passé : le prétérit simple ou le prétérit progressif, le present perfect simple et le present perfect progressif, le pluperfect simple et le pluperfect progressif (appelé aussi "past perfect").

Le prétérit simple. Ex. : *I went. - Did you go ?*

C'est le "temps de base" pour parler du passé. S'il n'y a pas une raison précise pour employer l'un des autres temps, on utilise le prétérit simple. Il peut correspondre au passé composé, à l'imparfait ou au passé simple français.

> Shakespeare **wrote** plays and poems.
> *Shakespeare a écrit des pièces de théâtre et des poèmes.*

> I **saw** Anne yesterday.
> *J'ai vu Anne hier.*

> When I was young, I **lived** in Edinburgh.
> *Quand j'étais jeune, je vivais à Edimbourg.*

> **She walked** into the room and opened the window.
> *Elle entra dans la pièce et ouvrit la fenêtre.*

Le prétérit progressif.
Ex. : *I was walking. — Were you speaking French ?*

Ce temps s'emploie pour indiquer qu'une action ou un événement était en cours à un moment donné du passé. Il correspond généralement à un imparfait français.

> While **I was having** a bath the telephone rang.
> *Pendant que je prenais un bain le téléphone sonna.*

> What **were you doing** at eight o'clock last night ?
> *Qu'est-ce que vous faisiez hier soir à huit heures ?*

Le present perfect simple.
Ex. : *I have heard. — Have you finished ?*

Ce temps ressemble au passé composé français mais ne s'emploie pas de la même façon. On ne l'utilise que pour indiquer une relation entre un événement passé et la situation actuelle.
Une phrase au present perfect peut généralement se remplacer par une phrase au présent.

> **I have heard** that Mary's ill. (= I know that Mary's ill.)
> *J'ai entendu dire que Mary était malade.*
>
> **Have you finished ?** (= Are you ready ?)
> *Est-ce que vous avez terminé ? (= Êtes-vous prêt ?)*

Le present perfect progressif.
Ex. : *I've been working. — Have you been waiting ?*

Ce temps s'emploie surtout pour parler d'une action ou d'un fait qui a commencé dans le passé et qui continue dans le présent ou vient juste de s'achever. Le present perfect progressif correspond souvent à un temps présent français.

> **I've been working** since six o'clock this morning.
> *Je travaille depuis six heures du matin.*
>
> **Have you been waiting** long ?
> *Ça fait longtemps que vous attendez ?*

Le pluperfect (ou "past perfect") simple.
Ex. : *I had finished.*

Le pluperfect s'emploie (comme le plus-que-parfait français) pour parler d'une action qui était déjà achevée à un moment donné du passé.

> When she arrived **I had** already **finished** the preparations.
> *Lorsqu'elle est arrivée j'avais déjà terminé les préparatifs.*

Le pluperfect progressif.
Ex. : *I had been waiting.*

Ce temps s'emploie pour parler d'une action ou d'un fait qui a duré jusqu'à un moment donné du passé.

> When she arrived **I had been waiting** for four hours.
> *Lorsqu'elle est arrivée j'attendais depuis quatre heures.*

Remarque

N'oubliez pas qu'il n'y a pas de correspondance exacte entre l'emploi d'un temps français et celui d'un temps anglais. Par exemple, le passé composé se traduit tantôt par le prétérit, tantôt par le present perfect ; l'imparfait correspond soit au prétérit simple, soit au prétérit progressif, selon le contexte, etc. Pour bien employer les temps anglais, il faut penser au sens qu'on veut exprimer, et non au temps français.
Pour de plus amples explications sur la formation et l'emploi de ces temps, voir les sections suivantes.

318 Le prétérit simple : formation

1. Affirmation

VERBES RÉGULIERS : infinitif sans *to* + *-ed*.

> to wait - **waited.**

VERBES IRRÉGULIERS : voir liste p. 298 à 302.

> to drink - **drank**

2. Interrogation et négation

Que le verbe soit régulier ou irrégulier, il y a, à toutes les personnes :

— *did* + sujet + infinitif sans *to* dans les questions.

> **did you wait... ?** (*et non* ~~did you waited... ?~~)
>
> **did he drink... ?** (*et non* ~~did he drank... ?~~)

— *did not (didn't)* + sujet + infinitif sans *to* dans les négations.

> **I didn't wait** (*et non* ~~I didn't waited~~)
>
> **we didn't drink** (*et non* ~~we didn't drank~~)

* Attention : *did* ne s'emploie ni avec *was / were*, ni avec les auxiliaires modaux comme *could* (voir 57), ni dans certaines structures avec *have* (voir 143).

> **Were you** alone ? (*Et non* ~~Did you be...~~ *ou* ~~Did you were... ?~~)

Remarques

1. Après *t* et *d*, *-ed* se prononce [id]. Après les autres consonnes, le *e* de *-ed* ne se prononce pas. Comparez :

> wai**ted** ['weitid]   en**ded** ['endid]
>
> fi**xed** [fikst]   wonder**ed** ['wʌndəd]

Le *-d* se prononce [t] après les sons [p, f, θ, s, ʃ, tʃ, k]. Il se prononce [d] dans les autres cas. (Pour la liste des signes phonétiques, voir pages 291-292.)

2. Aux verbes qui se terminent en *-e*, il suffit d'ajouter un *-d*.

> to hop**e** - hop**ed**   to liv**e** - liv**ed**

Lorsqu'un verbe se termine par un *-y* précédé d'une consonne, le *y* se change en *i*.

> to tr**y** - tr**ied**   to worr**y** - worr**ied**

Après une voyelle, le *y* ne change pas.

> to pl**ay** - pl**ayed**   to enj**oy** - enj**oyed**

Exceptions : *said, paid, laid.*

3. Dans les questions qui ont pour sujet *who* ou *what*, on ne met pas *did*. (Voir 271[4].) Comparez :

> **Who came ?**   **What happened ?** (Who / what *est sujet.*)
>
> Who **did you meet ?**   What **did you see ?** (Who / what *est complément d'objet.*)

EXERCICES

1. *Retrouvez les questions :*

1. I went to London. (Where ... ?)
2. I got up at six o'clock. (What time ... ?)
3. They lived in Yorkshire. (Where ... ?)
4. I was late because the bus was full. (Why ... ?)
5. Mary helped me. (Who ...?)
6. I saw Albert. (Who ... ?)

2. *Mettez ces verbes à la forme négative :*

I slept - we fell - he ran - they chose - we sang - you felt - she tried.

Remarque

Pour l'interronégation, voir 211.

319 Le prétérit simple : emploi

1. Le prétérit simple est le "temps de base" pour parler du passé. Il peut correspondre à un imparfait, un passé composé ou un passé simple. On l'utilise dans tous les cas où il n'y a pas de raison précise pour employer l'un des autres temps passés. Il s'emploie surtout pour parler d'actions ou de faits complètement terminés et sans rapport avec le présent.

Who **wrote** 'Gone with the wind'?
Qui a écrit "Autant en emporte le vent" ?

My grandfather **worked** in a mine.
Mon grand-père travaillait à la mine.

The meeting **did not last** long.
La réunion ne dura pas longtemps.

2. Le prétérit simple s'emploie souvent avec des indications de temps relatives au passé (des dates, des adverbes comme *yesterday, last..., ...ago*, etc.).

Queen Victoria **died** in 1901. (*Et non* ~~...has died...~~)
La reine Victoria est morte en 1901.

I **met** him yesterday. (*Et non* ~~I have met him...~~)
Je l'ai rencontré hier.

He **went** there last Thursday. (*Et non* ~~He has gone there...~~)
Il y est allé jeudi.

She **left** a long time ago. (*Et non* ~~She has left...~~)
Elle est partie il y a longtemps.

People **suffered** a lot during the war (*Et non* ~~People have suffered...~~)
Les gens ont beaucoup souffert pendant la guerre.

3. On emploie le prétérit simple dans les récits.

One night I **had** a strange dream. I **was** in... A big dog **came** in... I **looked** at it carefully...
Une nuit j'ai fait un rêve bizarre. J'étais dans... Un gros chien est entré... Je l'ai regardé de près...

4. Le prétérit simple s'emploie aussi pour parler d'habitudes passées.

> I **swam** a lot when I was younger.
> *Je nageais beaucoup quand j'étais plus jeune.*

EXERCICE

Traduisez en anglais :
1. Il est mort en 1940.
2. J'ai fait des courses hier.
3. Marco Polo a passé plusieurs années en Chine (= China).
4. Je ne suis pas allé au cinéma.
5. Qu'est-ce que tu as donné à Tom pour Noël ?
6. Je jouais beaucoup au tennis quand j'étais jeune.
7. Pat entra dans la pièce et regarda Sandy.
8. L'année dernière nous avons rencontré une famille très intéressante.
9. Ça s'est passé pendant les vacances... (Se passer = to happen.)
10. Où est-ce que tu as acheté tes chaussures ?
11. Elle a quitté l'école il y a deux ans.
12. Pourquoi n'es-tu pas venu dimanche ?

320 Le prétérit progressif
(et le prétérit simple)

1. Formation

Le prétérit progressif se forme à l'aide de *was / were + -ing.*

> I **was reading.** **Was** your brother **watching** TV ?
> *Je lisais.* *Est-ce que ton frère regardait la télé ?*

2. Emploi

Le présent progressif s'emploie pour indiquer qu'une action était en train de se produire à un moment du passé.

> 'What **were you doing** at eight o'clock yesterday evening ?' 'I **was watching** TV.'
> *"Que faisiez-vous hier soir à huit heures ?" "Je regardais la télé."*

Le prétérit progressif s'emploie fréquemment en contraste avec le prétérit simple. Le prétérit progressif désigne alors une action qui était en cours, et le prétérit simple un fait nouveau qui s'est produit.

> She **was walking** in a deserted street. Suddenly she **heard** a footstep.
> *Elle marchait dans une rue déserte. Soudain elle entendit un pas.*

> When I **arrived,** he **was repairing** his car.
> *Quand je suis arrivé, il était en train de réparer sa voiture.*

Le prétérit progressif ne s'emploie pas normalement pour parler d'habitudes ou d'actions répétées au passé. Ces idées s'expriment par le prétérit simple.

We **often went** to Greece when I was a child. (*Et non* ~~We were often going...~~)

Nous allions souvent en Grèce quand j'étais petit.

He **tried seven times** without success. (*Et non* ~~He was trying...~~)

Il a essayé sept fois sans succès.

EXERCICE

Prétérit simple ou progressif ?

1. When I ... round, he ... my bicycle away. (look ; take)
2. He ... up the stairs when he ... a scream. (go ; hear)
3. I ... along a deserted road. Suddenly I ... a big dog. (walk ; see)
4. She ... while I ... a bath (phone ; have)
5. Yesterday Mr. Jones ... home at 8.30. He ... black jeans. (leave ; wear)
6. While I ... a newspaper Alice ... into the shop. (buy ; come)
7. I ... to the cinema much more often last year than this year. (go)
8. I ... Betty in the park. She ... to a very strange man. (meet ; talk)

Remarque

Certains verbes n'ont pas de formes progressives (voir 310²). Avec ces verbes, on emploie toujours un temps simple, même si, d'après le sens, il faudrait normalement un temps progressif.

I knew her very well, but when she walked in I **didn't recognize** her. (*Et non* ~~I was knowing her...~~)

Je la connaissais très bien, mais lorsqu'elle est entrée je ne l'ai pas reconnue.

321 Le present perfect simple : formation

Le present perfect simple se forme comme le passé composé français : avec *"have / has* + participe passé*"*. (Aucun verbe anglais ne se conjugue avec *to be* au present perfect.)

I've started. **She hasn't arrived.** **Have you finished ?**

EXERCICE

Mettez ces verbes au present perfect :

1. He / to steal...
2. They / to find...
3. I / to lose...
4. We / not / to show...
5. You / to do ... ?
6. She / to think ... ?
7. I / not / to come
8. You / not / to have ... ?

Remarque

Pour l'emploi du present perfect simple, voir section suivante.

322 Le present perfect simple : emploi

(Comparaison avec le prétérit simple)

Le present perfect n'est pas l'équivalent du passé composé français. Celui-ci se traduit soit par le prétérit simple, soit par le present perfect simple, selon le contexte.

1. Le moment de l'action n'est pas indiqué

a. On emploie le **present perfect simple** pour indiquer une relation entre un événement passé et la situation présente. Il s'emploie, par exemple, souvent dans les bulletins d'information (où l'on parle d'événements qui ont toujours une importance actuelle). Une phrase au present perfect peut souvent se remplacer par une phrase au présent.

> Fire **has broken** out on a ship in the Channel. (= There is a fire now...)
> *Un incendie a éclaté sur un bateau dans la Manche.*

> I'm delighted to tell you that you **have passed** your exam. (= You have a diploma now.)
> *Je suis ravi de vous dire que vous avez réussi votre examen. (= Vous êtes reçu.)*

> I can't go on holiday with you because **I've broken** my leg. (= My leg is broken.)
> *Je ne peux pas partir en vacances avec vous parce que je me suis cassé une jambe.*

b. Lorsqu'il n'y a pas de rapport entre une action terminée et le moment présent, il faut employer le **prétérit**.

> Shakespeare **lived** in Stratford and London.
> *Shakespeare a vécu à Stratford et à Londres.*

> My father **worked** in a factory.
> *Mon père a travaillé dans une usine.*

> Tom **died** in a road accident.
> *Tom est mort dans un accident de la route.*

2. Le moment de l'action est indiqué par une expression temporelle

a. On emploie le **present perfect** avec des adverbes comme *ever, never, already, yet*, qui expriment l'idée de "jusqu'à présent". On l'emploie également quand l'idée de *ever* (= "déjà") est sous-entendue.

> **Have you ever read** 'Hamlet' ?
> *Est-ce que vous avez déjà lu "Hamlet" ?*

> **Have you (ever) been** to Germany ?
> *Êtes-vous déjà allé en Allemagne ?*

> **I've already seen** that film.
> *J'ai déjà vu ce film.*

Notez que tous ces exemples expriment une idée quasi présente :

"Connaissez-vous "Hamlet" ?" - "Connaissez-vous l'Allemagne ?"
- "Je connais ce film."

b. On emploie le **prétérit** avec des expressions comme *yesterday, last week, two years ago, when I was young,* etc., qui se rapportent à un passé fini.

> I **drank** too much **last night.**
> *J'ai trop bu hier soir.*
>
> He **played** a lot of tennis **when he was young.**
> *Il a fait beaucoup de tennis quand il était jeune.*

Comparez :

> '**Have you read** 'War and Peace' ? (= Do you know it ?) 'Yes, I **read** it **last year.**'
> *"Avez-vous lu "Guerre et Paix" ?" "Oui, je l'ai lu l'année dernière."*

EXERCICE ————————————————————————————

Present perfect simple ou prétérit simple ?

1. Aunt Mary ... to stay with us last week. (come)
2. When I was a child, I ... fish. (hate)
3. He can't stand up because he ... too much. (drink)
4. You can't see her now - she ... out. (go)
5. Who ... The Brothers Karamazov ? (write)
6. Susan ... me yesterday. (leave)
7. I ... never ... your husband. (meet)
8. I'm sorry to tell you that your brother ... an accident. (have)
9. ... you ever ... to Scotland ? (go)
10. I ... a lot in my life, but I don't know the USA at all. (travel)

Remarques

1. Pour l'emploi du present perfect simple avec *just* (ex. : *She's just gone out*), voir 180[1].

2. Pour la structure *This is the first time I have...*, voir 324.

——————————————————— **RAPPEL** ———————————————————

PRESENT PERFECT	PRÉTÉRIT
I've lost my keys. *J'ai perdu mes clés.* (= Je ne les ai pas en ce moment.)	**I lost** my keys yesterday. *J'ai perdu mes clés hier.*
He's travelled a lot. *Il a beaucoup voyagé.* (= jusqu'à présent)	**He travelled** a lot when he was young. *Il a beaucoup voyagé quand il était jeune.*
Bill Kendall **has written** a lot of plays. *Bill Kendall a écrit beaucoup de pièces.* (Il est vivant.)	Shakespeare **wrote** a lot of plays. *Shakespeare a écrit beaucoup de pièces.* (Il est mort.)

323 Le present perfect progressif

Formation

Le present perfect progressif se forme à l'aide de *have / has been +* *-ing*.

He has been working.   **Have** your parents **been travelling ?**

Emploi

1. Ce temps s'emploie surtout pour parler d'actions et de faits qui ont commencé dans le passé et qui continuent dans le présent, ou qui viennent de s'achever.

> **I've been working** all day.
> *J'ai travaillé toute la journée (= aujourd'hui).*

2. Pour traduire "depuis", on emploie *for* ou *since*. *For* s'emploie pour une durée, *since* pour un point de départ, voir 120. Notez que le present perfect progressif correspond souvent à un présent français.

> **He's been living** in London **for** three years. (*Et non* He lives... *ou* He's living...)
> *Il habite Londres depuis trois ans.*
>
> **We've been learning** English **since** 19.. . (*Et non* We are learning...)
> *Nous apprenons l'anglais depuis 19.. .*
>
> **I've been waiting** for you **for** ages.
> *Ça fait une éternité que je t'attends.*

3. Les verbes qui n'ont pas de forme progressive (ex.: *to be, to know, to have, to want, to like,* voir 310²) se mettent au present perfect simple.

> **I've known** Dave **since** September. (*Et non* I know...)
> *Je connais Dave depuis septembre.*
>
> **I've been** here **for** hours (*Et non* I'm here...)
> *Je suis là depuis des heures.*

EXERCICES

1. *Mettez ces verbes au present perfect progressif :*

1. I / to live...
2. He / to make...
3. ... they / to watch... ?
4. It / to snow...
5. ...you / to read... ?
6. We / to sit...

2. *Traduisez en anglais :*

1. Elle habite Paris depuis trois ans.
2. J'apprends la guitare depuis janvier.
3. Je connais Fred depuis longtemps (= a long time).
4. Il a plu toute la journée (aujourd'hui).
5. Tu travailles ici depuis combien de temps ? (How long ... ?)
6. Nous avons marché tout l'après-midi, arrêtons-nous.

Remarques

1. La structure "present perfect + *for / since*" correspond souvent, en français parlé, à "Il y a ... que ..." ou "Ça fait ... que ...". Notez que ces deux tournures peuvent toujours se remplacer par une phrase avec "depuis".

> **I've been waiting** for her **for** two hours.
> *Il y a / ça fait deux heures que je l'attends.*
> *(= Je l'attends depuis deux heures.)*

2. On n'emploie pas un temps progressif :
a. pour exprimer l'idée de répétition
b. pour dire que quelque chose ne s'est pas passé pendant une période donnée.

> **I've seen** Anne three times **since** Tuesday.
> *J'ai vu Anne trois fois depuis mardi.*

> **I haven't eaten for** three days.
> *Je n'ai pas mangé depuis trois jours.*

324 Present perfect après this is the first time, etc.

Après des expressions comme *This is the first time (that)...* (= "C'est la première fois que...") on emploie le present perfect simple en anglais. En français, il y a le présent.

> **This is** the first time **I've been** here. (*Et non* ... ~~that I am here.~~)
> *C'est la première fois que je me trouve ici.*

> **It's** the third time **I've heard** her sing.
> *C'est la troisième fois que je l'entends chanter.*

EXERCICE

Mettez le verbe à la forme qui convient :

1. This is the first time I ... curry. (to eat)
2. That's the tenth beer you ... tonight. (to drink)
3. It's the second time we ... this film. (to see)
4. These are the first cherries I ... this year. (to buy)

Remarque

Après *It was the first time,* etc., ...(*that*)..., on met le pluperfect (voir 325). En français, il y a alors l'imparfait.

> **It was** the first time **I had seen** her.
> *C'était la première fois que je la voyais.*

325　Le pluperfect simple

Formation

Le pluperfect (ou "past perfect") simple se forme toujours avec
"*had* + participe passé".

> I **had lost**　　she **had fallen**
> *j'avais perdu*　　*elle était tombée*

Emploi

1. Le pluperfect simple correspond généralement au plus-que-
parfait français. Lorsque, en parlant d'un moment du passé, on se
réfère à un passé antérieur, on emploie le pluperfect simple pour
parler du moment le plus ancien.

> I went back to the place where I **had** first **met** her.
> *Je suis retourné à l'endroit où je l'avais rencontrée pour la première fois.*

> We did not understand what **had happened.**
> *Nous ne comprenions pas ce qui s'était passé.*

> He said that **he'd forgotten** his money. (*Et non* ... ~~that he has...~~)
> *Il a dit qu'il avait oublié son argent.*

2. "Je venais (juste) de..." = *I had just* + participe passé.

> I **had just begun** to work.
> *Je venais (juste) de commencer à travailler.*

EXERCICE ————————————————————

Traduisez en anglais :
1. Je ne savais pas où elle était allée.
2. Je l'ai regardé. C'était (= He was) l'homme qui m'avait souri dans le train.
3. J'ai dit que je n'avais rien entendu.
4. Elle pensait qu'il ne l'avait jamais aimée.
5. Je venais juste de sortir.
6. Il s'est rendu compte qu'il n'avait pas pris le bon chemin (= the right way).

Remarque

On emploie parfois le plus-que-parfait français pour parler d'un
moment antérieur au moment **présent**. Le pluperfect est alors
impossible, il faut employer le prétérit.

> 'Here**'s** your steak, Madam.' 'But I **ordered** a chop.' (*Et non* ...
> ~~I had ordered...~~)
> *"Voici votre steak, madame." "Mais j'avais commandé une côtelette !"*

326 Le pluperfect progressif

Le pluperfect progressif (*had been* + *-ing*) s'emploie avec *for* et *since* dans des cas où il y a un imparfait en français.

> They **had been waiting for** two hours.
> *Ils attendaient depuis deux heures.*

EXERCICE

Traduisez en anglais :

1. Nous marchions depuis des heures.
2. Il neigeait depuis le matin.
3. Je travaillais depuis midi.
4. Elle était malade depuis plusieurs jours.

327 Temps passé, sens futur ou présent

Un temps passé s'emploie parfois pour parler d'une éventualité relative au **futur** (cf. 1er exemple) ou pour décrire une situation imaginaire relative au moment **présent** (cf. 2e exemple).
C'est le cas après *if* (comme en français).

> **If** you **came tomorrow** I would have more time to see you.
> *Si tu venais demain j'aurais plus de temps pour te voir.*

> **If** I **had** a lot of money... (= **now**)
> *Si j'avais beaucoup d'argent... (= maintenant)*

C'est aussi le cas après les expressions *I'd rather* (= ″Je préfèrerais que″), *It's time* (= ″Il serait temps que″) et *I wish* (= ″Si seulement... !).

> **I'd rather** you **came** tomorrow.
> *Je préfèrerais que tu viennes demain.*

> **It's time** you **went** home.
> *Il serait temps que tu rentres.*

> **I wish** I **had** a lot of money !
> *Si seulement j'avais beaucoup d'argent... !*

EXERCICE

Mettez les verbes à la forme qui convient :

1. If he ... start on Monday, it would be fine. (can)
2. It's time you ... that life is not a bed of roses. (to understand)
3. I'd rather she ... to the party. (not to come)
4. I wish I ... on another planet sometimes. (to live)

328 Comment traduire les principaux temps français ? (Synthèse)

1. Le présent français

Il peut correspondre :

1. Au présent simple (présent d'habitude ; voir 311-312).

> **I often go** to bed early.
> *Je me couche souvent de bonne heure.*

> What **do you do** on Saturdays ?
> *Qu'est-ce tu fais le samedi ?* (= tous les samedis)

2. Au présent progressif (action en cours ou futur proche ; voir 313-314 et 127).

> Damn ! **It's raining.**
> *Zut ! Il pleut.*

> What **are you doing** on Saturday ?
> *Qu'est-ce que tu fais samedi ?* (= samedi prochain)

3. Au present perfect (action commencée dans le passé et qui continue dans le présent ; voir 323).

> **We've been living** here **since** Christmas.
> *Nous habitons ici depuis Noël.*

> **I've known** him **for** two months.
> *Je le connais depuis deux mois.*

4. A un verbe avec shall (suggestion, voir 283²) **ou will** (action décidée sur le moment même ou nuance de volonté, voir 129¹ et 349).

> **Shall I take** you home ?
> *Je vous raccompagne ?*

> 'There's the doorbell.' 'I'll go.'
> "*On sonne.*" "*J'y vais.*"

> 'What **will you have ?**' 'A coke.'
> "*Qu'est-ce que tu prends ?*" "*Un coca.*"

EXERCICE ──────────────────────────────────

Traduisez en anglais :

1. "Qu'est-ce que tu fais ?" "J'écris à Bob."
2. Je vais à Londres l'été prochain.
3. Je fais la vaisselle tous les matins.
4. J'ai la même voiture depuis des années.
5. J'attends depuis midi.
6. Arrête de pleurer ou je te mets au lit (= put ... to bed).
7. "On va au cinéma ?" "Si tu veux."
8. Qu'est-ce que tu fais demain ?

---

2. L'imparfait français

Il peut correspondre :

1. Au prétérit simple (habitude passée sans rapport avec le moment présent ; voir 318-319).

> When I was young, **I often went** dancing.
> *Quand j'étais jeune, j'allais souvent danser.*

2. Au prétérit progressif (action passée en cours ; voir 320).

'What were you doing last night at 7 ?' 'I was watching TV.'
"Que faisiez-vous hier soir à 7 heures ?" "Je regardais la télé."

3. Au pluperfect (avec *for* ou *since ;* voir 326).

We'd been walking for hours.
Nous marchions depuis des heures.

EXERCICE ──────────────────────────

Traduisez en anglais :
1. En 1960, je vivais avec Mary.
2. Je la connaissais depuis très long-temps.
3. Je travaillais chez (= for) Barford.
4. J'allais très souvent en Angleterre en ce temps-là (= in those days).

3. Le passé composé français

Il peut correspondre :

1. Au prétérit simple (action passée sans rapport avec le présent, voir 318-319 et 15).

I met Jane **last summer.**
J'ai rencontré Jane l'été dernier.

He died three years **ago.**
Il est mort il y a trois ans.

2. Au present perfect simple

a. action passée qui a un rapport avec le moment présent (voir 321-322).

'**Have you seen** Paul ?' 'No, why ?'
"Est-ce que tu as vu Paul ?" "Non, pourquoi ?"
(= Est-ce que tu sais où il est ?)

b. action répétée jusqu'au moment présent ou qui n'a pas été faite jusqu'à présent (éventuellement avec *for* ou *since*).

We've eaten fish every day **since** Sunday.
Nous avons mangé du poisson tous les jours depuis dimanche.

I haven't read a paper **for** weeks.
Je n'ai pas lu un journal depuis des semaines.

3. Au present perfect progressif (action qui continue dans le présent ou vient juste de s'achever ; voir 323).

I've been working all day.
J'ai travaillé toute la journée.

EXERCICE ──────────────────────────

Traduisez en anglais :
1. "Qu'est-ce que tu as fait hier soir ?" "J'ai écouté des disques."
2. "Es-tu déjà allé en Allemagne ?" "Non, jamais."
3. Je suis allé à Londres à Noël.
4. J'ai lu toute la journée (aujourd'hui).
5. Je n'ai pas écrit à Tom depuis trois mois.
6. "Excuse-moi, j'ai oublié ton nom." "Daniel."

247

4. Le plus-que-parfait français

1. Il correspond généralement au **pluperfect** (voir 325).

> I **had** never **eaten** so well.
> *Je n'avais jamais aussi bien mangé.*

2. Dans certains cas, il se traduit par un **prétérit** (voir 325, Remarque).

> I **asked** you to buy cherries, not strawberries !
> *Je t'avais demandé d'acheter des cerises, pas des fraises !*

5. Le futur français

1. Il correspond le plus souvent à *"will +* infinitif sans *to"* (voir 126).

> **He'll be** twenty in January.
> *Il aura vingt ans en janvier.*

2. Après *when, as soon as, while,* etc. (voir 133¹), il se traduit par un présent.

> **When I'm** famous, I'll write my memoirs.
> *Quand je serai célèbre, j'écrirai mes mémoires.*

6. Le conditionnel français

1. Il correspond généralement à *"would +* infinitif sans *to"* (voir 74).

> If I could, I **would travel** all the time.
> *Si je pouvais, je voyagerais tout le temps.*

2. Après *when, as soon as, while,* etc. (voir 133²), il se traduit par le prétérit.

> I told her to stop **when she was** tired.
> *Je lui ai dit de s'arrêter quand elle serait fatiguée.*

329   The : introduction

1. Prononciation

● *The* se prononce normalement [ðə] devant une consonne, et [ði:] devant une voyelle.

> **the c**ar [ðə kɑː(r)]   **the h**orse [ðə hɔːs]
> *la voiture*   *le cheval*

> **the a**ccident [ði: ˈæksidənt]   **the o**ffice [ði: ˈɔfis]
> *l'accident*   *le bureau*

● Attention ! On dit [ðə] devant un *-u* prononcé [ju:] et [ði:] devant un *-h* qui ne se prononce pas.

> **the u**nion [ðəˈjuːniən]   **the u**niversity [ðə juːniˈvəːsəti]
> *le syndicat*   *l'université*

> **the h**our [ði: ˈauə(r)]   **the h**onest answer [ði: ɔnistˈɑːnsə(r)]
> *l'heure*   *la réponse honnête*

248

(*Union* et *university* commencent phonétiquement par une consonne ; *hour* et *honest* par une voyelle.

2. Emploi

The s'emploie généralement comme "le / la / les" en français.

the government
le gouvernement

the stars
les étoiles

the sun
le soleil

the sea
la mer

the human race
la race humaine

the English language
la langue anglaise

The guests are here.
Les invités sont là.

I live in **the** country.
J'habite à la campagne.

Who invented **the** telephone ?
Qui a inventé le téléphone ?

Mais dans certaines circonstances, on omet l'article *the* en anglais. Pour les détails, voir les sections suivantes.

330 The : omission dans les généralisations

On n'emploie pas *the* dans les généralisations.

I like **nature**.(*Et non* ... ~~the nature.~~)
J'aime la nature (en général).

I don't like **towns**. (*Et non* ... ~~the towns.~~)
Je n'aime pas les villes (en général).

Comparez :

I like **music** very much.
J'aime beaucoup la musique. (= la musique en général)

I didn't like **the music of the film.**
Je n'ai pas aimé la musique du film. (= une musique précise)

Autres exemples :

People are fascinating.
Les gens sont fascinants.

Life is hard.
La vie est dure.

Meat is expensive.
La viande est chère.

society
la société

space
l'espace (= le cosmos)

EXERCICE

Mettez the *là où c'est nécessaire. Ne mettez rien dans les généralisations :*

1. Could you shut ... door, please ?
2. These days, ... hotels are very expensive.
3. ... people are more interesting than ... books.
4. Did you like ... books that I gave you ?
5. The origin of ... life is a mystery.
6. I'm studying ... life of Beethoven.
7. ... milk contains a lot of protein.
8. Did you remember to put ... milk in ... fridge ?

Remarques

1. Dans les exemples ci-dessus, il s'agit de généralisations avec des indénombrables (ex. : *nature*) ou des noms pluriels (ex. : *books*). Avec des dénombrables au singulier (ex. : *telephone, guitar)*, on peut parfois généraliser, comme en français, avec l'article.

> Who invented **the telephone ?**
> *Qui a inventé le téléphone ?*

> **The** guitar is easier than **the** violin.
> *La guitare est plus facile que le violon.*

2. Notez l'emploi de *the* dans les expressions suivantes : *the sea, the country, the mountains ; the cinema, the theatre ; the piano, the guitar,* etc. ; *the government.*

331   The : cas spéciaux

1. *The* ne s'emploie pas dans la combinaison "titre + nom propre".

> **Queen Elizabeth**
> *La Reine Elizabeth*

> **President Kennedy**
> *Le Président Kennedy*

On dira par contre : *the Queen - the President.*

2. Dans des expressions comme *Oxford University* (qui se réfèrent aux grands bâtiments d'une ville), on n'emploie pas *the.*

> **Cambridge University**
> *L'université de Cambridge*

> **Lincoln Town Hall**
> *L'Hôtel de Ville de Lincoln*

3. On n'emploie pas *the* devant les noms propres à la forme possessive.

> **John's** coat
> *le manteau de John*

> **Julie's** brother
> *le frère de Julie*

4. "Le mien", "le vôtre", etc. = *mine, yours,* etc. (et non ~~the mine,~~ etc.). (Voir 252.)

5. Les noms de repas, *breakfast, lunch, tea, dinner, supper,* s'emploient souvent sans article.

> What time do you have **breakfast** ?
> *Vous prenez votre petit déjeuner à quelle heure ?*

> **Dinner's** ready.
> *A table ! (= Le dîner est servi.)*

6. Il en est de même pour les noms de jeux et de sports.

> 'Where's Arthur ?'
> *"Où est Arthur ?"*

> 'He's playing **tennis.**'
> *Il joue au tennis.*

7. *The* ne s'emploie ni avec les noms de langues, ni avec les noms de pays (à quelques exceptions près).

French is threatened.   **France**
Le français est menacé.   *La France*

(The French = "les Français" ; voir 10[3].)
The s'emploie dans les quelques noms de pays qui contiennent un nom commun.

The United **States**	**The** Soviet **Union**	**The Netherlands**
Les États-Unis	*L'Union Soviétique*	*Les Pays-Bas*

8. *The* ne s'emploie pas dans les expressions *next Monday / Tuesday / week / month / July / September / term / year,* etc., et *last Monday / Tuesday week,* etc. (Pour *the next Monday,* etc., voir 213.)

I saw her **last week.**   We're moving **next year.**
Je l'ai vue la semaine dernière.   *Nous déménageons l'année prochaine.*

9. "Le samedi", "le lundi", etc., se traduisent sans article (mais avec une préposition).

I always go to the country **on Saturday(s).**
Je vais toujours à la campagne le samedi.

10. Il y a un certain nombre d'expressions fixes où une préposition est suivie d'un nom sans article. En voici quelques-unes parmi les plus fréquentes :

at / to / from school	at / to university
in / to / out of prison	at / to / from work
in / to / out of bed	at night
at / from home	by car / train / etc.
to go to sleep (= *s'endormir*)	on holiday (= *en vacances*)

11. Les expressions comme "Il a les yeux bleus", "elle a les joues roses" peuvent se traduire en anglais de deux façons différentes. L'article *the* ne s'emploie pas.

He's got blue eyes.   She's got pink cheeks.
His eyes are blue.   **Her** cheeks are pink.
Il a les yeux bleus.   *Elle a les joues roses.*

EXERCICE ———————————————————————

Traduisez en anglais :

1. le roi David (1)
2. la gare de Folkestone (2)
3. la maison de Mary (3)
4. "C'est votre manteau ?" "Non, le mien est noir." (4)
5. Voulez-vous déjeuner avec moi ? (5)
6. Je joue toujours au football le samedi. (6, 9)
7. L'anglais est une très belle langue. (7)
8. Je serai en vacances la semaine prochaine. (10, 8)
9. Elle a les cheveux blonds. (11)
10. Mardi prochain, la reine Elizabeth prendra le thé à l'Hôtel de Ville de Portsmouth. (8, 1, 5, 2)

332 There is, there are, etc.

1. *There* is = "Il y a" + singulier ; *there are* = "il y a" + pluriel.

There's a woman at the door.
Il y a une femme à la porte.

There are two cats in the garden.
Il y a deux chats dans le jardin.

2. Pour traduire "il y aura", "il y avait", etc., il suffit de mettre *there* puis *to be* au temps qui convient.

● *There will be* = "il y aura".

There will be rain.
Il y aura de la pluie.

● *There would be* = "il y aurait".

He told us that **there would be** some problems.
Il nous a dit qu'il y aurait des problèmes.

● *There was / were* = "il y avait"/"il y a eu".

There was a lot of noise.
Il y avait beaucoup de bruit.

There were hundreds of guests.
Il y avait des centaines d'invités.

3. *There* peut être suivi d'un auxiliaire modal + *be*.

There must be a solution.
Il doit y avoir une solution.

There should be a policeman here.
Il devrait y avoir un agent de police ici.

There can't be any more.
Il ne peut pas y en avoir davantage.

4. Les questions se forment ainsi : *Is there ... ? - Are there ... ? - Will there be ... ?* etc.
Et les négations : *There is not (isn't) - There are not,* etc.

EXERCICE ────────────────────────────

Traduisez en anglais :

1. Il y aura une réunion (= a meeting) demain.
2. Il n'y a pas eu de courrier (= post).
3. Il y avait beaucoup d'oiseaux dans le jardin.
4. Combien y a-t-il de maisons dans le village ?
5. Il y a eu une bonne émission (= programme) à la télé hier soir.
6. Il n'y a rien pour vous.
7. Il devrait y avoir une piscine ici.
8. Il doit y avoir une clé (= a key) quelque part.

Remarques

1. N'employez pas *it* et *they* dans les traductions de "il y a", etc. "Il y avait beaucoup de monde" = *There were a lot of people*, et non ~~They were a lot...~~ . "Il y a un problème" = *There is a problem*, et non ~~It is...~~ .

2. On peut contracter *there is (= there's)* mais non *there are.*

3. Notez également l'expression *there used to be* = "avant"/"autrefois, il y avait". (Voir 339.)

> **There used to be** a wood here.
> *Avant, il y avait un bois ici.*

4. Pour l'autre sens de "il y a" (= *ago*), voir 161[2].
Pour "il y a ... que ...", voir 161[3].

333 There are ... of ...

"Nous sommes quatre" = *there are four of us* (et non *we are four*). Cette expression existe à tous les temps mais elle est surtout fréquente au présent, au prétérit et au futur.

> **There are** eight **of** them.   **There were** ten **of** us.
> *Ils sont huit.*   *Nous étions dix.*
>
> **There will be** a lot **of** us.
> *Nous serons nombreux.*

Remarque

- "Ils étaient nombreux" = *there were a lot of them.*
                          (et non ~~they were numerous~~)
- "Combien êtes-vous ?" = *How many of you are there ?*

EXERCICE

Traduisez en anglais :
1. Nous sommes six dans ma famille.
2. Nous sommes nombreux.
3. Ils étaient cinq.
4. Combien serez-vous ?

334 Think

Think est rarement suivi d'un infinitif. On préfère utiliser une structure avec *that,* ou (quand on parle de projets) avec *of + -ing.*

> **I thought that I understood** her, but ...
> *Je pensais/croyais la comprendre, mais...*
>
> **I think (that) I've found** a solution.
> *Je crois avoir trouvé une solution.*
>
> **We're thinking of going** to Scotland next week.
> *Nous pensons aller en Ecosse la semaine prochaine.*

EXERCICE

Traduisez en anglais :
1. Elle croyait être à Coventry, mais en fait (= in fact) elle était à Wolverhampton.
2. On pense passer Noël en Italie. (on = we)
3. Je ne pensais pas te trouver ici. (= ... que je te trouverais).
4. Il croit bien parler allemand.

Remarques

1. En réponse à une question, "je crois / je pense" se traduit par *I think so.* (Voir 292.)

2. "Je crois" ne se traduit par *I believe* que lorsqu'il s'agit d'une foi ou d'une croyance (en Dieu, en la parole de quelqu'un, etc.).

> **I believe in God.**
> *Je crois en Dieu.*

> **I don't believe you.**
> *Je ne te crois pas.*

335   This, that, these et those

En anglais on fait une distinction assez nette entre *this* (pluriel *these*) et *that* (pluriel *those*).

1. *This* s'emploie pour parler d'un objet qui se trouve près de la personne qui parle, *that* s'emploie dans les autres cas. Comparez :

> — **I like this poster.**
> *J'aime ce poster.* (Il est près de moi.)
>
> **I don't like that one.**
> *Je n'aime pas celui-là.* (Il est plus loin.)
>
> — **Look at these ear-rings !**
> *Regarde ces boucles d'oreilles !* (Elles sont sur la personne qui parle.)
>
> **Look at those ear-rings !**
> *Regarde ces boucles d'oreilles .* (Elles sont sur quelqu'un d'autre.)

2. *This* s'emploie également pour parler du présent ou du futur proche et *that* pour parler du passé. Comparez :

> — **I'll always remember this day.** (= today)
> *Je n'oublierai jamais cette journée.* (= aujourd'hui)
>
> **I'll always remember that day** (= in the past).
> *Je n'oublierai jamais cette journée (là).*
>
> — **Listen to this record, you'll like it.**
> *Écoute ce disque, tu vas l'aimer.*
>
> **That was nice.**
> *C'était beau !*

EXERCICE

Mettez this, that, these *ou* those :

1. Come and look at ... pictures.
2. Who are ... people across the street ? I'm sure I know them.
3. I didn't like ... music very much.
4. Sit down and listen to ... - it's important.
5. Do you remember ... holiday in 1948 ?
6. ... is a wonderful holiday - I'm having a splendid time.
7. I'm having trouble with ... maths exercise - can you help me ?
8. What did you think of ... film yesterday ?

Remarque

Notez également ces deux expressions temporelles :
- *these days* = "ces temps-ci" (et non ~~"ces jours-ci"~~)
- *in those days* = "en ce temps-là" ou "à cette époque-là".

336 Travel, journey et trip

Ne confondez pas ces trois noms.

1. *Travel* = "les voyages en général". C'est un indénombrable (voir 214), qui s'emploie sans article et (normalement) au singulier.

> **Air travel is** becoming very expensive.
> *Les voyages en avion deviennent très chers.*

2. "Un voyage" = *a journey*, et non ~~a travel.~~

> Did you have **a** good **journey ?**
> *Est-ce que vous avez fait un bon voyage ?*

3. *A trip* s'emploie pour parler d'un voyage de relativement courte durée et signifie généralement "voyage + séjour".

> I've just been on **a business trip** to Copenhagen.
> *Je viens de faire un voyage d'affaires à Copenhague.*

> When we were in Morocco we made **a trip** to Tinehrir.
> *Quand nous étions au Maroc nous avons fait un petit voyage à Tinehrir.*

EXERCICE _____

Mettez travel, journey *ou* trip :
1. The ... was long and very tiring.
2. Cheap ... has opened the world to young people.
3. I go on a business ... to London every month.
4. I'd like to go on a long ... through the USA.

Remarques

1. Le verbe "voyager" = *to travel.* "J'aime voyager / les voyages" se traduit le plus souvent par *I like travelling.*

2. "Faire un voyage" peut se traduire de plusieurs façons :
— *to go on a journey* ou *to go on / make a trip,* au sens de "partir en voyage" ;
— *to have a good / bad journey* (ou *trip*), au sens de "faire un bon / mauvais voyage".

3. *A voyage* signifie uniquement "un voyage en bateau".

337 Comment traduire "trop" ?

1. Devant un adjectif (sans nom) ou un adverbe, "trop" = *too.*

> It's **too cold.**   She drives **too fast.**
> *Il fait trop froid.*   *Elle conduit trop vite.*

2. Dans les autres cas, "trop (de)" = *too much* ou *too many.*
Too much s'emploie avec un nom singulier (exprimé ou sous-

entendu), et comme adverbe. *Too many* s'emploie devant un pluriel (exprimé ou sous-entendu).

> He's got **too much money.**
> *Il a trop d'argent.*

> 'Can you drink all that ?' 'No, **it's too much.**'
> *"Tu peux boire tout ça ?" "Non, il y en a trop."*

> She **talks too much.**   There are **too many people here.**
> *Elle parle trop.*   *Il y a trop de gens ici.*

> 'How many **girlfriends** have you got ?' 'Far too many.'
> *"Tu as combien d'amies ?" "Beaucoup trop."*

EXERCICE

Traduisez en anglais :
1. trop chaud
2. trop de neige
3. trop de chats
4. Il fume trop. (= *en général*)
5. trop lentement
6. trop de travail
7. C'est trop cher.
8. N'en prends pas trop. (*Il s'agit de chocolats.*)

---

338   Try + to - infinitif ou -ing

1. *Try + to*-infinitif = "essayer", au sens de "faire un effort".

> I **tried to understand** what she was saying.
> *J'ai essayé de comprendre ce qu'elle disait.*

2. *Try + -ing* = "essayer", au sens de "tenter une expérience".

> I **tried mixing** gin with champagne to see what would happen.
> *J'ai essayé de mélanger du gin et du champagne, pour voir ce que ça donnerait.*

EXERCICE

Mettez l'infinitif avec to *ou la forme en -ing :*
1. Try ... smoking - it's very important. (stop)
2. If you can't light the fire, try ... paraffin. (use)
3. I tried ... twenty kilometres, but it was too far. (run)
4. 'I don't know what to do.' 'Try ... to music.' (listen)
5. 'I don't want to listen to music.' 'Then try ... an interesting book'. (find)
6. I'm going to try ... a very difficult exam this year. (pass)

Remarque

Au présent et à l'impératif, *try* est souvent suivi, en anglais parlé, d'une structure avec *and* au lieu d'un infinitif avec *to*.

> **Try and find** some friends.
> *Essaie de trouver des amis.*

339 Used to [ju:st tə]

Used to s'emploie pour parler de faits passés qui ne se produisent plus maintenant. *Used to* = "avant, autrefois + imparfait".

They **used to live** in Manchester. Now they live in London.
Avant, ils habitaient à Manchester. Maintenant ils habitent à Londres.

People **used to work** much more than they do now.
Autrefois, les gens travaillaient beaucoup plus que maintenant.

Les questions et les négations peuvent se construire avec ou sans *did*. (La construction avec *did* est plus fréquente dans la langue parlée.)

Where **did you use to** live before you came here ? (*Ou* Where used you to ... ?)
Où est-ce que vous habitiez avant de venir ici ?

I **didn't use to** like classical music, but now I do. (*Ou* I used not to ...)
Avant, je n'aimais pas la musique classique, mais maintenant j'aime bien ça.

Remarques

1. Attention à la prononciation. Dans la tournure *used to, used* se prononce [ju:st], et non [ju:zd], comme pour le verbe *to use*.

2. *Used to* n'existe pas au présent. Pour parler d'habitudes actuelles, il suffit d'employer le présent simple (voir 312).

EXERCICES

1. *Transformez les phrases suivantes en employant* used to.
Exemple : He's rich. (poor)
    He used to be poor.
1. I like dancing. (hate)
2. We live in Edinburgh. (Glasgow)
3. I smoke two cigarettes a day. (twenty)
4. I'm quite good at English. (bad).

2. *Traduisez en anglais :*
1. Avant, j'étais très grosse. (= fat)
2. Avant, mon frère faisait du piano.
3. Autrefois, les gens voyageaient très peu. (= very little)
4. Avant, je n'aimais pas la nature. (= nature)

340 To be used to (... -ing)

1. *To be used to* = "être habitué à" ; *to get used to* = "s'habituer à".

I'm **used to** Paris traffic.
Je suis habitué à la circulation de Paris.

It takes a long time **to get used to** a new school.
Il faut longtemps pour s'habituer à une nouvelle école.

2. Lorsque *to be / get used to* est suivi d'un verbe, celui-ci se met à

la forme en -*ing* (dans cette tournure, *to* est une préposition, et les prépositions sont toujours suivies de -*ing*).

I'm used to driving in Paris.
Je suis habitué à la conduite dans Paris.

I'll never **get used to living** in England.
Je ne m'habituerai jamais à vivre en Angleterre.

EXERCICE

Traduisez en anglais :

1. Il est difficile de s'habituer à une nouvelle voiture.
2. Je ne suis pas habitué à cette machine à écrire (= typewriter).
3. Je suis habitué à la solitude (= loneliness).
4. Elle s'est habituée à sa nouvelle vie petit à petit (= little by little).
5. Je suis habitué à voyager.
6. J'espère que je m'habituerai à vivre aux États-Unis.

Remarque

Notez que "Je suis habitué"/"J'ai l'habitude" (sans complément) se traduit en anglais par *I'm used to it / them*, selon le contexte. (On ne peut pas dire seulement ~~I'm used~~).

341 Verbes à deux compléments

1. Certains verbes peuvent être suivis de deux compléments d'objet : un complément direct (CD) et un complément indirect (CI).

CD   CI
I bought **some flowers for the secretary.**
J'ai acheté des fleurs pour la secrétaire.

CI   CD
The manager sent **him a telegram.**
Le directeur lui a envoyé un télégramme.

● Le complément indirect **précède** souvent le complément direct. En ce cas, il n'y a pas de préposition.

CI   CD
She sent **her mother** a present.
Elle a envoyé un cadeau à sa mère.

I bought **Susie** a toy.
J'ai acheté un jouet pour Susie.

Give **Henry** the parcel.
Donne le paquet à Henry.

She gave **me** a letter.
Elle m'a donné une lettre.

● Lorsque le complément indirect **suit** le complément direct, on emploie une préposition (comme en français).

CD   CI
She sent a present **to her mother.**

CD   CI
I bought a toy **for Susie.**

CD   CI
Give the parcel **to Henry.**

La structure avec préposition s'emploie rarement lorsque le complément direct est un nom, et le complément indirect un pronom. (On ne dirait guère *She gave a letter to me.*)

2. Voici quelques verbes souvent employés avec deux compléments :

> bring - buy - give - lend - offer - owe - pass - promise - send - show - take (*emmener*, etc.) - teach - tell - write

I owe you £5.
Je te dois £5.

Take your father a glass of beer.
Va porter une bière à ton père.

I taught my brother karate.
J'ai donné des cours de karaté à mon frère.

3. Attention aux verbes suivants :

> explain - suggest - describe - hide - open

Contrairement à leurs équivalents français, ils ne sont jamais directement suivis d'un complément indirect.

I explained the problem **to her.** (*Et non* ~~I explained her the problem.~~)
Je lui ai expliqué le problème.

Can you **suggest** a solution **to me** ? (*Et non* ~~Can you suggest me a solution ?~~)
Pouvez-vous me suggérer une solution ?

Describe the man **to me.** (*Et non* ~~Describe me the man.~~)
Décrivez-moi l'homme.

I hid the money **from them.** (*Et non* ~~I hid them the money.~~)
Je leur ai caché l'argent.

Lucy **opened** the door **to us.**
Lucy nous ouvrit la porte. (= Elle nous fit entrer.)

Open the door **for me,** please, my hands are dirty.
Ouvre-moi la porte, s'il te plaît, j'ai les mains sales. (= Ouvre la porte à ma place.)

EXERCICES

1. *Récrivez ces phrases en utilisant la structure sans préposition (= complément indirect + complément direct) :*
1. I gave all the money to my mother.
2. Don't buy cigarettes for Lewis, please.
3. He owes a lot of money to his sister.
4. I sent a telegram to my boss.

2. *Traduisez en anglais :*
1. Expliquez-moi votre projet (= plan).
2. Montre-moi tes photos.
3. Peux-tu me décrire ta maison idéale (= ideal) ?
4. Je vais écrire une longue lettre à Philip.

Remarque

Pour les verbes à deux compléments au passif, voir 244.

342 Verbes auxiliaires et auxiliaires modaux

Il y a deux groupes de verbes auxiliaires en anglais.

A. Be, have et do.

1. *Be* s'emploie (comme en français) comme auxiliaire du passif (voir 242), ou pour former les temps "progressifs" (voir 310).

All our cars **are guaranteed** for two years.
Toutes nos voitures sont garanties pendant deux ans.

I'm working just now.
Je travaille en ce moment.

Notez que *be* ne s'emploie jamais comme auxiliaire du present perfect. "Elle est venue" = *She has come* (voir ci-dessous), et non ~~She is come~~.

2. *Have* est l'auxiliaire du present perfect (voir 321), du pluperfect (voir 325) et du futur antérieur (voir 130). On le trouve aussi dans l'infinif passé (voir 167[1]). L'auxiliaire *have* correspond généralement au français "avoir".

I've forgotten.   **Has she paid ?**   He **hasn't gone yet.**
J'ai oublié.   *A-t-elle payé ?*   *Il n'est pas encore parti.*

She **had never seen** him before.
Elle ne l'avait jamais vu auparavant.

I'll have finished by tomorrow.
J'aurai terminé d'ici demain.

I'm sorry **to have disappointed** you.
Je suis désolé de vous avoir déçu.

3. *Do* s'emploie pour former les questions et les négations des verbes non auxiliaires (voir 271 et 210) :

Do you smoke ?   I **don't smoke.**
Fumez-vous ?   *Je ne fume pas.*

On trouve *do* à l'affirmation dans les formes emphatiques (voir 87[1]).

Do sit down.   I **do** like you.
Mais asseyez-vous !   *Je vous aime bien, vraiment.*

Remarques

1. Les verbes auxiliaires ne prennent pas *do* aux formes interrogatives et négatives.

Has she paid ? (*Et non* ~~Does she have paid ?~~)
A-t-elle payé ?

I'm not coming.
Je ne viens pas.

2. *Be, have* et *do* peuvent être également des verbes ordinaires. On emploie l'auxiliaire *do* dans les formes interrogatives et négatives du verbe *do* et parfois de *have*. Par contre, *do* ne s'emploie pas avec *be*.

> **Are you** ready ?   **Have you got** a car ?
> *Es-tu prêt ?*   *Avez-vous une voiture ?*
>
> I **don't** usually **have** breakfast.
> *En général je ne prends pas de petit déjeuner.*
>
> What **do you do** ?
> *Qu'est-ce que vous faites dans la vie ?*

B. Les auxiliaires modaux.

1. Les "auxiliaires modaux" sont *can, could, may, might, must, will, would, shall, should,* et *ought.* Les auxiliaires modaux s'emploient devant d'autres verbes ; ils sont suivis de l'infinitif sans *to* (à l'exception de *ought*). Ils n'ont pas d's à la troisième personne du singulier. Leurs formes interrogatives et négatives se construisent sans *do.*

> I **can swim.**   What **should he do** ?
> *Je sais nager.*   *Qu'est-ce qu'il devrait faire ?*
>
> It **may not be** true.
> *Ce n'est peut-être pas vrai.*

2. On peut employer les auxiliaires modaux dans les tags (voir 303 à 307), comme les autres auxiliaires.

> You can sing, **can't you** ?
> *Tu sais chanter, n'est-ce pas ?*
>
> 'I must go.' '**Must you** ?'
> *"Il faut que je m'en aille." "C'est vrai ?"*

3. Les auxiliaires modaux n'ont pas d'infinitif, ni de forme passée (à l'exception de *could*, qui sert parfois de passé à *can*).

> I would like **to be able to** swim. (*Et non* ... ~~to can swim.~~)
> *J'aimerais savoir nager.*
>
> I **had to** go to London yesterday. (*Et non* ~~I must...~~)
> *J'ai été obligé d'aller à Londres hier.*

4. Un auxiliaire modal peut se combiner à un infinitif passé pour parler d'un fait qui ne s'est pas réalisé, ou dont on ne sait pas s'il s'est réalisé.

> He **could have come** earlier.   I **should have warned** her.
> *Il aurait pu venir plus tôt.*   *J'aurais dû la prévenir.*
>
> Anne **may have come** while we were out.
> *Anne est peut-être venue pendant que nous étions sortis.*

```
┌─────────────── NE PAS CONFONDRE ───────────────┐
│                                                │
│  He can come      : il peut venir (voir 57)    │
│  He may come      : il se peut qu'il vienne    │
│                     ou il viendra peut-être (voir 199) │
│  He must come     : il faut qu'il vienne,      │
│                     il doit venir (voir 207)   │
│  He could come    : il pouvait venir ou        │
│                     il pourrait venir (voir 57) │
│  He might come    : il se pourrait qu'il vienne, │
│                     il viendrait peut-être ou  │
│                     il viendra peut-être (voir 199) │
│  He will come     : il viendra (voir 126)      │
│  He would come    : il viendrait (voir 74)     │
│  He should come   : il devrait venir (voir 285) │
│                                                │
└────────────────────────────────────────────────┘
```

Remarque

Will, would et *should* ont plusieurs autres sens. (Consulter l'index.)

343 Want

1. *Want* exprime le désir ou la volonté. Il correspond à "vouloir". Notez qu'il est souvent suivi de l'infinitif avec *to* ou d'une proposition infinitive (voir 170).

> Do you **want** a sweet ?   Paul **wants to talk** to you.
> *Tu veux un bonbon ?*   *Paul veut te parler.*

> I **want you to tell** me the truth.
> *Je veux que tu me dises la vérité.*

"Si tu veux" se traduit souvent par *if you like* et "comme tu veux" par *as you like*.

> 'Will you come with me ?' '**If you like.**'
> *"Tu viendras avec moi ?" "Si tu veux."*

2. "Vouloir bien" exprime l'accord ou la permission et ne se traduit pas par *want*. L'équivalent anglais varie selon le contexte.

a. "Je veux bien" = "oui", sous une forme atténuée (accord).

> 'Do you want some coffee ?' '**Yes, please.**' (*ou :* Yes, I'd like some).
> *"Tu veux du café ?" "Je veux bien."*

> 'Do you want to see a film ?' '**All right.**'
> *"Tu veux voir un film ?" "Je veux bien."*

b. "Je veux bien" = "ça ne me dérange pas" (accord ou permission).

> I can bring my boyfriend home, my parents **don't mind.**
> *Je peux amener mon petit copain chez moi, mes parents veulent bien.*

3. "Ne pas vouloir" peut généralement se traduire par *want*.

> Dad **doesn't want me to go** on holiday with you.
> *Papa ne veut pas que j'aille en vacances avec toi.*

On emploie aussi, très souvent, le verbe *let*, pour parler d'un refus de permission.

> My mother **doesn't let me stay** out late. (*ou* ... **won't** let me ...).
> *Ma mère ne veut pas que je sorte tard le soir.*

Remarque

Pour traduire une réponse courte comme "Mes parents ne veulent pas", on ne peut pas dire ... ~~don't want~~.
— S'il s'agit d'un refus habituel, on dit généralement :
> My parents **don't let me.** (*ou :* ... **won't let me.**)
— Si le refus est lié à un moment précis de l'avenir, on dit :
> My parents **won't let me.** (*ou :* ... **don't want me to.**)

EXERCICE

Traduisez en anglais :
1. Je veux dormir.
2. "Est-ce que tu veux une glace ?" "Je veux bien."
3. "On sort ce soir ?" "Si tu veux."
4. Tu peux venir samedi, mes parents veulent bien.
5. Ma mère ne veut pas que j'aille à la boum de Christian.
6. "Est-ce que tu fumes chez toi ?" "Non, mon père ne veut pas."

---

344 Well : adverbe ou adjectif

---

1. *Well* s'emploie comme adverbe (= "bien").

> She **sings** very **well.**   It's **well built.**
> *Elle chante très bien.*   *C'est bien construit.*

2. *Well* peut aussi s'employer comme adjectif (par exemple, après *be* et *feel*), mais uniquement pour parler de la santé.

> 'How **are** you ?' 'Very **well,** thank you.'
> *"Comment allez-vous ?" "Très bien, merci."*

> I don't **feel well** today.
> *Je ne me sens pas bien aujourd'hui.*

Dans les autres cas, l'adjectif "bien" se traduit par un autre mot.

> That's **fine.** (*Et non* ~~That's well.~~)
> *C'est bien.*

> I **feel good** here. (*Et non* ~~I feel well...~~)
> *Je suis bien ici.*

> It's **a good make.** (*Et non* ~~It's well...~~)
> *C'est bien comme marque. (= C'est une bonne marque.)*

EXERCICE

Traduisez en anglais :
1. Vous conduisez bien.
2. C'est très bien comme hôtel.
3. Leur dernier (= latest) disque n'est pas bien.
4. Le film était très bien.
5. C'est très bien écrit.
6. "Comment allez-vous aujourd'hui ?" "Pas très bien."

345   What ... ? et which ... ?

"Quel ... ?" se traduit généralement par *what*, mais on emploie *which* lorsque le choix est nettement limité. Comparez :

* **'What countries** have you been to ?' 'Germany, Italy and Spain.'
  "Dans quels pays es-tu déjà allé ?" "L'Allemagne, l'Italie et l'Espagne."

  'Which one do you prefer ?' 'Italy'
  "Lequel préfères-tu ?" "L'Italie."

EXERCICE

Mettez what *ou* which :
1. ... 's your favourite cake ?
2. ... side of the house faces south ?
3. ... is my glass - this one or that one ?
4. ... writers do you like ?
5. ... colour are her eyes ?
6. ... colour would you like - green, blue, red or yellow ?

346   Whose... ?

1. On emploie *whose* pour demander à qui appartient quelque chose. (= "à qui").

> **Whose is** that coat ? **Whose are** the glasses ?
> *A qui est ce manteau ?* *C'est à qui les lunettes ?*

2. *Whose* peut aussi se mettre devant un nom, comme les adjectifs possessifs *my, your,* etc.

> **Whose coat** is that ?
> **Whose glasses** are they ?

EXERCICE

Traduisez en anglais :
1. C'est à qui ce verre ?
2. C'est à qui la voiture ?
3. A qui est cette maison ?
4. J'ai trouvé des clefs. Elles sont à qui ?

347   Will et would : introduction

Will et *would* ont plusieurs sens.

1. *Will* sert à former le futur et *would* le conditionnel. (Voir 126 et 74.)

> If I have the time, I **will come** to see you.
> *Si j'ai le temps, je viendrai te voir.*

> If I had the time, I **would come** to see you.
> *Si j'avais le temps, je viendrais te voir.*

2. *Will* peut servir à exprimer une habitude présente et *would* une habitude passée. (Voir 348.)

> He **will often talk** in his sleep.
> *Il parle souvent pendant son sommeil.*

> When I was young I **would go** dancing **regularly**.
> *Quand j'étais jeune j'allais danser régulièrement.*

3. *Will* et *would* peuvent aussi exprimer une idée de volonté. (Voir 349.)

> Mummy ! Sarah **won't open** the door.
> *Maman ! Sarah ne veut pas ouvrir la porte.*

> I asked him for money but he **wouldn't lend** me any.
> *Je lui ai demandé de l'argent mais il n'a pas voulu m'en prêter.*

348 Will et would (sens fréquentatif)

Pour parler de tendances ou de caractéristiques, on peut employer *will* (= présent français) ou *would* (= imparfait français).

> She **will forget** things.
> *Elle a tendance à oublier les choses.*

> I'll **talk** to my parents about school, but I **won't talk** about my personal life.
> *Avec mes parents je parle de l'école, mais je ne parle pas de ma vie personnelle.*

> If you heat real amber with a match it **won't melt**.
> *Si vous chauffez de l'ambre véritable avec une allumette il ne fond pas.*

> When I was a child I **would spend** hours reading alone in my room.
> *Quand j'étais petit je passais des heures à lire tout seul dans ma chambre.*

EXERCICE

Mettez les verbes entre parenthèses avec will *ou* would *selon le contexte :*

1. I ... sometimes ... a cigar after dinner. I love it. (to smoke)
2. My dog ... if you talk to him kindly. (not, to bite)
3. When nobody is looking at her, she ... into the kitchen and take some biscuits. (to go)
4. A knife ... a diamond. (not, to cut)
5. In my family, when I was young, we ... to celebrate Christmas three days before. (to begin)
6. When my father was working, he ... everybody. (to forget)

349 Will et would (volonté)

1. *Will* peut s'employer pour exprimer une idée de volonté, surtout lorsqu'il s'agit de **demander** ou de **donner** un accord pour faire quelque chose. Dans certains cas, *will* correspond à "vouloir".

- **If you will come** this way...
  Si vous voulez bien me suivre...

  Will you listen to me for a few minutes ?
  Voulez-vous m'écouter pendant quelques minutes ?

  Please **will you close** the door when you go out ?
  Veuillez fermer la porte en sortant.

- 'Can somebody help me ?' '**I will.**'
  " Est-ce que quelqu'un peut m'aider ?" "Moi, je veux bien."

  'There's somebody at the door.' '**I'll go.**'
  "Il y a quelqu'un à la porte." "J'y vais."

2. Pour rendre une demande plus polie, on emploie *would* au lieu de *will*.

If you would come this way...
Voudriez-vous me suivre ?

Would you listen to me... ?
Voudriez-vous m'écouter... ?

3. Un refus s'exprime par *won't (will not)*.

'Tell me where you've been.' 'No, **I won't.**'
"Dis-moi où tu es allé." "Non, je ne veux pas."

The car **won't start.**
La voiture ne veut pas démarrer.

On emploie *wouldn't* (*would not*) pour parler d'un refus au passé.

She **wouldn't tell** me her name.
Elle n'a pas voulu me dire son nom.

EXERCICE ──────────────────────────────

Traduisez en anglais :

1. Si vous voulez bien attendre quelques minutes...
2. Voulez-vous me donner votre adresse ?
3. "Est-ce que quelqu'un peut venir avec moi ?" "Moi, je veux bien ;"
4. Voudriez-vous m'attendre dans le salon ?
5. Elle ne veut pas expliquer.
6. La porte ne voulait pas s'ouvrir.

Remarque

Shall ne s'emploie pas pour exprimer la nuance de volonté.

350 Wish

On peut employer *wish* pour exprimer des souhaits ou des regrets. Attention aux temps :

1. Pour parler du présent, on emploie le **prétérit**.

>**I wish I was** rich. (*ou :* I wish I **were** rich.)
>*Ah ! si j'étais riche ! (= Maintenant.)*
>
>**I wish I understood.**
>*J'aimerais bien comprendre.* (ou : *Si seulement je comprenais !*)

EXERCICE ──────────────────────────────

Traduisez en anglais :
1. Ah ! si j'étais jeune !
2. Si seulement j'avais un frère !
3. Si seulement tu savais conduire (une voiture) !
4. Si seulement je pouvais rester au lit toute la journée !
5. Si seulement je te voyais plus souvent !
6. Si seulement ils n'habitaient pas si loin ! (= so far away)

2. *Pour parler du passé, on emploie le* **pluperfect**.

>**I wish I had** never **met** him.
>*Si seulement je ne l'avais jamais rencontré !*
>
>**I wish I had learnt** Spanish at school.
>*Si seulement j'avais appris l'espagnol à l'école !*

EXERCICE ──────────────────────────────

Traduisez en anglais :
1. Si seulement je n'avais rien dit !
2. Si seulement tu étais venu !
3. Si seulement je n'avais pas quitté l'école !
4. Si seulement je t'avais cru !
5. Si seulement nous n'avions pas acheté cette maison !
6. Si seulement tu m'avais écouté !

3. Pour exprimer un souhait à propos de l'avenir, on emploie normalement *"I hope + futur avec will."*

>**I hope I'll pass** my exam.
>*Je souhaite / j'espère être reçu à mon examen.*

On peut employer *I wish + would* lorsqu'il s'agit d'une idée de volonté relative à une situation extérieure. En ce cas, la situation réelle peut très souvent s'exprimer par un verbe en *will* + infinitif sans *to*.

>**I wish** the postman **would come.** (*Situation réelle :* He will be late or he won't come.)
>*Je voudrais que le facteur arrive.*
>
>**I wish** she **would stop** playing that stupid music. (*Situation réelle :* She won't stop playing ...)
>*Si seulement elle arrêtait de jouer cette musique idiote.*

Exprimez des souhaits comme dans les exemples :
Ex. : She won't stop singing. - I wish she would stop singing.
   He'll never love me. - I wish he would love me.

1. She won't make an effort.
2. They will never accept.
3. He won't leave me alone.

4. My uncle will never come back.
5. She won't stop talking about it.
6. Tom won't look for a job.

Remarque

La structure avec *would* est impossible à la première personne. On
ne peut pas dire ~~I wish I would~~ ..., il faut dire *I wish I could* ... .

RAPPEL

Situation	Souhait ou regret
PRÉSENT	**PRÉTÉRIT**
It's raining. I **work** too hard.	I wish it **wasn't raining.** I wish I **didn't work** so hard.
PASSÉ	**PLUPERFECT**
I **didn't win.** **I've given up** the guitar.	I wish I **had won.** I wish I **hadn't given up** the guitar.
WILL	**WOULD**
He **won't come** today. She **won't leave** me alone.	I wish he **would come.** I wish she **would leave** me alone.

351   Work

Ne confondez pas les différents sens de *work(s)*.

1. *Work* (indénombrable) = "du travail", "le travail".

   I'm looking for **work.**
   Je cherche du travail.

   Work is bad for the health — it tires you.
   Le travail est mauvais pour la santé — il vous fatigue.

"Un travail" = *a job*, et non ~~a work~~.

   I've found **a job.**
   J'ai trouvé un travail.

2. *A work* (dénombrable) = ″une œuvre″.

> Her garden is **a work** of art.
> *Son jardin est une œuvre d'art.*

> Have you got Tennyson's Complete **Works** ?
> *Est-ce que vous avez les Œuvres Complètes de Tennyson ?*

EXERCICE ─────────────────────────────

Mettez work, works *ou* job :
1. Mary's looking for a new ... .
2. In the North-East, it's very difficult to find ... .
3. They're playing Schubert's complete ... on the radio this week.
4. I've got a very interesting ..., but the money isn't very good.

Remarque

Notez également que ″une bonne situation″ se dit *a good job* ou *a good position* (et non ~~a good situation~~).

> Her mother's got **a good job / position**.
> *Sa mère a une bonne situation.*

352 Worse et worst

Ne confondez pas le comparatif *worse (than)* (= ″plus mauvais que″, ″pire que″, ″plus mal que″, etc.) avec le superlatif *(the) worst* (= ″le plus mauvais″, ″le pire″, etc.). Voir 66. Comparez :

> ─ My headache**'s worse than** before.
> *Mon mal de tête a empiré (= est pire qu'avant).*

> You **sing** even **worse than** I do.
> *Tu chantes encore plus mal que moi.*

> ─ This is **the worst beer** I've ever tasted.
> *C'est la plus mauvaise bière que j'ai jamais goûtée.*

> We all speak English badly, but you **speak** it **worst**.
> *Nous parlons tous mal l'anglais, mais c'est toi qui parles le plus mal.*

EXERCICE ─────────────────────────────

Traduisez en anglais :
1. Charlie est le plus mauvais joueur de l'équipe (= in the team).
2. Tu es pire que ton frère.
3. Tu travailles encore plus mal que lui.
4. Quel est ton plus mauvais souvenir (= memory) ?

353 Worth

Pour traduire "Ça vaut la peine de...", on peut employer *worth* avec deux structures différentes.

Edinburgh **is worth visiting.**
It's worth visiting Edinburgh.
Ça vaut la peine de visiter Edimbourg.

The book **isn't worth reading.**
It's not worth reading the book.
Ça ne vaut pas la peine de lire le livre.

EXERCICE

Exprimez la même idée en modifiant la structure, comme dans les exemples.

Exemples : She's not worth talking to. - It's not worth talking to her.
It's worth seeing Venice. - Venice is worth seeing.

1. His ideas are not worth listening to.
2. It's worth visiting Cornwall.
3. His latest book isn't worth reading.
4. It's not worth arguing with her.

354 You

1. *You* s'emploie parfois devant un impératif. Il donne plus de force au verbe.

You keep quiet !
Taisez-vous donc.

Don't you talk to me like that !
Veux-tu ne pas me parler sur ce ton !

2. *You* (+ adjectif) + nom = "espèce de...".

You fool !
Espèce d'idiot !

You lazy boy !
Espèce de paresseux !

3. *You* s'emploie souvent dans un sens général, comme équivalent de "on". Voir 228.

You can get very good bargains in that shop in High Street.
On peut trouver de très bonnes occasions dans cette boutique de High Street.

355 Zero, nought et nil

1. En anglais britannique, le chiffre 0 se dit *nought*.

0.25 = **nought point two five** = *0,25* (voir 218³).

Quand on dit un nombre chiffre par chiffre, 0 se prononce souvent [əu] (comme la lettre).

My **telephone number** is four three seven 0 six two five.

2. Dans les mesures on dit *zero* ['ziərəu].

Zero degrees Fahrenheit = 17.8 degrees **below zero** Centigrade.

3. Dans les sports "zéro" se traduit généralement par *nil*.

Manchester three, **Liverpool nil.**
Manchester trois, Liverpool zéro.

Dans les sports comme le tennis, le ping-pong et le badminton, on dit *love* au lieu de *nil*.

Fifteen-love. Your service.
Quinze-zéro. A toi de servir.

EXERCICE ————————

Lisez les phrases suivantes :

1. One pound is 0.454 kilograms.
2. My account number is 3046729.
3. Maximum temperature 17°C; minimum temperature 0°C.
4. 'Who won the match ?' 'England won 3-0.'

Remarque

Les Américains n'emploient pas *nought* et *nil*. Ils disent *zero* à la place.

0.25 = **zero** point two five

Houston Oilers three, Washington Redskins zero.

APPENDICES

1 Les "faux amis"

Il existe énormément de mots en anglais qui ressemblent à des mots français, mais qui n'ont pas le même sens. En voici un certain nombre.

A   ability = *capacité* ♦ *habileté* = skill.
to abuse = *injurier* ♦ *abuser de* = to misuse, take advantage of.
actual = *vrai* ♦ *actuel* = present, current.
actually = *vraiment, en fait* ♦ *actuellement* = now, at present.
an advertisement = *une réclame, une publicité* ♦ *avertissement* = warning.
advice *(indénombrable)* = *conseil* (a piece of advice = *un conseil*) ♦ *avis* = opinion.
affluence = *richesse* ♦ *affluence* = crowd.
to affront = *insulter* ♦ *affronter* = to face.
agenda = *ordre du jour* ♦ *agenda* = diary.
alien = *étranger* ♦ *aliéné* = lunatic, mental patient.
a.m. (ante meridiem) = *matin* ♦ *a.m. (après-midi)* = p.m. (post meridiem).
ancient = *très vieux, très âgé* ♦ *ancien* = former, old.
to arrive = *arriver (quelque part)* ♦ *arriver à faire* = to manage to do (voir 27³ et 60).
aspect = *côté (d'une question ou d'un problème)* ♦ *aspect* = appearance.
to assist = *aider* ♦ *assister à* = to attend, to see.
assistance = *aide* ♦ *assistance* = audience.
to attend = *assister à* ♦ *attendre* = to wait (for).
axe = *hache* ♦ *axe* = axis.

B   bachelor = *homme célibataire* ♦ *bachelier* = person with GCE (GB), High School graduate (US).
balance = *équilibre* ♦ *balance* = scales, weighing machine.
barracks = *caserne* ♦ *baraque* = hut, shed.
benefit = *avantage* ♦ *bénéfice* = profit.
blouse = *chemisier* ♦ *blouse* = overall.
brigadier = *général de brigade* ♦ *brigadier* = corporal.

C   camera = *appareil photo* ♦ *caméra* = cine-camera.
capacity = *capacité (volume)* ♦ *capacité (intellectuelle, etc.)* = ability.
car = *voiture* ♦ *car* = coach.
caution = *prudence, précaution* ♦ *caution* = deposit.
cave = *grotte* ♦ *cave* = cellar.
chance = *possibilité/hasard* ♦ *chance* = (piece of) luck.
character = *caractère (disposition), personnage (littéraire)* ♦ *caractère (trait, aspect)* = characteristic ; *mauvais caractère* = bad temper.
to charge = *accuser* ♦ *charger (un camion, etc.)* = to load.
chimney = *cheminée (sur le toit)* ♦ *cheminée (foyer)* = fireplace.
chips = *pommes frites* ♦ *chips* = crisps. (Anglais américain : *chips* = chips ; *pommes frites* = French fries).
circulation = *circulation (en général)* ♦ *circulation routière* = traffic.
college = *faculté, grande école, etc.* ♦ *collège (CES)* = school, junior high school (US)

to command = *commander (dans l'armée, etc.)* ♦ *commander (dans un restaurant)* = to order.
complete = *entier* ♦ *complet (plein)* = full.
comprehensive = *complet (qui comprend l'ensemble)* ♦ *compréhensif* = understanding.
concurrence = *accord* (to concur = *être d'accord*) ♦ *concurrence* = competition ♦ *un concours* = a competition.
conduct = *diriger (un orchestre), être conducteur de (chaleur, électricité)* ♦ *conduire* = drive, lead.
conductor = *chef d'orchestre, chef de train (US), receveur d'autobus (GB)* ♦ *conducteur* = driver.
conference = *congrès, réunion de travail, séminaire* ♦ *conférence* = lecture.
confident = *sûr* ♦ *un confident* = a confidant.
confidence = *confiance* ♦ *une confidence* = a confidence.
confused = *pas clair, embrouillé (idées, explications, etc.)* ♦ *confus* = embarrassed.
conscience = *conscience (morale)* ♦ *conscience (intellectuelle et physique)* = consciousness.
to control = *diriger, maîtriser* ♦ *contrôler* = to check.
corpse = *cadavre* ♦ *corps* = body, corps.
course = *stage, série de conférences ou champ de courses* ♦ *course* = race ♦ *cours* = class, lesson.
a critic = *un critique* ♦ *une critique* = a criticism, a review.
to cross = *traverser* ♦ *croiser* = to pass, to meet.
to cry = *pleurer* ♦ *crier* = to shout, to scream (voir 78).

D
to deceive = *tromper* ♦ *décevoir* = to disappoint.
deception = *tromperie* ♦ *déception* = disappointment.
to defend = *défendre (contre une agression)* ♦ *défendre (interdire)* = to forbid, to prohibit.
definite(ly) = *certain(ement)* ♦ *définitif* = permanent ; *définitivement* = for ever, for good.
delay = *retard* ♦ *délai* = time, time-limit.
to deliver = *livrer* ♦ *délivrer* = to free, to liberate.
to demand = *exiger* ♦ *demander* = to ask.
deputy = *adjoint* ♦ *député* = Member of Parliament.
to deserve = *mériter* ♦ *desservir (train, etc.)* = to stop at ; *desservir (la table)* = to clear (the table).
to design = *établir le plan (d'un bâtiment, etc.), créer (une robe, etc.)* ♦ *dessiner* = to draw.
desire = *désir très fort (souvent sexuel)* ♦ *désir* = wish ; *désirer* = to want.
diploma = *diplôme (en général)* ♦ *diplôme universitaire* = degree.
distraction = *le fait d'être distrait* ♦ *distraction (divertissement)* = entertainment.
dramatic = *théâtral / frappant / spectaculaire* (ex. : dramatic progress) ♦ *dramatique = terrible, disastrous.*

E
editor = *rédacteur en chef, ou personne qui prépare un manuscrit pour l'imprimeur* ♦ *éditeur (maison d'édition)* = publisher.
education = *instruction, éducation à l'école* ♦ *éducation à la maison* = upbringing.
emergency = *urgence (médicale, etc.)* ♦ *émergence* = emergence, appearance.
encore ! = *bis !* ♦ *encore* = still *ou* again (voir 104) ♦ *pas encore* = not yet.

engaged = *occupé/fiancé* ♦ *engagé* = politically committed, involved.

to envy = *envier, convoiter* ♦ *avoir envie de* = to want.

essence = *essence, extrait* ♦ *essence (pour voitures, etc.)* = petrol.

to evade = *éviter* ♦ *s'évader* = to escape.

eventual = *final* ♦ *éventuel* = possible.

eventually = *finalement* ♦ *éventuellement* = perhaps, possibly.

evidence = *preuves/témoignages* ♦ *évidence* = something obvious.

evolution = *évolution de l'espèce* ♦ *évolution (autres sens)* = development.

excited = *animé, excité (en général)* ♦ *excité (sexuellement)* = aroused.

experience = *expérience(s) vécue(s)* (to experience = *éprouver, vivre*) ♦ *une expérience scientifique* = an experiment.

to expose = *exposer (en général)* ♦ *exposer (peintures, etc.)* = to exhibit ; *exposition* = exhibition.

F to fail (to do something) = *ne pas réussir* ♦ *j'ai failli faire quelque chose* = I nearly did something.

fantasy = *fantasme* ♦ *fantaisie* = imagination.

fault = *défaut* (it's my fault = *c'est de ma faute*) ♦ *une faute* = a mistake.

figure = *chiffre/silhouette* ♦ *figure* = face.

front = *front (partie antérieure)* ♦ *front (partie du visage)* = forehead.

to furnish = *meubler* ♦ *fournir* = to supply.

G genial = *jovial* ♦ *génial* = brilliant (*c'est génial !* = it's great !)

gentle = *doux* ♦ *gentil* = nice, kind.

grief = *chagrin* ♦ *grief* = grievance.

H herb = *herbe aromatique* ♦ *herbe (gazon)* = grass.

humane = *humanitaire* ♦ *humain* = human.

I idiom = *idiotisme* ♦ *idiome* = language.

to ignore = *ne s pas faire attention à* ♦ *ignorer* = not to know.

important *ne s'emploie pas au sens de " grand " (voir 164)* ♦ *des travaux importants* = extensive building work.

inconvenient = *gênant, pas pratique* ♦ *un inconvénient* = a disadvantage.

indignant = *indigné* ♦ *indigne* = unworthy ♦ *une mère indigne* = a bad mother.

infancy = *petite enfance* ♦ *enfance* = childhood.

information = *renseignements* ♦ *une information* = a piece of information, a piece of news ♦ *les informations* = the news.

inhabited = *habité* ♦ *inhabité* = uninhabited.

to injure = *blesser* ♦ *injurier* = to insult, to abuse.

an instruction = *un ordre, une consigne ;* instructions = *mode d'emploi* ♦ *instruction* = education.

interesting *ne s'emploie pas au sens commercial ou économique* ♦ *une affaire intéressante* = a profitable deal ♦ *un prix intéressant* = a good price.

to intoxicate = *enivrer* ♦ *intoxiquer* = to poison.

to introduce = *présenter* ♦ *introduire* = to put in.

issue = *numéro (d'un magazine), sujet de débat* ♦ *issue* = exit.

J journey = *voyage* ♦ *journée* = day.

L to labour = *travailler* ♦ *labourer* = to plough.
lard = *saindoux* ♦ *lard* = fat ou bacon.
large = *grand* ♦ *large* = wide, broad.
lecture = *conférence* ♦ *lecture* = reading.
library = *bibliothèque* ♦ *librairie* = bookshop.
licence = *permis (de conduire)* ♦ *licence (diplôme)* = degree.
location = *endroit, lieu, emplacement* ♦ *location* = hire.
lunatic = *malade mental* ♦ *lunatique* = changeable, impulsive.
luxury = *luxe* ♦ *luxure* = debauchery.

M a marine = *un soldat de l'infanterie de marine* ♦ *la marine* = the navy.
to march = *marcher au pas, défiler* ♦ *marcher* = to walk.
marriage = *mariage (vie conjugale)* ♦ *mariage (cérémonie)* = wedding.
medicine = *médecine/médicament* ♦ *médecin* = doctor.
miserable = *triste* ♦ *misérable* = very poor.
misery = *tristesse profonde* ♦ *misère* = extreme poverty.
monument *s'emploie uniquement pour un édifice destiné à la commémoration d'un événement ou d'une personne* ♦ *monument (au sens plus large)* = historic building, castle, etc.
moral = *morale (d'une histoire)* ♦ *la morale (mœurs)* = morals, morality ♦ *le moral* = morale [mə'rɑ:l].

N nervous = *anxieux, nerveux* ♦ *nerveux* = irritable, nervy.

O occasion = *jour ou moment spécial* ♦ *occasion* = bargain, opportunity.
to offer = *proposer* ♦ *offrir (cadeau, etc.)* = to give.

P parent = *mère ou père* ♦ *(autres) parents* = relations, relatives.
particular = *particulier, spécial* ♦ *un particulier* = a private individual ♦ *cours particuliers* = private lessons.
to pass (an exam) = *réussir un examen* ♦ *passer un examen* = to take/sit/do an exam ♦ *passer du temps* = to spend time.
pension = *retraite (argent versé)* ♦ *pension* = boarding house ou boarding school.
petrol = *essence* ♦ *pétrole* = oil.
photograph = *photographie* ♦ *photographe* = photographer.
phrase = *groupe de mots, expression* ♦ *phrase* = sentence.
politics = *politique (manière de gouverner)* ♦ *(ligne) politique* = policy (voir 250).
precise (adj.) = *précis, exact* ♦ *préciser* = to define, specify, make clear.
prejudice = *préjugé(s)* ♦ *préjudice* = damage.
presently = *bientôt, tout à l'heure (GB), maintenant (US)* ♦ *à présent* = at present.
preservative = *agent conservateur* ♦ *préservatif* = sheath, condom.
to pretend = *faire semblant* ♦ *prétendre* = to claim.
price = *prix (valeur)* ♦ *prix (récompense)* = prize.
process = *procédé, processus* ♦ *procès* = trial.
professor = *professeur d'université (titulaire d'une chaire)* ♦ *professeur* = teacher.
proper(ly) = *correct(ement), comme il faut* ♦ *propre(ment)* = clean(ly).
property = *propriété* ♦ *propreté* = cleanness.

prune = *pruneau* ◆ *prune* = plum.
purple = *violet* ◆ *pourpre* = dark red.

R raisin = *raisin sec* ◆ *du raisin* = grapes (*grappe de raisin* = bunch of grapes).

to realise = *réaliser (se rendre compte de)* ◆ *réaliser (un projet, etc.)* = to carry out.

receive = *recevoir (lettre, cadeau, argent, etc.)* ◆ *recevoir des gens* = to entertain, to see people, to have visitors.

to recommend = *recommander (film, restaurant, etc)* ◆ *lettre recommandée* = registered letter.

to recover = *regagner quelque chose, se remettre (d'une maladie)* ◆ *recouvrir* = to cover.

to recuperate = *se remettre (d'une maladie)* ◆ *récupérer* = to recover, to get back.

refuse = *ordures* ◆ *refus* = refusal.

to regard (as) = *considérer (comme)* ◆ *regarder* = to look (at).

to regret = *regretter une chose désagréable* ◆ *regretter (ce qui vous manque)* = to miss.

to remark = *mentionner* ◆ *remarquer* = to notice.

to resent = *trouver injuste* ◆ *ressentir* = to feel, to be conscious of.

resignation = *démission/résignation*.

to resolve = *prendre une résolution* ◆ *résoudre* = to solve.

to respond = *réagir* ◆ *répondre* = to answer.

rest = *repos ou reste*.

to resume = *recommencer, reprendre une activité que l'on avait arrêtée* ◆ *résumer* = to summarise, to sum up.

to retire = *prendre sa retraite* ◆ *se retirer* = to withdraw.

retreat = *retraite (d'une armée)* ◆ *retraite (à la fin de la vie active)* = retirement.

reunion = *retrouvailles* ◆ *réunion* = meeting, party.

Roman = *romain* ◆ *un roman* = a novel ◆ *le style roman* = the romanesque style.

to ruin = *abîmer, gâcher/ruiner*.

S saloon = *sorte de bar* ◆ *salon* = sitting-room, living-room.

savage = *féroce* ◆ *sauvage* = wild.

scene = *scène (dans une pièce de théâtre)* ◆ *scène (dans un théâtre)* = stage.

sensible = *sensé, raisonnable* ◆ *sensible* = sensitive.

sentiment = *emotion* ◆ *sentiment* = feeling.

sentimental = *larmoyant, à l'eau de rose* ◆ *sentimental* = sentimental, romantic.   ◆

serious = *grave/sérieux*.

service = *service (en général)* ◆ *service (= division d'une entreprise, bureau)* = department.

society = *la société (en général), association* ◆ *société (commerciale)* = company, firm.

souvenir = *souvenir (objet, cadeau, etc.)* ◆ *souvenir (dans la mémoire)* = memory.

stage = *étape, scène (de théâtre)* ◆ *stage* = course.

station = *gare* ◆ *station de métro* = stop, station ◆ *station de tourisme* = resort.

to support = *soutenir, entretenir financièrement* ◆ *supporter* = to stand, bear, put up with.

support = *soutien* ◆ *support* = prop.

starter = *démarreur* ◆ *starter* = choke.

surname = *nom de famille* ♦ *surnom* = nickname.
sympathetic = *compatissant* ♦ *sympathique* = pleasant, nice.
syndicate = *groupement commercial* ♦ *syndicat* = trade union.

T   technique = *technique (procédé, manière de faire)* ♦ *technique (technologie)* = technology.
title = *titre (en général)* ♦ *titre de journal* = headline.
traffic = *circulation routière, trafic* ♦ *trafic (commercial)* = trade.
trivial = *banal, sans importance* ♦ *trivial* = bad-mannered, vulgar.
to trouble = *déranger* ♦ *troubler* = to upset, to disturb.

V   vacancy = *poste vacant* ♦ *vacances* = holiday(s) (voir 149).
verse = *strophe* ♦ *vers* = line.
voyage = *voyage en bateau* ♦ *voyage* = journey ou trip (voir 336).

2   Le franglais

La plupart des mots franglais sont des "faux amis" : ceux qui ne sont pas nés en France ont généralement subi une transformation importante (de forme ou de sens) en traversant la mer. Il faut surtout se méfier des nombreuses inventions qui se terminent en -*ing*, comme *parking* (anglais : *car park*), ou en -*man*, comme *recordman (anglais : record-holder)*, ainsi que des nombreux cas où le français prend le premier mot d'une expression anglaise en lui donnant le sens de l'expression entière, comme "des tennis" (anglais : *tennis-shoes*). Voici, à titre d'exemples, quelques mots franglais avec leur traduction anglaise.

FRANGLAIS	ANGLAIS
baby-foot	table football
des baskets	basketball shoes
dancing	dance hall
flipper	pin-ball machine
footing	walk, run
jean	(pair of) jeans
parking	car park
pressing	dry cleaner's
recordman	record-holder
relax	relaxed
rugbyman	rugby player
self	self-service (restaurant)
speaker(ine)	announcer
starter	choke
des tennis	tennis shoes

3 Les nationalités

On emploie deux mots pour parler des nationalités :
- l'adjectif (ex. : *Greek, Swedish, Welsh*) ;
- le nom qui désigne une personne de la nationalité en question (ex. : *a Greek, a Swede, Welshman*).

Voici quelques exemples :

PAYS	ADJECTIF	NOM
Belgium	Belgian	a Belgian
Brazil	Brazilian	a Brazilian
Britain	British	a Briton/Britisher
Czechoslovakia	Czech	a Czech
China	Chinese	a Chinese
Denmark	Danish	a Dane
England	English	an Englishman, Englishwoman
Finland	Finnish	a Finn
France	French	a Frenchman, Frenchwoman
Germany	German	a German
Greece	Greek	a Greek
Holland	Dutch	a Dutchman, Dutchwoman
Hungary	Hungarian	a Hungarian
Iran	Iranian	an Iranian
Ireland	Irish	an Irishman, Irishwoman
Israel	Israeli	an Israeli
Japan	Japanese	a Japanese
Mexico	Mexican	a Mexican
Morocco	Moroccan	a Moroccan
Norway	Norwegian	a Norwegian
Poland	Polish	a Pole
Portugal	Portuguese	a Portuguese
Russia	Russian	a Russian
Scotland	Scottish Scotch	a Scot
Spain	Spanish	a Spaniard
Sweden	Swedish	a Swede
Switzerland	Swiss	a Swiss
Turkey	Turkish	a Turk
The USA	American	an American
Vietnam	Vietnamese	a Vietnamese
Wales	Welsh	a Welshman, Welshwoman
Yugoslavia	Yugoslav	a Yugoslav

Remarques

a. Pour parler de la nation en général, on emploie normalement *the* + le pluriel du nom (ex. : *the Greeks, the Scots, the Americans*). Pourtant, dans certains cas on emploie l'adjectif (sans -*s*) au lieu du nom : *the Chinese* ; *the Japanese* (même chose pour tous les mots qui se terminent en -*ese*) ; *the British* ; *the English* ; *the French* ; *the Dutch* ; *the Irish* ; *the Spanish* ; *the Welsh* ; *the Swiss*.

b. *Arab* s'emploie souvent comme adjectif dans un contexte politique ; *Arabic* s'emploie pour parler de la langue ou de la culture arabe.

c. L'adjectif s'emploie normalement pour désigner la langue (ex. : *English, French*).

d. L'adjectif s'écrit avec une majuscule, comme tous les mots qui se rapportent à la nationalité.

4 Les noms anglais des villes étrangères

Les noms de pays se trouvent dans n'importe quel dictionnaire. Les noms de villes - qui ont souvent une forme spéciale en anglais - sont moins faciles à trouver. En voici quelques-uns parmi les plus importants.

Algiers	Dover	Lisbon
Antwerp (= *Anvers*)	Dresden	Mexico City
Athens	Edinburgh	Moscow
Baghdad	Frankfurt	Padua
Barcelona	Geneva	Peking
Beirut	Ghent (= *Gant*)	Salzburg
Brussels	The Hague (= *La Haye*)	Singapore
Bucharest	Hamburg	Venice
Cairo	Hanover	Vienna
Cape Town (= *Le Cap*)	Havana	Warsaw (= *Varsovie*)
Copenhagen	Kabul	
Damascus (= *Damas*)	Krakow (= *Cracovie*)	

5 Anglais britannique et anglais américain : différences grammaticales

Il y a très peu de différences grammaticales entre ces deux sortes d'anglais. Voici les plus importantes :

1. Un prétérit américain correspond parfois à un present perfect britannique.

> US He just **went** out.   GB He **has** just **gone** out.
> *Il vient juste de sortir.*

2. *Do* s'emploie avec *have* en anglais américain dans des cas où on l'éviterait en anglais britannique.

> US **Do you have** a problem ?   GB **Have you got** a problem ?
> *Avez-vous un problème ?*

3. Le participe passé de *get* est *gotten* en anglais américain.

> US She's **gotten** very fat.   GB She's **got** very fat.
> *Elle est devenue très grosse.*

4. Le subjonctif s'emploie plus en anglais américain qu'en anglais britannique (voir 301).

> US It's essential that he **be** informed.

> GB It's essential that he **should be** informed.
> *Il est essentiel qu'il soit informé.*

5. Au téléphone :

> US Hello. Is **this** Harold ?   GB Hello. Is **that** Harold ?
> *Est-ce que c'est Harold ?*

6. Dans un style familier, *like* s'emploie au lieu de *as*, en anglais américain (et parfois en anglais britannique - voir 30).

> US It looks **like** it's going to rain.

> GB It looks **as if** it's going to rain.
> *On dirait qu'il va pleuvoir.*

7. Certains adverbes s'emploient sans -*ly* en anglais parlé américain.

> US He looked at me **real strange**.

> GB He looked at me **really strangely**.
> *Il m'a regardé d'une façon vraiment bizarre.*

8. Il y a beaucoup de petites différences en ce qui concerne l'emploi des prépositions et des particules. Voici quelques exemples :

US	GB	FRANÇAIS
check something **out**	check something	*vérifier quelque chose*
do something **over**	do something **again**	*refaire quelque chose*
meet **with** somebody	meet somebody	*rencontrer quelqu'un*
protest something	protest **against** something	*protester contre quelque chose*
stay home	stay **at** home	*rester à la maison*
visit **with** somebody	visit somebody	*aller voir quelqu'un*
talk **with** somebody	talk **to** somebody	*parler avec quelqu'un*
Monday **through** Friday	Monday **to** Friday	*de lundi à vendredi*
on High Street	**in** High Street	*(dans) High Street*
twenty **after** six	twenty **past** six	*six heures vingt*

9. Dans les bandes dessinées américaines, on trouve souvent les formes contractées *gonna (= going to), gotta (= got to)* et *wanna (= want to).*

10. Pour les différences d'orthographe, voir Appendice 7i p. 286.

6 Anglais britannique et anglais américain : différences de vocabulaire

S'il y a très peu de différences grammaticales entre ces deux variétés d'anglais (voir Appendice 5), les différences lexicales sont considérables. Voici quelques exemples :

BRITANNIQUE	AMÉRICAIN	FRANÇAIS
angry	mad	*en colère*
anywhere	anyplace	*n'importe où, quelque part*
autumn	fall	*automne*
barrister, solicitor	attorney	*avocat, notaire*
car	automobile	*voiture*
(potato) crisps	(potato) chips	*chips*
crossroads	intersection	*carrefour*
cupboard	closet	*placard*
film	movie	*film*
flat	apartment	*appartement*
flat tyre, puncture	flat, blow-out	*pneu crevé*
ground floor	first floor	*rez-de-chaussée*
handbag	purse, pocket-book	*sac à main*
holiday(s)	vacation	*vacances*
lift	elevator	*ascenseur*
lorry	truck	*camion*
mean	stingy	*radin*
motorway	freeway, turnpike	*autoroute*
nasty, vicious	mean	*méchant*
nowhere	noplace	*nulle part*
pavement	sidewalk	*trottoir*
petrol	gas(oline)	*essence*
pram	baby carriage	*landau*
pub, bar	bar	*café, bar*
purse	coin-purse	*porte-monnaie*
railway	railroad	*chemin de fer*
record player	phonograph	*électrophone*
return (ticket)	round trip	*aller-retour*
reversed charge (call)	collect (call)	*(appel) en p.c.v.*
road surface	pavement	*chaussée*
rubber	eraser	*gomme (à effacer)*
shop	store	*magasin*
single (ticket)	one-way	*aller simple*
somewhere	someplace	*quelque part*
sweets	candy	*bonbons*
tap	faucet	*robinet*
taxi	cab	*taxi*
tennis shoes	sneakers	*tennis (chaussures)*
tin	can	*boîte (en métal)*
torch	flashlight	*lampe de poche*
tramp	hobo	*clochard*
trousers	pants	*pantalon*
underground railway, tube	subway	*métro*
underpants	shorts	*slip (d'homme)*
zip	zipper	*fermeture éclair*

7 L'orthographe :
quelques points de repère

A. Redoublement de la consonne finale

1. Lorsqu'on ajoute une terminaison (ex. : -ed, -ing, -er) à un mot d'une syllabe terminé par une seule consonne précédée d'une seule voyelle (ex. : sit, stop, fat, run), on redouble la consonne finale.

sitting stopped fatter running

2. S'il y a deux voyelles ou deux consonnes (ex. : wait, want) il n'y a pas redoublement ; on ne redouble pas non plus une consonne qui ne vient pas en fin de mot (ex. : le p de hope).

waited wanting hoping writing

3. Dans les mots de deux syllabes ou plus, on ne redouble que si l'accent du mot porte sur la dernière syllabe. Comparez :

be'gin, be'ginning   'visit, 'visiting
pre'fer, pre'ferred   'offer, 'offered

4. En anglais britannique, la lettre l précédée d'une seule voyelle est toujours redoublée, même si l'accent du mot ne porte pas sur la dernière syllabe.

com'pel, com'pelling   'travel, 'traveller (Américain : traveler)

5. Exceptions : 'worshipped, 'kidnapped.

B. Les mots terminés par -y et -ie

1. Lorsqu'on ajoute une terminaison à un mot qui se termine par un y précédé d'une consonne, le -y se change en -i.

carry, carried   happy, happier   busy, business
marry, marriage   pity, pitiable

Les noms et les verbes qui se terminent ainsi forment leur pluriel ou troisième personne du singulier en -ies.

lady, ladies   marry, marries

2. Le -y ne change pas après une voyelle ou devant ing ou -ish.

play, player   stay, stayed
carry, carrying   baby, babyish

Exceptions : say, said   lay, laid   pay, paid.

3. -ie se change en -y devant -ing.

die, dying   lie, lying   tie, tying

C. Les mots terminés par -e

1. Lorsqu'on ajoute une terminaison à un mot qui se termine par -e, le -e disparaît devant une voyelle. Comparez :

hope, hoping, hopeful   excite, exciting, excitement
note, notable   fame, famous

Exceptions : *likeable, mileage.*

2. Dans les mots qui se terminent en *-ee,* les deux *-e* subsistent.

see, seeing   agree, agreeable

3. Dans les mots qui se terminent en *-ge* et *-ce,* le *-e* subsiste devant *a* ou *o.*

courage, courageous   replace, replaceable

D. -k et -ck ; -ch et -tch

1. On écrit *ck* en fin de mot après une seule voyelle.

back neck stock sick luck

Après deux voyelles, après une consonne, ou devant un *-e* final, on écrit *-k.*

steak book park bank make joke

2. La même règle est valable pour *-tch* et *-ch.* Comparez :

catch fetch   ditch hutch
each   brooch   arch   bench

Exceptions : *which rich much such detach.*

E. ie et ei

La voyelle [i:] s'écrit souvent *ie,* rarement *ei.*
Pourtant, on écrit *ei* après *c.* Comparez :

believe field receive ceiling

Notez également : *seize.*

F. -ise et -ize

En anglais britannique, on emploie indifféremment les terminaisons *-ise* et *-ize* dans la plupart des mots de trois syllabes ou plus.

realise / realize   computerise / computerize

Exception : *advertise* (seule forme possible).
En anglais américain, peu de mots se terminent en *-ise.*

G. in- et un-

Au préfixe négatif français "in-" (ex. : "intolérable", "incertain") correspondent les deux préfixes anglais *in-* et *un-* (ex. : *intolerable, uncertain*). Voici quelques mots fréquents qui commencent par *un-* :

unacceptable	uncommon	undesirable
unbelievable	unconditional	undress
unbreakable	unconscious	undrinkable
uncertain	uncontrollable	uneasy
unclear	undemocratic	uneatable
uncomfortable	undeniable	unequal (*mais* inequality)

unemployed	uninhabitable (*inhabitable*)	unoccupied
unexplored	unintelligent	unreadable
unfair	unintelligible	unreal
unfaithful	uninteresting	unsociable
unforgettable	uninterrupted	unstable (*mais*
ungovernable	unjust (*mais* injustice)	instability)
ungrateful	unjustifiable	untenable
unhealthy	unknown	unthinkable
unimaginable	unlimited	untouchable
unimportant	unmarried	untranslatable
		unusable

inexistant = non-existent ;   *ininflammable* = non-inflammable.

H. Quelques mots difficiles

Attention à l'orthographe des mots suivants :

accommodation	Englishman	pronunciation
aggressive	example	prove
apartment	exercise	quiet (= *tranquille*)
author	extremely	quite (= *assez, tout à fait*)
bicycle	future	resemble
character	government	responsible
circumstances	holiday	seat (= *siège, place*)
colour	honest	shock
comfortable	leave (= *laisser, partir*)	sit (= *être assis*)
comparison	live (= *vivre*)	steak
completely	literature	student
condemn	lose	tendency
correspondence	magnificent	to (= *à*)
dependence	measure	too (= *aussi, trop*)
development	medicine	weather (= *temps*)
dining-room	phenomenon	whether (= *si*)
disorder	practice (*nom*)	writer
enemy	practise (*verbe*)	writing
engineer	problem	

Notez que les mots comme *beautiful, useful, colourful* se terminent toujours par un seul -*l*.

Notez aussi qu'aux mots français qui se terminent en "onnel" correspondent normalement des mots anglais en -*onal* (ex. : *personal, traditional, occasional*).

I. L'orthographe américaine

1. Aux terminaisons britanniques -*trè*, -*our*, et -*ogue* correspondent, en règle générale, -*ter*, -*or*, et -*og*.

GB :	thea**tre**	cen**tre**	lab**our**	col**our**	catal**ogue**	dial**ogue**
US :	thea**ter**	cen**ter**	lab**or**	col**or**	catal**og**	dial**og**

2. Le -*l* n'est pas redoublé en fin de mot dans une syllabe qui ne porte pas d'accent.

GB :	'travel**ler**	'dial**ling**
US :	'travel**er**	'dial**ing**

3. La terminaison *-ise* est rare en anglais américain.

GB : real**ise** / real**ize**   US : real**ize**

4. Certains mots s'écrivent différemment, par exemple :

GB	US	GB	US
aluminium	aluminum	pyjamas	pajamas
analyse	analyze	practise *(verbe)*	practice
cheque	check	pretence	pretense
defence	defense	programme	program
jewellery	jewelry	speciality	specialty
offence	offense	tyre *(= pneu)*	tire

8   Adjectifs en **-ic** ou **-ical**

De nombreux adjectifs se terminent en *-ic* ou en *-ical*. Il n'y a pas de règle générale pour indiquer quelle forme est correcte pour tel ou tel mot.

1. Adjectifs qui se terminent en *-ical.*

Les plus importants sont :

biological	lexical	medical	surgical
chemical	logical	musical	tactical
critical	mathematical	physical	topical
cynical	mechanical	radical	zoological
grammatical			

et beaucoup d'autres qui se terminent par *-logical.*

2. Adjectifs qui se terminent en *-ic.*

Les plus importants sont :

academic	domestic	linguistic	public
artistic	electronic	majestic	schizophrenic
athletic	emphatic	neurotic	semantic
catholic	energetic	pathetic	syntactic
dramatic	fantastic	phonetic	systematic
tragic			

3. Cas où les deux formes sont possibles

Il y a généralement une différence de sens :
a. *Classic* = "exemple suprême ou célèbre de sa catégorie" (= "classé").

Chateau-Latour is a **classic** bordeaux.

Classical = "classique" dans les autres sens du terme.

classical music   **classical** literature

b. *Economic* s'emploie pour parler de l'économie d'un pays, des théories économiques, etc. (= "économique").

economic problems   **economic** theory

Economical s'emploie pour parler des gens qui savent économiser

(= ″économe″) ou des machines qui consomment peu (= ″écono-mique″).

> an **economical** car   She's very **economical.**

c. *Historic* = ″important″, ″mémorable″.

> January 1st 1973 - the **historic** date when Britain joined the Common Market

Historical s'emploie pour tout ce qui a un rapport avec l'histoire.

> **historical** research

4. Remarques

a. L'adverbe se termine toujours en *-ically* (que l'adjectif se termine par *-ic* ou *-ical*). Seule exception : *publicly*.

b. Beaucoup de noms se terminent par *-ics* au singulier (ex. : *mathematics, politics*). Voir 215[6].

9   Les mots dérivés (préfixes et suffixes)

Il existe un grand nombre de préfixes et de suffixes en anglais. Ils ont une fonction constante qu'il est utile de connaître. En voici quelques-uns parmi les plus fréquents.

1. Le préfixe *-un* permet de former des adjectifs de sens contraire à l'adjectif de base.

> pleasant, **un**pleasant   tidy, **un**tidy
> *agréable, désagréable*   *ordonné, désordonné.*

2. Le suffixe *-y* permet de former des adjectifs à partir de noms.

> anger, angry   thirst, (to be) thirsty
> *colère, coléreux*   *soif, (avoir) soif*

3. Le suffixe *-ly* permet généralement de former des adverbes à partir d'adjectifs.

> slow, slow**ly**   reasonable, reasonab**ly**
> *lent, lentement*   *raisonnable, raisonnablement*

(Pour les exceptions, voir 9.)

4. Les suffixes *-ful* et *-less* permettent de former des adjectifs à partir de noms : *-ful* a un sens positif (= ″plein″), *-less* a un sens privatif (= ″sans″).

> care, care**ful**, care**less**
> *soin, soigneux, sans soin*

5. Le suffixe *-er* sert à former des noms d'agents (= la personne ou l'objet qui fait l'action).

> to drive, a driv**er**   to light, a light**er**
> *conduire, un chauffeur*   *allumer, un briquet.*

6. Le suffixe *-ness* permet de former des noms abstraits à partir d'adjectifs.

ill, ill**ness**
malade, maladie

kind, kind**ness**
gentil, gentillesse.

7. Les suffixes *-dom* et *-hood* permettent de former des noms à partir de noms.

king, king**dom**
roi, royaume

child, chid**hood**
enfant, enfance.

8. Un mot peut être formé d'une racine et de plusieurs suffixes, ou d'une racine, d'un préfixe et d'un ou deux suffixes, etc. Il suffit donc de le décomposer pour en comprendre le sens.

hopelessness = **hope** + **less** + **ness** = *désespoir* ou *état désespéré.*

unfortunately = **fortunate** + **un** + **ly** = *malheureusement.*

10 La prononciation anglaise : quelques problèmes

1. Le rythme de la phrase

Il y a une différence fondamentale entre le rythme du français parlé et celui de l'anglais. En français, les syllabes se succèdent avec régularité : chacune a la même valeur dans le temps. S'il faut 2 secondes pour prononcer une phrase de 10 syllabes * (ex. : "Ça fait vingt-quatre ans que j'habite là-bas"), une phrase de 5 syllabes (ex. : "Passe-moi la moutarde") prendra 1 seconde. En anglais, par contre, ce sont les syllabes accentuées qui se succèdent avec régularité. Dans la phrase *Peter enjoyed working for his new boss,* les syllabes *Pe- -joyed, work-, new* et *boss* sont séparées par les mêmes intervalles de temps ; les syllabes sans accent *(-er, en-, -ing, for, his)* se prononcent assez vite pour ne pas interrompre le rythme. Considérez ces deux phrases :

- Jane likes tall men.
- There was a strange smell in the kitchen today.

La première phrase comporte 4 syllabes, l'autre 11, mais elles contiennent chacune 4 syllabes accentuées - et il faut presque le même temps pour les prononcer.

L'une des fautes les plus caractéristiques des étudiants français est de donner une valeur égale à chaque syllabe d'une phrase anglaise.

2. La voyelle [ə]

1. La voyelle [ə] ne se trouve jamais dans une syllabe accentuée. Par contre, elle est très fréquente dans les syllabes non accentuées. (C'est, de loin, la voyelle la plus fréquente de la langue anglaise.)

---

* Il ne s'agit, bien sûr, que de syllabes prononcées.

across [əˈkrɔs],   asleep [əˈsliːp],
atomic [əˈtɔmik],   particular [pəˈtikjələ],
photographer [fəˈtɔgrəfə],   conservative [kənsˈəːvətiv],
Canada [ˈkænədə],   Elizabeth [iˈlizəbəθ],

There were six bishops at the ceremony [ðə wə ˈsiks ˈbiʃəps ət ðə ˈserəməni]

2. Dans plusieurs préfixes (*con-, com-, pro-, ob-, ab-, sub-*), la voyelle se prononce [ə] si le préfixe n'est pas accentué.

confused [kənˈfjuːzd] (*mais* concert [ˈkɔnsət])
communicate [kəˈmjuːnikeit]   proceed [prəˈsiːd]
observe [əbˈzəːv]   absurd [əbˈsəːd]   submít [səbˈmit].

Par contre, la lettre *e* se prononce [i] dans les préfixes non-accentués.

deceive [diˈsiːv] (*mais* definite [ˈdefnit])
expect [ikˈspekt]   refuse [riˈfjuːz]   enjoy [inˈdzɔi].

3. "Formes fortes" et "formes faibles"

Comparez la prononciation de *at* dans ces deux phrases :

I got up at 6 o'clock. [ət] - What are you looking at ? [æt]

Dans la première phrase, comme d'habitude, *at* ne porte pas d'accent (les prépositions, conjonctions, articles, pronoms et verbes auxiliaires sont rarement accentués). Dans le deuxième exemple, par contre, *at* se trouve dans une position plus importante (en fin de phrase), et se prononce exceptionnellement [æ t].
Il y a une cinquantaine de mots qui, comme *at*, possèdent deux prononciations : une "forme forte", où la voyelle a sa valeur normale (*of* [ɔv], *can* [kæn], *us* [ʌs]), et une "forme faible", où (dans la majorité des cas) la voyelle se prononce [ə] *(of* [əv], *can* [kən], *us* [əs]).

La forme faible est la prononciation normale (puisque ces mots sont rarement accentués). Attention ! sous l'influence de l'orthographe, on a tendance à trop employer les formes fortes.
Voici la liste des mots les plus fréquents qui possèdent une forme faible :

am	but	for	her	some	to
and	can	from	must	than	us
are	could	had	of	that	was
as	do	has	shall	them	were
at	does	have	should	there	would

Remarque. Les formes composées avec *-n't* ont toujours une prononciation forte.

mustn't [mʌsnt]   can't [kaːnt]   wasn't [wɔznt]

4. Lettres muettes

1. - *stle* et *sten* (en fin de mot) se prononcent [sl], [sn] (le *t* est muet).
whistle   castle   listen   fasten

— *gn* se prononce [n] en fin de mot.
sign   foreign   champagne

- *mb, mn* se prononcent [m] en fin de mot.

    climb   comb   dumb   hymn   autumn

- *kn* se prononce [n] en début de mot.

    know   knife

- *ps* se prononce [s] en début de mot.

    psychology

- *wh* se prononce [h] devant la lettre *o* en début de mot.

    who   whole

Dans les autres cas, *wh* se prononce [w] en début de mot.

    when   which

- *wr* se prononce [r] en début de mot.

    write   wrap

2. En anglais britannique, *r* se prononce [ə], ou ne se prononce pas du tout, devant une consonne ou en fin de mot.

    far [fɑ:]   wondered [ˈwʌndəd]
    Board [bɔ:d]   mother [ˈmʌðə]
    here [hiə]

3. Dans les mots suivants, les lettres imprimées en italique sont muettes :

    ca*l*m [kɑ:m]   of*t*en [ˈɔfn]
    Chris*t*mas [ˈkrisməs]   pa*l*m [pɑ:m]
    cou*l*d [kud]   sa*l*mon [ˈsæmən]
    cu*p*board [ˈkʌbəd]   san*d*wich [ˈsænwidz]
    ha*l*f [hɑ:f]   shou*l*d [ʃud]
    han*d*kerchief [ˈhæŋkətʃif]   ta*l*k [tɔ:k]
    *h*onest [ˈɔnist]   wa*l*k [wɔ:k]
    *h*onour [ˈɔnə]   We*d*nesday [ˈwenzdi]
    *h*our [auə]   wou*l*d [wud].
    mus*c*le [mʌsl]

11   Principaux signes phonétiques

Voyelles brèves

[i]   pig, fish, pretty, England, business, women.
[e]   hen, bed, friend, bury, any, red
[æ]   cat, fat, has, rat, catch
[ɔ]   dog, fog, got, stop, cross
[u]   bull, book, look, good, put
[ʌ]   duck, hurry, bus, mother, some, come, love, country, front, London
[ə]   a zebra, weather, across, China, until, condition

Voyelles longues

[i:]   bee, see, tree, field, between
[ɑ:]   carp, father, garden, pass, France
[ɔ:]   stork, porter, tall, walk, talk, caught, bought, saw, law
[u:]   goose, moon, shoes, you, soup
[ə:]   girl, shirt, work, world, church, turn, early, heard, certain

Diphtongues

[ei]	snake, table, rain, day, take
[ai]	fly, I, eye, dry, fine, bright
[ɔi]	boy, toy, coin, joy
[əu]	mole, rose, boat, coat, don't, throw, stone, snow, no, most, post
[au]	cow, now, down, shout, house, round
[iə]	deer, beer, here, near, dear
[eɔ]	bear, chair, where, there, fair, care

Triphtongues

[auə]	flower, hour, tower
[aiə]	lion, fire, quiet, tired

Consonnes

[θ]	tooth, moth, thin, path
[ð]	the, this, that, then, with
[s]	see, books, tense, bus
[z]	zoo, easy, news, please, dogs
[ʒ]	pleasure, measure, usual, television
[dʒ]	giraffe, judge, giant, age
[ʃ]	shoe, ship, fish
[tʃ]	church, child, teacher
[j]	yes, few [fju:], new [nju:], pupil [pju:pl]
[w]	water, one, window, will
[ŋ]	duckling, song

Les consonnes [f, v, p, b, t, d, k, g, m, n, l, r, h] ont leur valeur normale. Exemple : parliament ['pɑ:limənt].

Remarque.

- *sh* se prononce toujours [ʃ].
- *ch* se prononce presque toujours [tʃ].

12 Grammaire littéraire

Dans les sections qui suivent, vous trouverez une description de certaines structures peu courantes en anglais parlé, mais qui se rencontrent dans la langue écrite non familière.

1. Omission du pronom sujet + *to be* après conjonction.

While in one of his rages, he ... (= While he was ...)
Au cours d'une de ses rages, il ...

If necessary   as required
si nécessaire   comme demandé

2. Omission de *to be* après *however, whatever,* etc.

However great the differences between us, ...
Aussi grandes que soient les différences qui nous séparent ...

We shall go on fighting whatever the cost.
Nous continuerons le combat quel qu'en soit le prix.

3. Omission de *it* après *as.*

... as has often been suggested ...
... comme on l'a souvent suggéré ...

... as was the case in the Middle Ages ...
... Comme c'était le cas au Moyen Age ...

4. Inversion après *as*.

He was a Catholic, as were most of his colleagues.
Il était catholique, comme la plupart de ses collègues.

She painted a little, as did many of her friends.
Elle faisait un peu de peinture, comme beaucoup de ses amis.

5. Inversion après une expression négative.

At no time did the President say he regretted what he had done.
A aucun moment le Président n'a dit qu'il regrettait ce qu'il avait fait.

Not only was she prevented from voting but ...
Non seulement on l'empêcha de voter mais ...

No sooner/hardly had I arrived when ...
A peine étais-je arrivé que ...

Remarque

L'inversion après *neither, nor* et *so* (ex. : *Nor can I*) fait partie de la langue parlée courante. (Voir 234[1].)

6. Inversion après *only*.

Only then did she realize what was going to happen to her.
Alors seulement elle comprit ce qui allait lui arriver.

Only after six years of research did we decide to put this magnificent apparatus on the market.
Ce n'est qu'après six années de recherche que nous décidâmes de mettre ce magnifique appareil sur le marché.

7. Propositions conditionnelles : inversion après **had, should, were**, et omission de **if**.

Had I known what was to come ... (= If I had known ...)
Si j'avais su ce qui allait se produire ...

Should you meet my aunt ... (= If you should meet ...)
Au cas où vous rencontreriez ma tante ...

Were he ten years younger, he ... (= If he were ...)
S'il avait dix ans de moins, il...

8. Structure spéciale avec *too, so, how*.

It's too strong an urge to be resisted.
C'est une pulsion trop forte pour qu'on lui résiste.

It was so beautiful a day that we decided to organize a picnic.
C'était une si belle journée que nous décidâmes d'organiser un pique-nique.

How wonderful a sensation it is to look down from the top of a high mountain !
Quelle merveilleuse sensation on éprouve lorsque, du sommet d'une haute montagne, on plonge le regard vers la vallée.

(Équivalents non littéraires : The urge is too strong ... - It was such a beautiful day... - What a wonderful sensation it is...)

9. *Might* après *so that, in order that* (= *afin que*).

Nearly four million buffalo were destroyed so that civilization might advance.
Près de quatre millions de buffles furent détruits afin que la civilisation puisse progresser.

13 Tableau des conjugaisons actives

Exemple : to help, verbe régulier

FORMES SIMPLES

PRÉSENT : *j'aide, tu aides...* (habitude, action répétée)	PRÉTÉRIT : *j'aidais, tu aidais* ou *j'ai aidé, tu as aidé* ou *j'aidai, tu aidas...*
I help You help He / she / it helps We help You help They help	I helped You helped He / she / it helped We helped You helped They helped
Do I help ? Do you help ? Does he / she / it help ? Do we help ? Do you help ? Do they help ?	Did I help ? Did you help ? Did he / she / it help ? Did we help ? Did you help ? Did they help ?
I do not help You do not help He / she / it does not help We do not help You do not help They do not help	I did not help You did not help He / she / it did not help We did not help You did not help They did not help
FUTUR : *j'aiderai, tu aideras...*	CONDITIONNEL PRÉSENT : *j'aiderais, tu aiderais...*
I will / shall help You will help He / she / it will help We will / shall help You will help They will help	I would help You would help He / she / it would help We would help You would help They would help
Will / shall I help ? Will you help ? Will he / she / it help ? Will / shall we help ? Will you help ? Will they help ?	Would I help ? Would you help ? Would he / she / it help ? Would we help ? Would you help ? Would they help ?
I will / shall not help You will not help He / she / it will not help We will / shall not help You will not help They will not help	I would not help You would not help He / she / it would not help We would not help You would not help They would not help

PRESENT PERFECT: *j'ai aidé, tu as aidé,* ou (*avec* for / since) *j'aide, tu aides...*	PLUPERFECT: *j'avais aidé, tu avais aidé,* ou (*avec* for / since) *j'aidais, tu aidais...*
I have helped You have helped He / she / it has helped We have helped You have helped They have helped	I had helped You had helped He / she / it had helped We had helped You had helped They had helped
Have I helped ? Have you helped ? Has he / she / it helped ? Have we helped ? Have you helped ? Have they helped ?	Had I helped ? Had you helped ? Had he / she / it helped ? Had we helped ? Had you helped ? Had they helped ?
I have not helped You have not helped He / she / it has not helped We have not helped You have not helped They have not helped	I had not helped You had not helped He / she / it had not helped We had not helped You had not helped They had not helped
FUTUR ANTÉRIEUR: *j'aurai aidé, tu auras aidé...*	CONDITIONNEL PASSÉ: *j'aurais aidé, tu aurais aidé...*
I will / shall have helped You will have helped He / she / it will have helped We will / shall have helped You will have helped They will have helped	I would have helped You would have helped He / she / it would have helped We would have helped You would have helped They would have helped
Will / shall I have helped ? Will you have helped ? Will he / she / it have helped ? Will / shall we have helped ? Will you have helped ? Will they have helped ?	Would I have helped ? Would you have helped ? Would he / she / it have helped ? Would we have helped ? Would you have helped ? Would they have helped ?
I will / shall not have helped You will not have helped He / she / it will not have helped We will / shall not have helped You will not have helped They will not have helped	I would not have helped You would not have helped He / she / it would not have helped We would not have helped You would not have helped They would not have helped

FORMES PROGRESSIVES

PRÉSENT : *j'aide (je suis en train d'aider), tu aides...*	PRÉTÉRIT : *j'aidais (j'étais en train d'aider), tu aidais...*
I am helping	I was helping
You are helping	You were helping
He / she / it is helping	He / she / it was helping
We are helping	We were helping
You are helping	You were helping
They are helping	They were helping
Am I helping ?	Was I helping ?
Are you helping ?	Were you helping ?
Is he / she / it helping ?	Was he / she / it helping ?
Are we helping ?	Were we helping ?
Are you helping ?	Were you helping ?
Are they helping ?	Were they helping ?
I am not helping	I was not helping
You are not helping	You were not helping
He / she / it is not helping	He / she / it was not helping
We are not helping	We were not helping
You are not helping	You were not helping
They are not helping	They were not helping
FUTUR : *j'aiderai (je serai en train d'aider), tu aideras...*	CONDITIONNEL PRÉSENT : *j'aiderais (je serais en train d'aider), tu aiderais...*
I will / shall be helping	I would be helping
You will be helping	You would be helping
He / she / it will be helping	He / she / it would be helping
We will / shall be helping	We would be helping
You will be helping	You would be helping
They will be helping	They would be helping
Will / shall I be helping ?	Would I be helping ?
Will you be helping ?	Would you be helping ?
Will he / she / it be helping ?	Would he / she / it be helping ?
Will / shall we be helping ?	Would we be helping ?
Will you be helping ?	Would you be helping ?
Will they be helping ?	Would they be helping ?
I will / shall not be helping	I would not be helping
You will not be helping	You would not be helping
He / she / it will not be helping	He / she / it would not be helping
We will / shall not be helping	We would not be helping
You will not be helping	You would not be helping
They will not be helping	They would not be helping

PRESENT PERFECT :	PLUPERFECT :
j'aide (+ for / since) ou	*j'aidais* (+ for / since) ou
j'ai aidé ...	*j'avais aidé* ...
I have been helping	I had been helping
You have been helping	You had been helping
He / she / it has been helping	He / she / it had been helping
We have been helping	We had been helping
You have been helping	You had been helping
They have been helping	They had been helping
Have I been helping ?	Had I been helping ?
Have you been helping ?	Had you been helping ?
Has he / she / it been helping ?	Had he / she / it been helping ?
Have we been helping ?	Had we been helping ?
Have you been helping ?	Had you been helping ?
Have they been helping ?	Had they been helping ?
I have not been helping	I had not been helping
You have not been helping	You had not been helping
He / she / it has not been helping	He / she / it had not been helping
We have not been helping	We had not been helping
You have not been helping	You had not been helping
They have not been helping	They had not been helping

FUTUR ANTÉRIEUR * :	CONDITIONNEL PASSÉ * :
j'aurai aidé, tu auras aidé...	*j'aurais aidé, tu aurais aidé...*
I will / shall have been helping	I would have been helping
You will have been helping	You would have been helping
He / she / it will have been helping	He / she / it would have been helping
We will / shall have been helping	We would have been helping
You will have been helping	You would have been helping
They will have been helping	They would have been helping
Will / shall I have been helping ?	Would I have been helping ?
Will you have been helping ?	Would you have been helping ?
Will he / she / it have been helping ?	Would he / she / it have been helping ?
Will / shall we have been helping ?	Would we have been helping ?
Will you have been helping ?	Would you have been helping ?
Will they have been helping ?	Would they have been helping ?
I will / shall not have been helping	I would not have been helping
You will not have been helping	You would not have been helping
He / she / it will not have been helping	He / she / it would not have been helping
We will / shall not have been helping	We would not have been helping
You will not have been helping	You would not have been helping
They will not have been helping	They would not have been helping

* Ces formes sont moins fréquentes que les autres.

14 Principaux verbes irréguliers

INFINITIF	PRÉTÉRIT	PARTICIPE PASSÉ

A

| arise [ə'raiz], *s'élever* | arose [ə'rəuz] | arisen [ə'rizn] |

B

be [bi:], *être*	was [wɔz ; wəz] were [wə: ; wə]	been [bi:n ; bin]
beat [bi:t], *battre*	beat [bi:t]	beaten [bi:tn]
become [bi'kʌm], *devenir*	became [bi'keim]	become [bi'kʌm]
begin [bi'gin], *commencer*	began [bi'gæn]	begun [bi'gʌn]
bend [bend], *plier ; ployer ; courber*	bent [bent]	bent [bent]
bet [bet], *parier*	bet [bet]	bet [bet]
bind [baind], *lier*	bound [baund]	bound [baund]
bite [bait], *mordre*	bit [bit]	bitten [bitn]
bleed [bli:d], *saigner*	bled [bled]	bled [bled]
blow [bləu], *souffler*	blew [blu:]	blown [bləun]
break [breik], *casser*	broke [brəuk]	broken [brəukn]
bring [briŋ], *amener ; apporter*	brought [brɔ:t]	brought [brɔ:t]
build [bild], *construire*	built [bilt]	built [bilt]
burn [bə:n], *brûler*	burnt [bə:nt]	burnt [bə:nt]
burst [bə:st], *éclater*	burst [bə:st]	burst [bə:st]
buy [bai], *acheter*	bought [bɔ:t]	bought [bɔ:t]

C

cast [kɑ:st], *jeter ; lancer*	cast [kɑ:st]	cast [kɑ:st]
catch [kætʃ], *attraper*	caught [kɔ:t]	caught [kɔ:t]
choose [tʃu:z], *choisir*	chose [tʃəuz]	chosen [tʃəuzn]
cling [kliŋ], *s'accrocher*	clung [klʌŋ]	clung [klʌŋ]
come [kʌm], *venir*	came [keim]	come [kʌm]
cost [kɔst], *coûter*	cost [kɔst]	cost [kɔst]
creep [kri:p], *ramper ; se glisser*	crept [krept]	crept [krept]
cut [kʌt], *couper*	cut [kʌt]	cut [kʌt]

D

deal (with) [di:l], *s'occuper (de)*	dealt [delt]	dealt [delt]
dig [dig], *creuser*	dug [dʌg]	dug [dʌg]
do [du:], *faire*	did [did]	done [dʌn]
draw [drɔ:], *dessiner*	drew [dru:]	drawn [drɔ:n]
dream [dri:m], *rêver*	dreamt [dremt]	dreamt [dremt]
drink [driŋk], *boire*	drank [dræŋk]	drunk [drʌŋk]
drive [draiv], *conduire (voitures, ...)*	drove [drəuv]	driven [drivn]

INFINITIF	PRÉTÉRIT	PARTICIPE PASSÉ

E

eat [i:t], *manger*	ate [et]	eaten [i:tn]

F

fall [fɔ:l], *tomber*	fell [fel]	fallen [fɔ:ln]
feed [fi:d], *(se) nourrir*	fed [fed]	fed [fed]
feel [fi:l], *(se) sentir ; éprouver*	felt [felt]	felt [felt]
fight [fait], *se battre*	fought [fɔ:t]	fought [fɔ:t]
find [faind], *trouver*	found [faund]	found [faund]
fling [fliŋ], *lancer violemment*	flung [flʌŋ]	flung [flʌŋ]
fly [flai], *voler (ailes)*	flew [flu:]	flown [fləun]
forbid [fə'bid], *interdire*	forbade [fə'bæd]	forbidden [fə'bidn]
forget [fə'get], *oublier*	forgot [fə'gɔt]	forgotten [fə'gɔtn]
forgive [fə'giv], *pardonner*	forgave [fə'geiv]	forgiven [fə'givn]
freeze [fri:z], *geler*	froze [frəuz]	frozen [frəuzn]

G

get [get], *obtenir ; devenir ; etc.*	got [gɔt]	got [gɔt]
give [giv], *donner*	gave [geiv]	given [givn]
go [gəu], *aller*	went [went]	gone [gɔn]
grind [graind], *moudre*	ground [graund]	ground [graund]
grow [grəu], *grandir*	grew [gru:]	grown [grəun]

H

hang [hæŋ], *accrocher ; suspendre*	hung [hʌŋ]	hung [hʌŋ]
have [hæv ; həv], *avoir*	had [hæd ; həd]	had [hæd]
hear [hiə], *entendre*	heard [hə:d]	heard [hə:d]
hide [haid], *(se) cacher*	hid [hid]	hidden [hidn]
hit [hit], *frapper*	hit [hit]	hit [hit]
hold [həuld], *tenir*	held [held]	held [held]
hurt [hə:t], *faire mal (à)*	hurt [hə:t]	hurt [hə:t]

K

keep [ki:p], *garder ; ne pas arrêter de*	kept [kept]	kept [kept]
kneel [ni:l], *s'agenouiller ; être à genoux*	knelt [nelt]	knelt [nelt]
know [nəu], *savoir ; connaître*	knew [nju:]	known [nəun]

L

lay (the table) [lei], *mettre (la table)* — laid [leid] — laid [leid]
lead [li:d], *conduire ; mener* — led [led] — led [led]
learn [lə:n], *apprendre* — learnt [lə:nt] — learnt [lə:nt]
leave [li:v], *laisser ; quitter ;* — left [left] — left [left]
lend [lend], *prêter* — lent [lent] — lent [lent]
let [let], *laisser ; permettre* — let [let] — let [let]
lie [lai], *être couché, étendu* — lay [lei] — lain [lein]
light [lait], *allumer* — lit [lit] ; (lighted) — lit [lit] ; (lighted)
lose [lu:z], *perdre* — lost [lɔst] — lost [lɔst]

M

make [meik], *faire ; fabriquer* — made [meid] — made [meid]
mean [mi:n], *vouloir dire ; signifier* — meant [ment] — meant [ment]
meet [mi:t], *rencontrer* — met [met] — met [met]

P

pay [pei], *payer* — paid [peid] — paid [peid]
put [put], *mettre ; poser* — put [put] — put [put]

R

read [ri:d], *lire* — read [red] — read [red]
ride [raid], *faire du vélo, du cheval* — rode [rəud] — ridden [ridn]
ring [riŋ], *sonner* — rang [ræŋ] — rung [rʌŋ]
rise [raiz], *s'élever ; se lever (soleil)* — rose [rəuz] — risen [rizn]
run [rʌn], *courir* — ran [ræn] — run [rʌn]

S

say [sei], *dire* — said [sed] — said [sed]
see [si:], *voir* — saw [sɔ:] — seen [si:n]
seek [si:k], *chercher (lit.)* — sought [sɔ:t] — sought [sɔ:t]
sell [sel], *vendre* — sold [səuld] — sold [səuld]
send [send], *envoyer* — sent [sent] — sent [sent]
set [set], *poser, fixer, etc.* — set [set] — set [set]
sew [səu], *coudre* — sewed [səud] — sewn [səun]
shake [ʃeik], *secouer* — shook [ʃuk] — shaken [ʃeiken]
shine [ʃain], *briller* — shone [ʃɔn] — shone [ʃɔn]
shoot [ʃu:t], *tirer (fusil)* — shot [ʃɔt] — shot [ʃɔt]
show [ʃəu], *montrer* — showed [ʃəud] — shown [ʃəun]
shrink [ʃriŋk], *(se) rétrécir* — shrank [ʃræŋk] — shrunk [ʃrʌŋk]

INFINITIF	PRÉTÉRIT	PARTICIPE PASSÉ
shut [ʃʌt], *fermer*	shut [ʃʌt]	shut [ʃʌt]
sing [siŋ], *chanter*	sang [sæŋ]	sung [sʌŋ]
sink [siŋk], *couler ; sombrer*	sank [sæŋk]	sunk [sʌŋk]
sit [sit], *être assis*	sat [sæt]	sat [sæt]
slay [slei], *tuer (lit.)*	slew [slu:]	slain [slein]
sleep [sli:p], *dormir*	slept [slept]	slept [slept]
slide [slaid], *glisser (faire des glissades)*	slid [slid]	slid [slid]
smell [smell], *sentir (odeurs)*	smelt [smelt]	smelt [smelt]
speak [spi:k], *parler*	spoke [spəuk]	spoken [spəukn]
spell [spel], *épeler*	spelt [spelt]	spelt [spelt]
spend [spend], *passer (temps) ; dépenser (argent)*	spent [spent]	spent [spent]
spill [spil], *renverser, répandre (liquide)*	spilt [spilt]	spilt [spilt]
spin [spin], *tourner rapidement*	spun [spʌn]	spun [spʌn]
spit [spit], *cracher*	spat [spæt]	spat [spæt]
split [split], *(se) fendre*	split [split]	split [split]
spread [spred], *étaler*	spread [spred]	spread [spred]
spring [spriŋ], *bondir ; jaillir*	sprang [spræŋ]	sprung [sprʌŋ]
stand [stænd], *être debout*	stood [stud]	stood [stud]
steal [sti:l], *voler (dérober)*	stole [stəul]	stolen [stəuln]
stick [stik], *coller*	stuck [stʌk]	stuck [stʌk]
sting [stiŋ], *piquer (insectes)*	stung [stʌŋ]	stung [stʌŋ]
stink [stiŋk], *puer*	stank [stæŋk]	stunk [stʌŋk]
strike [straik], *frapper*	struck [strʌk]	struck [strʌk]
swear [sweə], *jurer ; dire des "gros mots"*	swore [swɔə]	sworn [swɔ:n]
sweep [swi:p], *balayer*	swept [swept]	swept [swept]
swim [swim], *nager*	swam [swæm]	swum [swʌm]
swing [swiŋ], *(se) balancer*	swung [swʌŋ]	swung [swʌŋ]

T

take [teik], *prendre*	took [tuk]	taken [teikn]
teach [ti:tʃ], *enseigner*	taught [tɔ:t]	taught [tɔ:t]
tear [teə], *déchirer*	tore [tɔə]	torn [tɔ:n]
tell [tel], *dire ; raconter*	told [təuld]	told [təuld]
think [θiŋk], *penser ; croire*	thought [θɔ:t]	thought [θɔ:t]
throw [θrəu], *jeter ; lancer*	threw [θru:]	thrown [θrəun]
tread [tred], *marcher (sur le pied de qqun), fouler aux pieds*	trod [trɔd]	trodden [trɔdn]

U

undergo [ʌndə'gəu], *subir*	underwent [ʌndə'went]	undergone [ʌndə'gɔn]
understand [ʌndə'stænd], *comprendre*	understood [ʌndə'stud]	understood [ʌndə'stud]

W

INFINITIF	PRÉTÉRIT	PARTICIPE PASSÉ
wake (up) [weik], *(se) réveiller*	woke (up) [wəuk]	woken (up) [wəukn]
wear [weə], *porter (vêtements)*	wore [wɔə]	worn [wɔ:n]
weave [wi:v], *tisser*	wove [wəuv]	woven [wəuvn]
weep [wi:p], *pleurer (lit.)*	wept [wept]	wept [wept]
win [win], *gagner*	won [wʌn]	won [wʌn]
wind [waind], *serpenter,*	wound [waund]	wound [waund]
withdraw [wið'drɔ:], *(se) retirer*	withdrew [wið'dru:]	withdrawn [wið'drɔ:n]
wring [riŋ], *tordre*	wrung [rʌŋ]	wrung [rʌŋ]
write [rait], *écrire*	wrote [rəut]	written [ritn]

Remarques

- Il ne s'agit que des verbes les plus courants, il y en a d'autres.
- Les traductions ne sont données qu'à titre d'indication. Selon le contexte, un verbe peut se traduire de façons différentes.
- Attention ! Ne confondez pas :

to feel [fi:l], felt, felt : *(se) sentir ; éprouver.*
to fall, fell, fallen : *tomber.*
to fill [fil], filled, filled : *remplir*

to fly, flew, flown : *voler (ailes).*
to flow, flowed, flowed : *couler.*

to get, got, got : *obtenir ; devenir ; etc.*
to go, went, gone : *aller.*

to leave [li:v], left, left : *laisser ; quitter.*
to live [liv], lived, lived : *vivre ; habiter.*

to lie, lay, lain : *être couché.*
to lay, laid, laid : *mettre (la table) ; poser.*
to lie, lied, lied : *mentir.*

to think [θiŋk], thought, thought : *penser.*
to sink [siŋk], sank, sunk : *couler, sombrer.*

CORRIGÉS
DES EXERCICES

1.1. 1.a - 2.an - 3.a - 4.a - 5.an - 6.a

1.2. A hotel - hotels - an object -
objects - boys - flowers - another
day - An impossible thing.

2. 1. My brother's a dentist. (*Ou* My
brother is...).
2. Don't go out without a coat.
3. What a nice (*ou* beautiful) day !
4. I always work without a
dictionary.
5. What a mistake !
6. 'Are you a teacher ?' 'No, I'm a
student.'

3. 1. to talk about a plan
2. to dream about a journey
3. I don't know anything about
Shakespeare.
4. a good film about China
5. He's always angry about
something.
6. I often think about my holidays.

4. 1. about five minutes
2. about three days
3. about six months
4. about a year...
5. about six (o'clock)
6. about a (*ou* one) hundred grams

5. 1. He's about to emigrate.
2. She was about to cry.
3. We're about to sign the contract.
4. **The film's about to start / to be-**
gin.
5. We were about to give up.
6. He was about to pay.

6. 1. across - 2. through - 3. across -
4. through - 5. across - 6. through.

7.1. 1. a different opinion
2. a very important thing
3. a long dress
4. a white house
5. a very famous woman
6. the most intelligent child

7.2. 1. high mountains
2. very interesting books
3. young people
4. They're very rich.
5. the other cars
6. good results

7.3. 1. a picture gallery
2. a shoe shop
3. a photograph album
4. a three-pound ticket
5. a rose garden
6. a three-day holiday

8. 1. long-haired - 2. footba
playing - 3. stupid-looking -
orange-brown - 5. one-eyed
fast-moving - 7. interesti
looking - 8. grey-black.

9. 1. a weekly journey / trip
2. a lovely song
3. a friendly discussion
4. a monthly ticket
5. They're very friendly.
6. They always talk (speak) to me
a friendly way.

10. 1. In (Great) Britain, the rich p
a lot of taxes.
2. He works in a hospital for t
blind.
3. The Japanese make good car
4. He gave all his money to t
poor.
5. The English (*ou* English p
ple...) don't drink much wine
lot of wine.
6. the problems of the old / old p
ple's problems

11. 1. — - 2. and - 3. and - 4. —
and - 6. and.

12. 1. after - 2. afterwards - 3. aft
4. after - 5. afterwards - 6. aft
wards.

13. 1. after finishing/ending
2. after coming
3. after buying the car
4. after falling
5. after asking
6. after shutting the door

14.1. 1. again - 2. again - 3. back
again.

14.2. 1. He won't play again.
2. I've brought back your bicyc
I've brought your bicycle back
3. Don't forget to send the bo
back / to send back the books
4. I'd like to see your photos aga

15. 1. a week ago
2. years ago
3. two days ago
4. I saw Robert five minutes ago.
5. She arrived an hour ago.
6. I got up a long time ago.

16. 1. She doesn't agree.
2. Christian agrees with me.
3. 'Do you agree?' 'I don't know.'
4. We all agree with you. *(Pour la place de* all, *voir* 18).
5. I think he agrees.
6. 'I don't agree!' 'Why?'

17. 1. all my friends
2. all the family
3. every year
4. all my money
5. all the town
6. every (*ou* each) woman
7. every afternoon
8. all (the) afternoon

18. 1. We all hope...
2. They all live...
3. They all speak English.
4. They all work in London.
5. They all know...
6. They all have... (*ou* They have all...)

19. 1. All animals have (got) eyes.
2. all my family / all of my family
3. all of you / you all
4. all countries
5. all our clothes / all of our clothes
6. I'll invite all of them / them all.

20. 1. Everything's perfect.
2. I've forgotten everything.
3. Everything's ready.
4. Tell me everything. (*Pour* tell, *voir* 279).
5. everything or nothing
6. I've finished everything.

21. 1. Not all French people live in Paris.
2. Not all German people like beer.
3. Not all Swiss people speak French.
4. Not all Americans are cowboys.
5. Not everybody has the same tastes.
6. Not everything's easy in life.

22. 1. too - 2. also - 3. as well / too - 4. too / as well - 5. too - 6. also.

23. 1. also - 2. so - 3. also - 4. So - 5. so - 6. also.

24. 1. He always tells the truth.
2. My mother has always got up at six.
3. Always wash your hands before eating.
4. I always work well in the morning.
5. We always go to Italy on holiday.
6. Always put 'an' before 'hour'.

25. 1. Try and understand.
2. Let's go and see Maurice.
3. Come and have lunch with us tomorrow.
4. I want to go and see a film.

26. 1. any - 2. everything - 3. every - 4. anywhere - 5. Everybody - 6. anybody.

27. 1. He arrived at five (o'clock).
2. I can't manage to understand them.
3. Do you know what happened yesterday?
4. (At) what time did you arrive in London? (*ou* ... did you get to London?).

28. 1. She's as intelligent as her sister.
2. I'm not as (*ou* so) tired as yesterday.
3. We came as fast (*ou* quickly) as possible.
4. It's twice as cold as this morning.
5. I don't work as well as you / as you do.
6. I don't go out as often as I used to.

29. 1. I haven't got as much free time as last year.
2. There are as many Chinese restaurants in London as in Paris.
3. You can eat as much as you like (*ou* want) for £ 5.
4. 'Have you got a lot of records?' 'Not as many as you (have).'
5. I haven't got as many friends as my sister.
6. There isn't as much petrol as I thought.

30. 1. like - 2. as - 3. like - 4. as -5. as - 6. as - 7. like - 8. As.

31. 1. He looks as if (*ou* as though) he's hungry.
2. I feel as if (*ou* as though) I'm dreaming.
3. She looks as if (*ou* as though) she doesn't understand.
4. He looked as if (*ou* as though) he was thinking.
5. You look as if (*ou* as though) you're cold.
6. I felt as if (*ou* as though) I was alone in the world.

32. 1. I'll stay in the country as long as the weather's fine (*ou* ... the weather is fine).
2. We'll come tonight (*ou* this evening) as long as you invite Maria.
3. We can't start until Marise is here.
4. You can eat with us as long as you help us.
5. As long as I've got friends, I'm happy.
6. Until you have (*ou* you've) phoned (*ou* telephoned), he won't know anything.

33.1. 1. — - 2. — - 3. for - 4. for - 5. — - 6. for.

33.2. 1. Ask Paul.
2. I'll ask Mary to come.
3. Can you ask Dan his phone number ?
4. I asked my neighbour the time.
5. Ask a policeman the way.
6. He asked my father for help.

34. 1. I'm sleepy.
2. Are you asleep ?
3. The woman was asleep.
4. a sleeping woman

35. 1. in - 2. at - 3. in - 4. at - 5. at - 6. at - 7. at - 8. in - 9. in - 10. at - 11. at - 12. at.

36. 1. at - 2. in - 3. on - 4. at - 5. in - 6. at - 7. in - 8. on - 9. at - 10. in.

37. 1. to - 2. at - 3. at - 4. to - 5. — - 6. to - 7. at - 8. at.

38. 1. also - 2. as ... as - 3. so - 4. too - 5. as... as - 6. too.

39. 1. Go away !
2. Susie ! The dog's run away. (*ou* The dog has run away).
3. Throw these (*ou* those) old shoes away !(*ou* Throw away...).
4. Put your papers away, please. (*ou* Put away your papers, please).

40. 1. I'm going to have a bath.
2. 'Where's Ken ?' 'He's having a swim !'
3. During the holidays I went swimming (*ou* I went for a swim) several times a day.
4. Do you like sunbathing ?
5. Come for a swim, the water's warm. (*ou* Come and have a swim).
6. Did you have a swim (*ou* Did you go swimming *ou* Did you go for a swim) yesterday ?

41(1). 1. I'm happy (*ou* I am...).
2. We're late (*ou* We are...).
3. They're not rich (*ou* They are not... *ou* They aren't...).
4. Is she pretty ?
5. Are they free ?
6. Aren't you Bob Wilson ?

41(2)**1.** 1. were - 2. were - 3. Was - 4. was - 5. Were - 6. were.

41(2)**2.** 1. We were young.
2. Was he responsible ?
3. They were not ready.
4. Wasn't she pleased ?
5. I wasn't surprised. (*ou* I was not...).
6. You were lucky.

41(3) 1. I won't be/I shan't be / I will not be / I shall not be
2. Will you be... ?
3. They'll be / They will be
4. Will he be free ?
5. We won't be at home. (*ou* We shan't be... *ou* We will / shall not be)
6. I'll be in England. (*ou* I will be / shall be...).

41(4) 1. been - 2. would be - 3. have... been - 4. had been - 5. being - 6. be.

42. 1. She's American. (*ou* She is...).
2. She's got two children. (*ou* She has...).
3. Are you thirsty ?
4. I've got too much work. (*ou* I have...).
5. I think you're tired. (*ou* ... you are...).
6. I'm not afraid of you. (*ou* I am not...).
7. You're wrong. (*ou* You are...).
8. Have you got Marie-Claude's address ?
9. The film's bad. (*ou* The film is...).
10. We've got friends in Scotland. (*ou* We have...).
11. They're very nice. (*ou* They are...). (*Pour* sympathetic, *voir* « Faux-amis », *p.*279).
12. My parents are both forty.
13. Are you sure ?
14. I've (got) no idea. (*ou* I have...).
15. My room's only six feet wide. (*ou* My room is...).
16. I'm sleepy. (*ou* I am...).

43. 1. Tomorrow the President is to open a new hospital in New York.
2. That day I saw for the first time the house where we were to spend ten years of our lives. (*Pour* our lives, *pluriel, voir* 215, R).
3. You're not to read my letters.
4. You're to say thank you to Daddy.
5. You're to take the train at 8.15.
6. The children are not to play with my stereo.

44. 1. I'd like to be able to cook.
2. I won't be able to work tomorrow. (*ou* I shan't be...).
3. I'll soon be able to speak English fluently.
4. In a hundred years (*ou* years' time), people will be able to travel everywhere.
5. I think I'll be able to help you tomorrow.
6. It's useful to be able to drive.

45. 1. We're not allowed to choose.
2. You're not allowed to walk on the grass.
3. Are you allowed to go out on weekdays ?
4. Parking isn't allowed here, Madam.

46. 1. were born - 2. was born - 3. was born - 4. were born - 5. was born - 6. were ... born.

47. 1. been - 2. gone - 3. been - 4. been - 5. gone - 6. gone.

48. 1. before arriving
2. before buying the paper
3. before playing the piano, I shut (*ou* close) all the windows.
4. before eating
5. before writing
6. before going to bed, I always drink a glass of milk.

49. 1. You'll soon be better.
2. Are you better ?
3. She's much better.
4. I'm completely better.

50. 1. I sing better than you.
2. 'Scriptex - the best pen in the world.'
3. This restaurant is better than the other.
4. I'm the best in the class.
5. 'How are you ?' 'Better than yesterday.'
6. I like the black pullover better than the red one.

51. 1. a bit longer
2. a bit cold
3. We're a bit late.
4. a bit too short
5. a bit better
6. a bit heavy

52. 1. My brothers both go to university / to college.
(*ou* Both my brothers / Both of my brothers go...).
2. The windows are both broken. (*ou* Both the windows / Both of the windows are broken.)
3. He's both intelligent and sensitive.
4. France and Germany are both republics (*ou* Both France and Germany are republics).
5. My pockets are both torn. (*ou* Both my pockets / Both of my pockets are torn.)
6. I play both football and rugby.

53. 1. bring - 2. take - 3. bring - 4. took - 5. brought - 6. bring.

54. 1. England - 2. (Great) Britain - 3. the United Kingdom - 4. Scotland - 5. (Great) Britain - 6. the United Kingdom.

56. 1. I've got to be back by eight. (*ou* I must be back...).
2. Can you repair it by Wednesday ?
3. I'll call you by ten.
4. I'll have the money by Christmas.

57. 1. Sorry, I can't.
2. He can't dance.
3. I could read when I was three.
4. Could you tell me your name, please ?
5. Can I help you ?
6. You can stop now.

58. 1. Can I go now ?
2. Could I ask you a question ?
3. May I see the letter ?
4. Where can I put my coat ?

59. 1. Can you hear the rain ?
2. What can you see ?
3. After the injection I couldn't feel anything (*ou*... I could feel nothing).
4. I can see Andrée in the street.
5. The dog can hear something.
6. I could feel his breath (*ou* her breath) on my face.

60. 1. could - 2. was able to / managed to - 3. was able to / managed to - 4. could - 5. were able to / managed to - 6. could.

61. 1. I could have seen you.
2. You could have helped me.
3. He could have gone faster.
4. I could have surprised everybody.
5. You could have told me the truth.
6. I could have died because of you.

62. 1. I often take care of my little sister. (*Pour* little, *voir* 190).
2. He likes taking care of animals. (*ou* He likes to take care...).
3. He cares a lot about his work.
4. I don't care about him.

63. 1. We changed trains at Kingston.
2. I'd like to change jobs.
3. I must change cars.
4. My children often change teachers.

64. 1. 'What are you looking for ?' 'My glasses.'
2. Can you fetch me from the airport at twelve ?
3. I'm going to get (some) cigarettes.
4. We're looking for a small flat.

65. 1. clothes - 2. cloth - 3. Clothes - 4. cloths - 5. clothes - 6. cloth.

66.1. 1. more intelligent than - the most interesting - the longest - the worst - better than - my best friend - earlier than - the funniest - harder than - the hardest - the laziest - lazier than.

66.2. 2. more interesting - 2. nicest - 3. most important - 4. better - 5. farthest/furthest - 6. easier.

66.3 1. best - 2. better / worse - 3. worst - 4. worse.

67. 1. least - 2. less - 3. less - 4. least - 5. fewer - 6. less.

68. harder - louder - more quickly - more easily - later - more lightly.

69. 1. He's smaller than me / than I am.
2. I've got more friends than her / than she has.
3. They're happier than us / than we are.
4. I've got (*ou* I have) more holidays than you / than you have.

70. 1. Life's getting more and more difficult.
2. It's getting hotter and hotter (*ou* ... warmer and warmer).
3. I've got more and more work.
4. This exercise is getting more and more boring.
5. We've got less and less money.
6. There are fewer and fewer open spaces.

71. 1. The more I sleep, the more tired I feel.
2. The more books I read, the more I forget.
3. The higher you climb, the more dangerous it is.
4. The more records I buy, the more I want to buy.
5. The more I listen, the less I understand.
6. The less I see her, the less I want to see her.

73. 1. the most beautiful girl in the village
2. the highest mountain in the world
3. the greatest writer of the century
4. the nicest boy in the class
5. the most expensive shop in the town
6. the best moment of the film

74.1. 1. I would (*ou* I'd) take - he **would** (*ou* **he'd**) **be** - **we would** (*ou* **we'd**) have - you would (*ou* you'd) go - he would (*ou* he'd) come - I would not (*ou* I wouldn't) **know** - **she would** (*ou* **she'd**) **find** - the teacher would not (*ou* wouldn't) understand.

74.2. 1. I knew he would (*ou* he'd) come.
2. She thought I would not (*ou* wouldn't) understand.
3. If I had the time, I would (*ou* I'd) go with you.
4. What would I do if you were not (*ou* weren't) here ?

75. I would have asked - he would have gone - my mother would have known - nobody (*ou* no one) would have heard - I would have forgotten - she would not have arrived (*ou* she wouldn't...).

76. 1. I'm tired.
2. What's the time ?
3. We're happy.
4. You're quite wrong.
5. They're late.
6. I'd forgotten you were coming.
7. I'd like to see you again.
8. I'll ring you.
9. I think it'll rain tonight.
10. I won't tell you.
11. I don't want to.
12. I don't know.

77. 1. I live in the country.
2. In my country we speak three different languages.
3. Yugoslavia is a beautiful (*ou* nice) country.
4. Brittany - what a beautiful (*ou* nice) region !
5. the air of the country

78. 1. My little sister cries a lot. (*Pour* little, *voir* 190).
2. John's father is always shouting. (*Pour* shout *et* scream, *voir* 78).
3. I was so afraid (*ou* frightened) that I began to scream.
4. 'Don't go (away)', he cried.

79. 1. 'Ask her where she lives.' 'I'm afraid (to).' (*ou* 'I daren't').
2. He's afraid to tell his parents. (*ou* He daren't tell his parents).
3. I hadn't got the courage (*ou* I didn't have the courage *ou* I didn't dare *ou* I was afraid) to invite Jim to dance.
4. Would you have the courage to sing in front of hundreds of people ?

80. 1. 14 July 1890 / 14th July 1890 / July 14 1890 / July 14th 1890 / 14.7.1890.
2. 7 April 1982 / 7th April 1982 / April 7 1982 / April 7th 1982 / 7.4.(19)82.
3. 5 November 1960 / 5th November 1960 / November 5 1960 / November 5th 1960 / 5.11.(19)60.
4. 8 January 1977 / 8th January 1977 / January 8 1977 / January 8th 1977 / 8.1.(19)77.

81. 1. dead - 2. died - 3. died - 4. dead - 5. died - 6. dead.

82. 1. 'Are you coming, Bob ? ' ' No, I've already eaten. '
2. It's already ten (o'clock).
3. Have you ever met my father ?
4. Has the post arrived yet ?
5. I've seen this film before.
6. I'm already tired.
7. Have you ever been in hospital ?
8. Has Patricia phoned (*ou* telephoned) yet ?

83.1. 1. will - 2. would - 3. is - 4. were - 5. had - 6. have.

83.2. 1. I thought you'd be late. (*ou* ... (that) you would be late).
2. I said I didn't understand. (*ou* ... (that) I did not understand).
3. I didn't know they'd bought a house. (*ou* ... (that) they had bought a house).
4. I said I'd write. (*ou* ... (that) I would write).
5. He told me you were ill.
6. I thought she'd found a job. (*ou* ... (that) she had found a job).

84. 1. Tell me where I can find a chemist's.
2. I wonder how much he earns.
3. She asked me what my parents thought about it (*ou* of it).
4. Could you tell me where the station is ?
5. I'd like to know where this (*ou* that) girl lives.
6. I don't know who this (*ou* that) mysterious man is.

85. 1. got divorced - 2. divorce - 3. get divorced - 4. get divorced - 5. divorced - 6. get divorced.

86. 1. Do you do sport ?
2. I didn't do the washing up last night.
3. What did you do last Saturday ? (*ou* ... on Saturday ?).
4. Don't do anything for the moment.

87. 1. I do think you're wrong.
2. Do take some meat !
3. Do stop talking.
4. 'You don't love me.' 'I do love you.'
5. It's normally (*ou* usually) very dry here. It does rain a lot in November, though.
6. I do like this music.

88. 1. did - 2. does - 3. did - 4. do - 5. did - 6. did.

89. 1. doing - 2. does - 3. make - 4. make - 5. made - 6. do - 7. making - 8. make.

90. 1. the film we talked about yesterday
2. I've got a friend whose sister knows the President (very) well.

3. the girl I'm in love with
4. an action I wouldn't be capable of
5. Mr Brown, whose wife you already know, ...
6. a man whose name I've forgotten

91. 1. 'What are you doing ?' 'I'm getting dressed.'
2. My sister often dresses in green.
3. He's always well-dressed.
4. Can you dress Tommy, please ?
5. Diana was wearing a red dress.
6. I never wear jeans.

92. 1. during - 2. for - 3. for - 4. during - 5. for - 6. during.

93. 1. during - 2. while - 3. while - 4. during - 5. during - 6. while.

94. 1. every - 2. each - 3. each - 4. every - 5. each - 6. every.

95. 1. They never listen to each other.
2. We saw each other in Berlin.
3. We often help each other.
4. They asked each other a lot of questions.
5. We know each other very well.
6. Do you talk (*ou* speak) to each other in English or in German ?

96. 1. learning - 2. cleaned - 3. interested - 4. changed - 5. changing - 6. terrifying - 7. shocked - 8. bored.

97. 1. effective - 2. effective - 3. efficient - 4. efficient.

98. 1. 'Which is my glass ?' 'You can take either.'
2. You can come either tomorrow or Saturday.
3. Either he's asleep, or he's deaf. (*Pour* asleep, *voir* 34).
4. He's either a doctor or a dentist.
5. We can take either road.
6. He's always either travelling or on holiday. (*Pour* holiday, *voir* 149.)

99. 1. I don't like jazz, and I don't like pop music either.
2. He doesn't speak French and he doesn't speak English either.
3. 'She hasn't written to me.' 'She hasn't written to me either.'
4. The Conservatives don't know what to do, and the Labour Party doesn't (*ou* don't) know either. *(Pour le pluriel après* party, *voir* 215.)
5. I don't eat pork and I don't eat mutton either.
6. He doesn't drink, and he doesn't smoke either.

100. 1. I want to work with somebody else (*ou* someone else).
2. 'Do you want (*ou* Would you like) a beer ?' 'Have you got anything (*ou* something) else ?'
3. Let's go somewhere else.
4. 'Lucy and Pamela were there.' 'Nobody else ?'
5. Look ! I've found something else.
6. 'Nothing else ?' 'No, thank you.' (*ou* 'No thanks.')

101 · 2 · 1. I found it.
2. Mummy made the cake.
3. I didn't take the money.
4. 'I suppose you're not hungry.' 'I am hungry !'
5. 'He's not 16 !' 'He is 16.'
6. 'You didn't buy the bread.' 'I did buy it.'

102. 1. It's Robert that lives in Nelson Street.
2. It was Mary that invited all those people.
3. It wasn't me that asked.
4. It's me that has the car.

103. 1. When I went out, I forgot to shut (*ou* to close) the door.
2. 'Hello', he said, taking his coat.
3. 'How can I help you ?' 'By listening to me for five minutes.'
4. She came in, singing. (*ou* She went in ..., *selon le contexte*).
5. As (*ou* While) I was shutting (*ou* closing) the window, I saw an animal in the garden.
6. I woke him up by shaking him.

104. 1. He's still in London.
2. I haven't paid yet.

3. I have three more questions to ask you.
4. Can I phone again (*ou* one more time) ?
5. She's even more beautiful than her sister.
6. Two more coffees, please.
7. 'Are you married ?' 'Not yet.'
8. He's still young.
9. It's even colder than yesterday.
10. I'm going to ask (*ou* I'll ask) again / one more time.

105. 1. English is sometimes difficult.
2. She speaks very correct English.
3. The English have three cheeses and six hundred religions.
4. I don't understand English, and I don't understand the English.
5. I met an Englishman yesterday - he was very nice. *(Pour* sympathetic, *voir* 'Faux-amis', *p. 279).*
6. The English are very different from us.

106. 1. I always enjoy myself when I'm with my friends.
2. I don't enjoy reading poetry.
3. The baby enjoys playing with you.
4. We enjoy sailing.

107. 1. boring - 2. bored - 3. annoying - 4. bores - 5. annoys - 6. bored.

108. 1. You aren't big enough.
2. I've got enough problems !
3. We haven't got enough time. (*ou* We don't have...).
4. He's intelligent enough to understand.
5. The soup isn't warm enough.
6. Have you got enough potatoes ?

109. 1. It's not even ten (o'clock). (*ou* It isn't even...).
2. She's even afraid of cats.
3. He even likes Latin.
4. I haven't even got (*ou* I don't even have) ten francs
5. He even travels in China.
6. I even think you're right.

110.1. 1. ever - 2. never - 3. ever - 4. ever - 5. never - 6. ever.

110.2. 1. Do you ever go to Scotland ?
2. Have you ever played rugby ?
3. It's the most interesting book I've ever read.
4. Have you ever been to Africa ?
5. She's the nicest girl I've ever known. *(Pour* sympathetic, *voir 'Faux-amis', p. 279).*
6. Do you ever get up before six ?

111. 1. Whatever - 2. However - 3. whoever - 4. wherever - 5. whenever - 6. Whichever.

112. 1. What a nice *(ou* beautiful) dress !
2. What a difficult language !
3. How interesting (it is) !
4. How expensive (it is) !
5. How well he talks !
6. What a team !
7. What funny *(ou* strange) animals !
8. How sweet (he is) !

113. 1. Isn't it hot !
2. Haven't you changed !
3. Wasn't it funny !
4. Aren't they curious !
5. Isn't he tall !
6. Doesn't she look like her mother !

114. 1. I can't wait any longer.
2. I'm expecting a phone call at two (o'clock).
3. I never wait more than ten minutes when people are late.
4. I expect him to invite us to dinner.
5. I expect the hotel to be full.
6. I've been waiting for two hours.

115. 1. I explained my attitude to them. *(Pour l'ordre des mots, voir 231.)*
2. She explained everything to us. *(Pour* everything, *voir 20.)*
3. Can you explain to me why you're late ?
4. Explain your problem to me.

116.1. 1. I made them work hard.
2. It *(ou* That) makes me think about *(ou* of) my holidays.
3. Don't make me laugh.
4. You made me forget my train.

116.2. 1. I had *(ou* I got) the car washed.
2. He had *(ou* He got) the walls painted.
3. Have *(ou* Get) this letter translated, please.
4. I must have *(ou* get) my coat cleaned.

117. 1. a long way - 2. far - 3. far - 4. far - 5. a long way - 6. far.

118. 1. I feel *(ou* I'm feeling) tired tonight / this evening.
2. How do you feel ? *(ou* How are you feeling ?).
3. She felt strange. *(ou* She was feeling...).
4. I often feel lonely.

119. 1. a few - 2. a little - 3. A little - 4. a few - 5. A little - 6. a few.

120. 1. for three weeks
2. for six months
3. since Sunday
4. since the war
5. for a long time
6. since 4 September / 4th September / September 4 / September 4th
7. since 1980
8. since this morning

121. 1. for - 2. to - 3. to - 4. for, to.

122.1. 1. It's unusual *(ou* rare) for Paul to go to the cinema.
2. It's too late for me to go out.
3. Is it necessary for Robert to come with us ?
4. I'm waiting for her to phone *(ou* to telephone) me.

122.2. 1. It's vital for people to relax.
2. It's too difficult for me to do.
3. It's normal for children to make mistakes.
4. It's important for you to have a good education.

123. 1. I've forgotten my keys.
2. I've left my keys at home.
3. I've left my scarf in the train.
4. I've left my book at Annie's.

124. 1. from ten (o'clock) to half past eleven
2. He's from Milan.
3. I've got a letter from Granny.
4. He borrowed (some) money from his father.
5. I am (*ou* I'm) not very different from you.
6. He was absent from school today.
7. I heard it from Leslie.
8. I can't see anything from here. (*Pour* can see, *voir* 59).

126.1. 1. I will (*ou* shall) have it tomorrow. (*ou* I'll have...).
2. He will soon know. (*ou* He'll soon know).
3. What will you do ?
4. He will not say anything. (*ou* He won't say...).
5. We will (*ou* shall) be tired. (*ou* We'll be...).
6. I will (*ou* shall) go tomorrow. (*ou* I'll go...).

126.2. 1. I'll tell him.
2. He won't come with us.
3. When will they see it ?
4. We won't have enough time.
5. 'Will you do it then ?' 'Yes, I will.'
6. She'll have to start again.

126.3. 1. We'll go - 2. will you buy - 3. I'll buy - 4. will / shall I know, I won't recognize - 5. will you think - 6. I won't forget.

127. 1. What are you doing tonight / this evening ?
2. We're going to the country on Friday.
3. Robert's coming tomorrow. (*ou* Robert is coming...).
4. I'm seeing Patricia this weekend.
5. I'm working on Saturday.
6. What time are you playing tennis today ?
7. What time does the plane arrive ?
8. The film starts at half past seven.

128. 1. She's not going to help me. (*ou* She isn't going...).
2. It's going to be cold tomorrow.
3. I'm going to make tea.

4. What's going to happen ?
5. Where are you going to spend your holiday(s) ?
6. You're not going to believe me... (*ou* You aren't going...).

129.1. 1. 'Give me the bill, please !' 'No, I'll pay.' (*Pour* "c'est moi qui...", *voir* 263, R²).
2. I'll give you the answer on Thursday.
3. Raise your left leg (*ou* legs) ... (*Pour* your, *voir* 251, R⁴ - *Pour le pluriel de* legs, *voir* 215, R).
4. 'What will you drink ?' 'I'll have a coke.'
5. I'll have (a) tomato salad, and then...
6. Turn right after the bank...

129.2. 1. I'm, I'll be - 2. will you go on, are - 3. I'll buy, I have / I've got - 4. I'll be, I get - 5. I'll tell, I know - 6. She'll stay, comes.

130. 1. In a few months, I will (*ou* shall) have left school. (*ou* I'll...).
2. I will (*ou* shall) not have done my shopping by Thursday. (*ou* I won't *ou* shan't...).
3. Will you have finished the washing up soon ?
4. She will not have arrived before ten (o'clock). (*ou* She won't...).

131. 1. I thought you were going to miss your train.
2. She said I'd learn very fast.
3. He was to go to Canada the next summer.
4. I didn't think he'd pass the exam.
5. I supposed I'd see her the next day.
6. You knew I was going to miss you.

132. 1. I'll be sitting - 2. we'll be doing - 3. we'll be living - 4. I'll be flying - 5. I'll be waiting - 6. I'll be thinking.

133.1. 1. Say hello to Tom when you see him.
2. I'll write to you as soon as I'm in Paris.
3. When I have (*ou* I've got) (some) money, I'll buy a moped.
4. I'll help you as much as I can.

5. I'll go (*ou* come) and see you while the children are at school.
6. When Lucy comes, we'll go to the theatre.

133.2. 1. goes - 2. asks - 3. arrived - 4. find - 5. liked - 6. 'm *ou* am.

135. 1. to get a present
2. Get out (of here) !
3. We got to Bristol at midnight.
4. Get into the car.
5. I'm getting old.
6. It's getting dark ; hurry up.
7. What time are you getting up tomorrow ? (*Pour le temps du verbe, voir* 127 [1]).
8. I got a letter from Paul this morning.

136. 1. I got lost in the forest.
2. How did this plate get broken ?
3. He got killed in a car accident (*ou* in a car crash). (*Pour " se tuer ", voir* 181).
4. I must get dressed. (*ou* I have to get dressed).
5. She got married in March.
6. He got hurt in a football match.

137. 1. She went all white and (she) fainted.
2. I'm going balder and balder. (*Pour le double comparatif, voir* 70).
3. The meat has gone bad.
4. I don't want to go mad.

138. 1. large / big - 2. great / big - 3. great - 4. great - 5. tall - 6. great - 7. great - 8. large / big.

139. 1. You'd better put a coat on (*ou* put on a coat) : it's cold.
2. You'd better stop smoking. (*Pour* stop + -ing, *voir* 299).
3. You'd better not disturb me.
4. I'd better write to my mother.
5. I'm tired - I'd better go to bed.
6. You'd better buy an alarm-clock.

140. 1. I'd like half this cheese.
2. half a litre
3. Give me half.
4. Wait half an hour, please.
5. half a dozen
6. I've already drunk half the glass.

141. 1. happening - 2. happened - 3. happen - 4. happening - 5. happened - 6. happened.

142. 1. hard - 2. Hardly - 3. hardly - 4. hard - 5. hardly - 6. hard - 7. hardly - 8. Hardly.

143. 1. I would have / I'd have
2. I will have / I shall have / I'll have
3. he had had / he'd had
4. had you / did you have ? (*ou* have you had ? - *selon le contexte*).
5. I have not / I haven't / I haven't got / I do not have / I don't have
6. she would have / she'd have
7. he had not had / he hadn't had
8. have we (got) / do we have ?
9. had you (got) / did you have ?
10. would they have ?

144. 1. He'd understood.
2. 'I've finished.' 'Good.'
3. She hadn't come with us.
4. Everybody (*ou* everyone) had worked well.
5. 'Where's Ken ?' 'He's gone to London.' (*ou* He has gone...).
6. Have you eaten ?

145. 1. They've got a nice (*ou* beautiful) flat.
2. I've got three brothers.
3. Have you got five minutes for me ?
4. She hasn't got any free time. / She's got no free time. (*Pour* not... any *et* no, *voir* 219).
5. Have you got a motorbike ?
6. You've got a new shirt !
7. She's got blue eyes.
8. Have you got a cigarette ?

146. 1. I had a strange dream last night.
2. What time do you usually have dinner ? (*ou* What time do you have dinner, usually ?).
3. I'm going to have a bath.
4. 'Where's Karen ?' 'She's having a shower.' (*Pour le présent progressif, voir* 314).
5. Have a good time !
6. Do you want (*ou* Would you like) to have a swim ?

147. 1. I have to leave you. (*ou* I've got to...).

2. I have to write to Sally. (*ou* I've got to...).
3. Do you have to work tomorrow ? (*ou* Have you got to... ?).
4. I had to wait for an hour.
5. You don't have to stay if you don't want to. (*ou* You haven't got to stay...). (*Pour* ... want to, *voir* 222).
6. I'll have to go home soon.

148. 1. there - 2. here - 3. there - 4. there - 5. Here - 6. there.

149. 1. I'm on holiday next week.
2. We have (*ou* We've got) five days' holiday in May.
3. When are you taking your holiday(s) this year ?
4. 'Where's Mrs Caziers ?' 'On holiday.'
5. I met Bob during the holidays.
6. I couldn't live without holidays.

150. 1. house - 2. at home - 3. home - 4. home - 5. at home - 6. house.

151. 1. He arrived at half past four.
2. I'll stay an hour or two.
3. I'll leave at one (o'clock).
4. It's (a) quarter past eleven.
5. I waited three hours at the dentist's (*ou* I waited at the dentist's for three hours.).
6. 'What time did you go to bed ?' '(A) quarter to twelve.'

152. 1. How's your grandmother ?
2. How's your work ?
3. What's your sister like ?
4. 'What's New Zealand like ?' 'It's a very beautiful country.'
5. How are you ?
6. You don't know what I am like ! (*ou* ...What I'm like !)

154. 1. How long have you been ill ?
2. How long have you been living together ?
3. How long are you staying (*ou* will you be staying) in Paris ?
4. How long have you been married ?
5. How long is she (*ou* will she be) on holiday (for) ?
6. How long did you spend in London last year ?

155. 1. How much - 2. How much - 3. how many - 4. How much - 5. How many - 6. How many.

156. 1. 'How often do you go to the cinema ?' 'Once or twice a month.'
2. 'How often are they paid ?' 'Every week.'
3. 'I often go swimming.' 'How often ?'
4. 'How often do you see your father ?' 'Every two days.'

157. 1. How tall is your husband ?
2. How high is the Eiffel Tower ?
3. How long is the Seine ?
4. How long is your boat ?
5. I don't know how tall she is.
6. How high is the garage ?

158.1. 1. will - 2. would - 3. will - 4. would - 5. would - 6. will.

158.2. 1. knew - 2. had - 3. would have met - 4. had married - 5. will give - 6. rains - 7. would give up - 8. would you do.

158.3. 1. If I was very rich, I would (*ou* I'd) go round the world.
2. I would (*ou* I'd) help you if it was possible.
3. I will go and see Leslie if I have the time. (*ou* I'll go and see Leslie if I've got the time).
4. If I had (*ou* I'd) known their names, I would have introduced you.
5. You would have been disappointed if you had come (*ou* if you'd come).
6. I would (*ou* I'd) leave school if I could.

160. 1. We must phone Patrick.
2. We must hurry.
3. We'll need (some) eggs.
4. It takes two hours to go (*ou* get) to London.
5. How many people do you need for a game of Monopoly ?
6. You must listen to me.

161. 1. There's some cheese on the table.
2. Is there a garage around here ?
3. Keith left five minutes ago.

4. I've been working here for a long time.
5. She got divorced six months ago. (*Pour* to get divorced, *voir* 85).
6. There's nobody in the house.
7. Are there chips today ?
8. We've known each other for years.
9. Some people believe in ghosts.
10. Some children were laughing. *(Pour le prétérit progressif, voir 320).*

162. 1. You don't look ill.
2. I often feel sick in a car.
3. The baby was sick during the night.
4. There are a lot of sick children in India.

163. 1. Come here. (*Pour* here, *voir* 148).
2. Sit down.
3. Don't ask me to come.
4. Do sit down.
5. Always ask the price before buying something. (*Pour* before + -ing, *voir* 48).
6. Never come in (*ou* go in) without knocking.
7. Do help yourself.
8. Don't move.
9. Don't laugh.
10. Shut the door, please.

165.1. 1. I want to sleep.
2. I don't want to go out.
3. Do you want to dance ? (*ou* Would you like to ... ?).
4. I prefer to stay here.
5. She'd like to come with us.
6. I don't know how to end / to finish.

165.2. 1. I hope not to forget.
2. It's normal not to understand.
3. Try not to fall (down).
4. It's important not to make a mistake.

166. 1. I must work.
2. You'd better go to bed.
3. Why learn Latin ?
4. He saw me go out.
5. She helped me (to) do my packing.
6. I can't swim.
7. Why not go by train ?
8. Let her speak.

167(1). 1. to have gone - to have decided - to have understood - to have taken - to have disturbed.

167(1).2. 1. He seems to have understood.
2. I hope not to have disturbed you.

167(2). to be taken - to be understood - to be heard - to be stopped - to be left.

167(3). to be writing - to be sitting - to be playing - to be travelling. *(Pour le redoublement de la consonne, voir* 7 A[4], p. 284).

169.1. 1. to be free
2. to find a solution
3. to have money
4. to be able to understand
5. to learn English
6. to travel a lot

169.2. 1. She opened the door in order to see if her husband was coming. (*ou* ...so as to see ...).
2. I laugh in order not to cry. (*ou* so as not to cry).
3. I took a taxi in order not to lose time. (*ou* so as not to lose time).
4. He left the room (*ou* went out of the room) in order not to hear the rest (*ou* ... so as not to hear the rest).

170. 1. I want you to come with us.
2. I'd like Alice to phone (*ou* to telephone) me.
3. He asked me to stay.
4. I don't want her to be angry.
5. I'd prefer you to do it yourself.
6. I need somebody (*ou* someone) to love me.
7. I'd like them to understand me.
8. He hates us to be late.

173. 1. buying shoes
2. learning a language
3. Running is good for your health.
4. Going to the cinema doesn't interest me.
5. I don't like you (*ou* your) lying to me.
6. Do you mind me (*ou* my) singing ? *(On pourrait dire également* Do you mind if I sing ?).

174. 1. after starting / beginning
2. without eating
3. instead of sleeping
4. before going out
5. I'm looking forward to seeing you.
6. He talked about opening a new shop.

175. 1. I don't like running.
2. I can't help laughing.
3. I feel like crying.
4. I started smoking at the age of 18 / when I was 18.
5. She can't stand (*ou* she hates) dancing.
6. Have you finished eating ?

176. 1. I'm fed up (with) writing.
2. It's no use waiting.
3. It's not worth going to Scotland in winter.
4. It's no good trying.

178. 1. My trousers are too long.
2. Where are my pyjamas ?
3. I like your shorts. They're original.
4. I must buy myself (*ou* I have to buy myself) new jeans (*ou* some new jeans *ou* a new pair of jeans).

179. 1. I'll be in London until / till / up to Christmas.
2. She went with me to / as far as the station.
3. We're free until / till / up to three (o'clock).
4. They produce up to 35,000 litres a day. (*Pour* 35,000, *voir* 218³).
5. The train goes as far as Cardiff.
6. I waited from eight until / till half past ten.

180. 1. She's just arrived.
2. What have you just said ?
3. I've just understood something.
4. We've just seen Malcolm.
5. I'd just shut (*ou* closed) the door when Jane arrived.
6. It was about one (o'clock). We had just had lunch. (*ou* We'd just had...).

181. 1. Patrick killed himself in 1980.
2. Two men got killed in the mountains yesterday. (*Pour* mountains, *voir* 205).

3. If there's an atomic war, I'll kill myself.
4. Paul got killed in a motorbike accident.

182. 1. I don't know how to repair a watch.
2. Do you know how to make pizza ?
3. Do you know how to use a compass ?
4. I can't drive.
5. Can you draw ?
6. She can speak German very well. (*Pour* l'ordre des mots, *voir* 231).

183. 1. let - 2. leave - 3. leave - 4. leave - 5. let - 6. let.

184. 1. last week - 2. the last year - 3. last month - 4. last year - 5. the last week - 6. last night - 7. tonight - 8. last week.

185. 1. I'm going to learn the piano.
2. Who taught you to play tennis ?
3. Teach me a song.
4. I'll teach you to drive.

186. 1. Let's go to Bob's.
2. Let's stop talking.
3. Let's try to find a hotel. (*ou* Let's try and find... - *voir* 25).
4. Let's have a beer.
5. Let's put on a record (*ou* ...put a record on).
6. Come on ! Let's dance.

187. 1. Do you like oysters ?
2. I'd like to listen to (some) jazz.
3. Would you like something to drink ? Would you like a drink ? (*Pour l'emploi de* some *dans une question, voir* 293²).
4. I'd like an ice-cream.
5. I like dancing / to dance.
6. My mother likes travelling / to travel.

188. 1. My brother's likely to be surprised.
2. It's likely to happen.
3. There's likely to be a storm tonight.
4. He's likely to pass his exam brilliantly.

189. 1. Do you want to listen to a good record ? (*ou* Would you like to ... ?).
2. Can you hear a noise ?
3. I can hear the train.
4. I don't like listening to lectures. (*ou* ... to listen to lectures.)
5. I listen to the news every morning.
6. He never listens when I speak.

190. 1. little - 2. small - 3. small - 4. little - 5. small - 6. little.

191. 1. long / a long time - 2. a long time - 3. long - 4. a long time - 5. a long time - 6. long / a long time - 7. long - 8. long.

192. 1. Don't look.
2. He looks young.
3. Would you like to look at my photos ? (*ou* Do you want to...)
4. Do I look tired ?
5. He looked at us, and then he left / went away.
6. You look surprised.

193. 1. see - 2. look at - 3. watch - 4. look at, look at - 5. looking - 6. see.

194. 1. I'm looking forward to seeing my family.
2. I'm looking forward to going to London.
3. I'm looking forward to arriving.
4. I'm looking forward to leaving school.

195. 1. I dream a lot.
2. He's got a lot of money.
3. A lot of problems are difficult to solve.
4. There are a lot of birds in the garden.
5. I've got (*ou* I have) quite a lot of things to do.
6. There are quite a lot of good programmes on television.

196. 1. He lacks patience. (*ou* He hasn't got any patience).
2. I miss you a lot.
3. I've just missed the plane.
4. I'm short of time.
5. They haven't got anything.
6. I miss my family.

197. 1. married - 2. got married - 3. get married - 4. get married - 5. married - 6. got married.

199. 1. It may snow. (*ou* It might snow).
2. I might go to America next year.
3. He may be the next President.
4. I may have your keys.
5. You might ask before taking my things.
6. Be careful - you might fall (down).

201. 1. She might have asked me.
2. I may have forgotten to post it.
3. He may have taken the train.
4. You might have got drowned.
5. I might have come earlier.
6. Annie may have gone out with David.

202. 1. I met two Americans last night.
2. 'Where did you meet ?' 'In London'.
3. I'm meeting her at five (o'clock).
4. Shall we meet after dinner or not ?
5. We'll meet at Maxim's.
6. They met in the street.

203. 1. Do you mind if I come with a friend ?
2. Do you mind if I take off my shoes ?
3. 'Where do you want (*ou* would you like) to go ?'. 'I don't mind.'
4. Would you mind posting this letter for me ?
5. Would you mind waiting for me in the living-room, please ?
6. You can sleep at home (*ou* in my house), my mother doesn't mind.

204. 1. most of - 2. Most of - 3. Most - 4. most - 5. Most of - 6. most - 7. Most of - 8. Most.

205. 1. 'Where does Patrick live ?' 'In the mountains.'
2. Let's go to the mountains in July.
3. I love the mountains.
4. The mountains do me good.

206. 1. much - 2. a lot of - 3. a lot of - 4. many - 5. much - 6. many - 7. much - 8. a lot of.

207. 1. I must go.
2. Tell him he must phone me tonight / this evening
3. You mustn't listen to him.
4. He doesn't have to pay now. (*ou* He needn't pay now).
5. I had to take the train.
6. 'I'm an actor.' 'That (It) must be interesting.'

208.1. 1. must have rained - 2. must have had - 3. must have gone - 4. must have got lost.

208.2. 1. I had to hurry, I was late.
2. He hasn't phoned me, he must have forgotten.
3. His wife was so ill that he had to call the doctor.
4. She hasn't arrived yet. She must have missed the train.

209. 1. Do you need money ?
2. I need more time.
3. Everybody (*ou* Everyone) needs love.
4. Do I need to pay in cash ?
5. My watch needs repairing.
6. I don't need your advice.

210. 1. It is not late. (*ou* It isn't..., *ou* It's not...).
2. I have not forgotten your name. (*ou* I haven't...).
3. Oliver was not invited. (*ou* Oliver wasn't...).
4. The meeting will not be on Tuesday. (*ou* The meeting won't be...).
5. I do not dream in colour. (*ou* I don't...).
6. Lucy did not see the boss on Saturday. (*ou* Lucy didn't...).
7. The shop does not open on Sundays. (*ou* The shop doesn't...).
8. You should not try to understand. (*ou* You shouldn't...).
9. We are not winning. (*ou* We aren't..., *ou* We're not...).
10. Anne does not live near here. (*ou* Anne doesn't...).

211. 1. Why didn't you answer ?
2. Isn't your father a doctor ?
3. Aren't you tired ?
4. Didn't you go to Manchester last week ?
5. Can't you swim ?
6. Don't you want any bread ?
7. Have you got a stamp, please ?
8. Why didn't you come yesterday ?

212. 1. Neither of the flats (*ou* neither flat) is big enough.
2. 'I can't dance.' 'Neither can I.'
3. Neither my father nor my mother speaks English.
4. Neither of his brothers went to see him / has been to see him.
5. 'I don't like oysters.' 'Neither do I.'
6. Neither of the machines (*ou* neither machine) works.

213. 1. next - 2. the next - 3. next - 4. the next.

214.1. *Dénombrables :* house - cloud - car - soap - shoe.
Indénombrables : water - unhappiness - blood - plastic - generosity.

214.2. 1. I've lost my luggage.
2. The news is at ten (o'clock).
3. Carol's hair is very long.
4. Can you (*ou* Could you) give me some advice (*ou* a piece of advice) ?
5. We're going to buy (some) furniture.
6. I need some information (*ou* a piece of information).
7. a very expensive piece of furniture
8. The spaghetti is ready.

215. 1. The government don't (*ou* doesn't) want to give their (*ou* its) permission.
2. If somebody (*ou* someone) phones, tell them I'm not here. *(Familier)* (*Sinon* ... tell him ..., *ou* tell him or her).
3. Is this three francs yours ?
4. Where are my jeans ?
5. I like walking (*ou* to walk) in the mountains.
6. Their furniture is horrible.
7. People don't understand.
8. The police have given up.
9. Physics is very difficult.
10. The news is bad.

216.1. tables - coats - kisses - foxes - stories - toys - trees - lamps - journeys - bosses - spies - watches - thieves - roofs - children - mice.

216.2. shoes [z] - clothes [z] - churches [iz] - judges [iz] - ships [s] - chairs [z] - boats [s] - paths [s].

217. 1. a race horse - 2. a shop window - 3. a record rack - 4. a vegetable garden - 5. a train ticket - 6. a telephone number - 7. a snowman - 8. an alarm clock.

218.2. three hundred days - thousands of people - five thousand children - two dozen eggs - a few thousand years - six hundred cars.

219. 1. I haven't got any glasses. (*ou* I've got no glasses).
2. He hasn't got any money. (*ou* He's got no money).
3. 'Did you ask a lot of questions ?' 'No, none.'
4. I haven't got any brothers. (*ou* I've got no brothers).
5. There's no room for you.
6. There's no possibility.

220. 1. I didn't say anything. (*ou* I said nothing).
2. Don't give it to anybody / to anyone.
3. I didn't understand anything. (*ou* I understood nothing).
4. Nobody spoke.
5. 'What do you want ?' 'Nothing.'
6. 'Who's at the door ?' 'Nobody.'

221. 1. I don't live with my parents any more / any longer. (*ou* I no longer live with my parents).
2. I don't want to play any more.
3. I can't drink any more, thank you.
4. He couldn't walk any more.
5. My father doesn't work any more / any longer.
6. We haven't got (*ou* We don't have) any more bread.

222. 1. Please do what I ask you to.
2. 'Why are you driving so fast ?' 'Because I want to.'
3. 'Let's swim in the lake.' 'I don't think we're allowed to.'
4. I haven't heard from her, but I expect to.
5. 'Have you ever seen "Gone with the wind" ?' 'No, but I'd like to.'
6. 'Why don't you ask your father for money ?' 'Yes, I'm going to.'

223. 1. I haven't told them but I will.
2. I thought it would rain but it didn't.

3. I wanted to run but I couldn't.
4. We thought she didn't understand but she did.
5. 'Are you waiting for somebody ?' 'Yes I am.'
6. 'Can you swim ?' 'No, I can't.'

224. 1. my friends and family
2. the house and garden
3. in England and Scotland
4. I sing and play the guitar.
5. He's asleep or deaf.
6. Do you want some wine or beer ?

225. 1. 'Are you OK ?' 'Yes, fine.'
2. The weather isn't nice.
3. Have you been to school, love ?
4. 'Has Mary telephoned ?' 'Not yet.'
5. 'I don't want to go.' 'Come on, Tommy.'
6. It's difficult to answer that question, isn't it ?

226. 1. enough tomatoes
2. not much time
3. most women
4. most of your friends
5. little intelligence
6. enough chairs

227. 1. I said I didn't know.
2. I'm glad it's Saturday.
3. I think you're right.
4. I suppose she'll understand.
5. the book I gave you
6. the money I paid

228. 1. One needs (*ou* You need) money to travel.
2. One (*ou* You) can't live completely alone.
3. One can't change one's character. (*ou* You can't change your character).
4. I've been sent an advertisement for cheap travel.
5. We found a very good hotel in London.
6. Are you being served ?
7. English is spoken here.
8. We haven't seen Patrick for a long time.

229. 1. ... Bob's got a blue one.
2. ...'A pound of the green ones.
3. ... I want a bigger one.
4. ... 'This one.'
5. ... but I know some good ones.
6. ... 'The ones in the window.'

230. 1. open - 2. opened - 3. open - 4. open - 5. opened - 6. open.

231. 1. She likes sport very much.
2. I don't speak Spanish very well.
3. I often lose my keys.
4. He never gives his opinion.
5. You never see my point of view.
6. I sometimes hear a strange noise.

232. 1. I never eat fish.
2. We always watch the news on TV.
3. Your ticket is probably in the post.
4. This is certainly a good match.
5. She would probably have been invited...
6. It's really been a great evening.
7. I have often wondered why everything is so complicated.
8. Janet is never at home.

233. 1. I went to Manchester last week.
2. Come to my house at ten o'clock.
3. Alex is giving a concert in London on Tuesday.
4. I want to be in Cambridge before lunchtime.
5. I worked hard at Helen's yesterday.
6. Mary went to sleep in class this morning.

235. 1. I wonder how Eskimos live.
2. I asked them where the toilet was.
3. This is the house my uncle built.
4. What a beautiful dress your mother has !
5. Did you see my sister go out ?
6. Can you (*ou* Could you) tell me what time the train from Manchester arrives ?
7. Perhaps you have forgotten.
8. Listen to what Robert is saying.

236. 1. I've eaten too much.
2. I haven't broken anything.
3. He hasn't heard anything.
4. You've drunk enough.
5. I've lost everything.
6. She's read a lot.

238. 1. other - 2. others - 3. others - 4. other.

239. 1. You ought to be nicer to your sister.
2. People ought to think of others.
3. I ought to write to my mother.
4. You ought to do the washing up.
5. People ought not (*ou* oughtn't) to smoke in trains.
6. She ought not (*ou* oughtn't) to go to bed so late !

240. 1. I ought to have known.
2. You ought to have called me.
3. He ought not (*ou* He oughtn't) to have told you.
4. What ought I to have done ?
5. She ought to have asked.
6. I ought to have paid in cash.

241. 1. Pardon / Sorry - 2. Sorry - 3. Sorry - 4. Pardon / Sorry.

242. Présent simple :
I am watched
Présent progressif :
I am being watched
Prétérit simple :
I was watched
Prétérit progressif :
I was being watched
Present perfect simple :
I have been watched
Pluperfect simple :
I had been watched
Futur :
I will be watched
Conditionnel :
I would be watched
Conditionnel passé :
I would have been watched
Infinitif :
to be watched
Forme en -ing :
being watched

243. 1. She will be told. (*ou* She'll be...).
2. She is being questioned. (*ou* She's being...).
3. I was interviewed yesterday.
4. He is often invited to give a lecture. (*ou* He's often...).
5. My motorbike has been damaged. (*ou* My motorbike's been...).
6. This room is never opened. (*ou* This room's never...).
7. English is spoken in a lot of countries.
8. The ticket prices have been put up.

244.1. 1. I was sent the programme last week.
2. He was taught Latin and Greek.
3. They were offered money.
4. I was told to come again.

244.2. 1. Paul was given a radio.
2. You will be shown the letter. (*ou* You'll be...).
3. They were lent £10,000 last year. (*Pour* 10,000, *voir* 218 ³).
4. You will be sent a cheque. (*ou* You'll be...).

245. 1. pay for - 2. bought - 3. pay - 4. pay for.

246. 1. I like seeing (*ou* to see) a lot of people.
2. People always think that...
3. There were three people before me.
4. She likes music, nature and people.

247. 1. enables - 2. makes it possible - 3. enable - 4. allow.

248. 1. We slept in a very beautiful place.
2. Sorry, there isn't enough room for everybody / everyone.
3. Come to our table, there's a place for you.
4. It's a wonderful place.

249. 1. I can't play the piano.
2. I play the guitar every day.
3. My brother plays rugby.
4. 'Which part did you act?' 'Hamlet.'
5. I go to a drama club but I act very badly.
6. Do you do sport?

250. 1. policy - 2. politics - 3. Politics - 4. policy.

251. 1. my - 2. his - 3. her - 4. their - 5. your - 6. her - 7. its - 8. our.

252. 1. mine - 2. hers - 3. yours - 4. his - 5. ours - 6. mine.

253.1. 1. Tom's friends
2. your brother's house
3. my parents'car
4. the Queen's husband
5. the baby's breakfast
6. the neighbours' garden
7. young people's future
8. Women's Liberation

253.2. 1. the government's plans
2. the price of the house
3. five minutes' walk
4. the end of the film
5. Italy's economic problems
6. Robert and Pamela's flat
7. yesterday's paper
8. the roof of the garage

254. 1. swimming - 2. to go - 3. to do - 4. travelling.

255. 1. I threw them away.
2. She took them off.
3. I'm going to put it on.
4. The supermarket has put them up.
5. We'll have to put it off.
6. Let's ring her up.

256.1. 1. on - 2. for - 3. of - 4. in - 5. from - 6. with - 7. from - 8. with - 9. from - 10. to - 11. to - 12. on.

256.2. 1. Why don't you answer my questions?
2. Don't look at me like that!
3. Wait for us!
4. Do you remember your first love?
5. I play the piano.
6. My brother plays tennis.
7. Listen to the birds.
8. It (That) reminds me of a film.
9. How much did you pay for your coat?
10. Ask Daniel to help you.

257. 1. in - 2. on - 3. in - 4. on - 5. in - 6. by - 7. on - 8. on.

258.1. 1. Who did you buy it for?
2. What are you thinking about?
3. Who was she smiling at?
4. Where does he come from?
5. Who did you dance with?
6. What did you open it with?
7. What's it made of?
8. What are you laughing at?

258.2. 1. The girl I was living with was Scottish.
2. The boy I wrote to never answered.
3. The pictures we looked at were boring.
4. The records we listened to were very good.
5. The people we talked to were nice to us.
6. The train we went on was terribly dirty.

258.3. 1. I like to be smiled at.
2. I like to be written to.
3. I like to be thought about.
4. I like to be taken care of.

258.4. 1. nice to look at
2. frightening to think about
3. boring to listen to
4. something to write with

259. 1. You're as greedy as me / as I am / as I.
2. Paul and I can't come tonight / this evening.
3. His mother and he were both very thin.
4. My favourite composer is Beethoven.
5. I like flowers a lot / very much.
6. Alice drives faster than him / than he does / than he.

260. 1. He's a very interesting man.
2. A man came in. It was a policeman.
3. The boy looked at me. It was my cousin.
4. She was a pretty little girl. (*Pour* little, *voir* 190).

261. 1. They've forgotten me.
2. Can you (*ou* Could you) pass me the butter, please ?
3. I don't know her.
4. Do you often help her ?
5. I don't want to see him.
6. Tell them it's true.
7. 'I've found your glasses.' 'Put them on the table, please.'
8. 'Where's the newspaper ?' 'I've seen it somewhere.'

262.1. 1. herself - 2. himself - 3. ourselves - 4. oneself / yourself - 5. themselves - 6. myself.

262.2. 1. He hurt himself.
2. Can you see yourself in the photo ?
3. 'Give me the bread.' 'Get it yourself.'
4. I often talk (*ou* speak) about myself.
5. She looks at herself for hours.
6. I'm going to buy myself (some) flowers.

263. 1. who - 2. which - 3. which - 4. who - 5. which - 6. who.

264. 1. — - 2. — - 3. that - 4. — - 5. — - 6. that - 7. — - 8. that.

265. 1. what - 2. that - 3. what - 4. that - 5. which - 6. that - 7. what - 8. which - 9. what - 10. that.

266. 1. a woman whose husband works with me
2. a woman whose husband I know
3. an artist whose work I like
4. a friend whose father is famous
5. a decision the importance of which you all understand (*ou* a decision whose importance...).
6. a room the windows of which look on to the garden (*ou* a room whose windows...).

268.1. 1. oui - 2. non - 3. oui - 4. non - 5. non - 6. non.

268.2. 1. oui - 2. non - 3. non - 4. non - 5. oui - 6. oui.

270. 1. as - 2. than - 3. that - 4. that - 5. than - 6. as - 7. that - 8. than.

271.1. 1. Do his parents know her ?
2. Does Alex Benson work here ?
3. Are Carol and Deborah coming tomorrow ?
4. Did her mother arrive safely ?
5. Did anything happen ?
6. Does Robert like music ?
7. Can Nick dance well ?
8. Will she be pleased ?

272.2. 1. What time did you get up this morning ?
2. Where do your parents live ?
3. Has Mrs Smith telephoned ?
4. Where does your boyfriend's sister live ?

272.3. 1. Who came yesterday ?
2. Who did you see yesterday ?
3. What matters most ?
4. What did you buy (*ou* have you bought) ?

273. 1. quite a difficult rule
2. quite impossible
3. quite correct
4. quite expensive
5. quite a big (*ou* large) house
6. quite an important decision
7. I quite like reading.
8. He's got quite a lot of records.

274. 1. I'd rather stay here.
2. 'A beer ?' 'I'd rather have a coca-cola.'
3. Would you rather see a film or go to the theatre tonight / this evening ?
4. It's rather cold.
5. I'm rather worried.
6. What would you rather do ?

275. 1. promising - 2. to post - 3. inviting - 4. to invite - 5. to wake - 6. Seeing - 7. to ask - 8. to lock.

276. 1. Do you remember our conversation ?
2. I don't remember the exact price.
3. Remind me of your name.
4. Remind me to buy tomatoes.
5. I don't remember.
6. This wine reminds me of my holiday(s) in Italy.

277. 1. At what age did you have your first date ?
2. I've got an appointment with the doctor on Tuesday morning.
3. I'm meeting my parents at half past five.
4. Lucy, (at) what time are you meeting Barbara ?

278. 1. She goes to the same school as my sister.
2. 'What would you like (*ou* do you want) to drink ?' 'The same as yesterday.'
3. I'm the same age as you (are).
4. She can dance and sing at the same time.
5. I'll see you tomorrow at the same time. (*Pour* time *et* hour, *voir* 151).
6. 'At the same place ?' 'Yes.'

279. 1. say - 2. told - 3. say - 4. said - 5. told - 6. said.

280. 1. I cut myself with your knife.
2. Van Gogh killed himself in 1890.
3. We talk to each other for hours. (*Pour* talk *et* speak, *voir* 308).
4. It's not done.
5. They hate each other.
6. In England pork is eaten with apple sauce.
7. I looked at myself in the mirror.
8. I got up quickly this morning.

281. 1. I saw him get on the train.
2. I heard her walking in her room.
3. He didn't see me take the letter.
4. She heard someone open the door.
5. I heard you scream in your sleep.
6. I saw them running away.

282. 1. It's my only clean shirt.
2. their only child
3. She felt terribly lonely.
4. I can't go there alone / by myself.
5. I have (*ou* I've got) only one objection.
6. She didn't write a single letter.

283. 1. will - 2. shall / will - 3. Shall - 4. shall - 5. will - 6. Shall - 7. will - 8. shall.

285. 1. You should help others. (*Pour* other *et* others, *voir* 238).
2. You should drive more slowly.
3. We should go and see Granny.
4. You should turn down the radio - it's eleven (o'clock).
5. You should go to bed.
6. Christian should go on holiday from time to time. (*Pour* holiday, *voir* 149).

286. 1. I should have written to Steve last week.
2. I shouldn't have said that.
3. She should never have married him.
4. They should have thought about it (*ou* ...of it).
5. You shouldn't have taken my keys.
6. I shouldn't have tried to repair the radio.

288. 1. It's important that young people (*ou* the young) should receive a good education.
2. I was delighted that she should ask me to stay.
3. The king ordered that the prisoners should be executed.
4. I am furious that he should react so stupidly.

290. 1. so - 2. such - 3. such - 4. so - 5. such - 6. so.

291. 1. so many - 2. so much - 3. so many - 4. so much - 5. so many - 6. so much.

292. 1. I think so / I don't think so.
2. I think so / I don't think so.
3. I hope so / I hope not.
4. I'm afraid not.
5. I'm afraid so.
6. I hope not.

293. 1. any - 2. some - 3. any - 4. any - 5. any - 6. some - 7. any - 8. any.

295. 1. I've seen you somewhere.
2. Is there anybody ?
3. There's nobody / There isn't anybody.
4. I don't understand anything.
5. 'Where do you live ?' 'Nowhere.'
6. Somebody (*ou* Someone) phoned / telephoned.

296. 1. I sometimes go to museums.
2. I must visit a museum some time.
3. She spent some time in hospital last summer.
4. 'Do you still see Bob ?' 'Sometimes.

297. 1. robbed - 2. Robbing - 3. stolen - 4. steal.

298. 1. Is Christine up yet ?
2. You're still as beautiful / as good-looking.
3. I'm not ready yet.
4. He's still in London.
5. Are you still at university / college ?
6. I don't want to get married yet. (*Pour* get married, *voir* 197).

299. 1. talking - 2. smoking - 3. to smoke - 4. working.

300. 1. foreigner - 2. foreign - 3. strange - 4. stranger - 5. foreigners - 6. foreigners - 7. strange - 8. foreign.

302. 1. surely - 2. certainly - 3. certainly - 4. surely.

304.1. 1. aren't you - 2. can you - 3. doesn't she - 4. have you - 5. won't you - 6. doesn't it - 7. isn't it - 8. weren't you.

304.2. "Tell me if it's true" : *intonation montante.*
"I'm not asking for information" : *intonation descendante.*

305. 1. are you - 2. is she - 3. has he - 4. does he - 5. don't you - 6. hasn't she.

306.1. 1. I'm not - 2. I can - 3. I haven't - 4. she doesn't - 5. it is - 6. they didn't - 7. she was - 8. I do.

306.2. 1. I don't - 2. I do - 3. I don't - 4. I'm not - 5. I can - 6. I have - 7. I do - 8. I wasn't.

307. 1. Neither can I - 2. So am I - 3. So do I - 4. So have I - 5. Neither do I - 6. Neither have I.

308. 1. talking - 2. speak - 3. speak - 4. talked.

309. 1. We talked about our holidays.
2. He told me about his holidays.
3. I'll tell you about it. (*ou* I'll talk to you about it).
4. I don't talk much to my father. (*ou* I don't talk to my father a lot).

311.1. likes - starts - hurries - stays - catches - pushes - reads - buys - sells - fixes - misses - hopes - sends.

311.2. 1. Where do you live ?
2. How often do you go swimming ?
3. What sort of music do you like ?
4. When does Bob work ?
5. What does she do in her spare time ?
6. How do you go to your office in the mornings ?

312. 1. I often go to the cinema.
2. Do you live in London ?
3. I don't often travel.
4. Light takes four years to come from the nearest star.
5. Do you smoke ?
6. I don't speak German.
7. Does Paul work in your bank ?
8. The train arrives at ten (o'clock).

313. 1. I'm writing (*ou* I am writing).
2. Why are they laughing ?
3. We're not going. (*ou* We are not going).
4. Mary's singing. (*ou* Mary is singing).
5. What's John wearing ? (*ou* What is John wearing ?).
6. I'm waiting. (*ou* I am waiting).
7. You're not eating. (*ou* You are not eating).
8. Are Bob and Janet coming ?

314. 1. Why are you crying, Susie ?
2. Ssh ! Somebody's coming. (*ou* Someone's coming).
3. I'm not going to school today.
4. Is your father working this morning ?
5. What are you doing tomorrow ?
6. 'Hurry up !' 'I'm coming.'
7. Look ! She's smoking a cigarette.
8. We can go out. It's not raining.

315. 1. He's always losing his glasses.
2. I'm always forgetting my keys.
3. She's always laughing.
4. My mother is always complaining. (*ou* My mother's always complaining).

316.1. 1. It's raining - 2. works - 3. am making - 4. are you writing - 5. speaks - 6. am looking for.

316.2. 1. It always rain on Sundays.
2. You're smoking a lot today.
3. We often go to London.
4. I don't understand anything - they're speaking Spanish.
5. 'What are you reading ?' 'A letter from Betty.'
6. The post usually arrives (*ou* comes) at eight (o'clock).
7. Don't disturb Tom, he's doing his homework.
8. Are you waiting for me ?

318.1. 1. Where did you go ?
2. What time did you get up ?
3. Where did they live ?
4. Why were you so late ?
5. Who helped you ?
6. Who did you see ?

318.2. 1. I didn't sleep - we didn't fall - he didn't run - they didn't choose - we didn't sing - you didn't feel - she didn't try.

319. 1. He died in 1940. (*Pour* dead *et* died, *voir* 81).
2. I did some shopping yesterday. (*ou* I went shopping...).
3. Marco Polo spent several years in China.
4. I didn't go to the cinema.
5. What did you give Tom for Christmas ?
6. I played tennis a lot when I was young.
7. Pat came (*ou* went) into the room and looked at Sandy.
8. Last year we met a very interesting family.
9. It happened during the holidays.
10. Where did you buy your shoes ?
11. She left school two years ago.
12. Why didn't you come on Sunday / last Sunday ?

320. 1. looked, was taking - 2. was going, heard - 3. was walking, saw - 4. phoned, was having - 5. left, was wearing - 6. was buying, came - 7. went - 8. met, was talking.

321. 1. He's stolen (*ou* He has stolen)
2. They've found (*ou* They have found)
3. I've lost (*ou* I have lost)

326

4. We haven't shown (*ou* We have not shown)
5. Have you done... ?
6. Has she thought... ?
7. I haven't come (*ou* I have not come)
8. Haven't you had... ?

322. 1. came - 2. hated - 3. has drunk - 4. has gone - 5. wrote - 6. left - 7. have... met - 8. has had - 9. have... been - 10. have travelled.

323.1. 1. I've been living - 2. he's been making - 3. have they been watching - 4. it's been snowing - 5. have you been reading - 6. we've been sitting.

323.2. 1. She's been living in Paris for three years.
2. I've been learning the guitar since January.
3. I've known Fred for a long time.
4. It's been raining all day.
5. How long have you been working here ?
6. We've been walking the whole afternoon (*ou* all the afternoon) ; let's stop.

324. 1. I've eaten - 2. you've drunk - 3. we've seen - 4. I've bought.

325. 1. I did not know where she had gone. (*ou* I didn't know where she'd gone).
2. I looked at him. He was the man who had smiled at me in the train. (*ou* ... who'd smiled...).
3. I said (that) I had not heard anything. (*ou* ... I hadn't heard...).
4. She thought he had never loved her. (*ou* ... he'd never loved...).
5. I had just gone out. (*ou* I'd just...).
6. He realized he had not taken the right way. (*ou* ... he hadn't taken...).

326. 1. We had been walking for hours. (*ou* We'd been...).
2. It had been snowing since the morning. (*ou* It'd been...).
3. I had been working since twelve. (*ou* I'd been...).
4. She had been ill for several days. (*ou* She'd been...).

327. 1. could - 2. understood - 3. didn't come - 4. lived.

328.1. 1. 'What are you doing ?' 'I'm writing to Bob.'
2. I'm going to London next summer.
3. I do the washing up every morning.
4. I've had the same car for years.
5. I've been waiting since twelve.
6. Stop crying or I'll put you to bed.
7. 'Shall we go to the cinema ?' 'If you like.'
8. What are you doing tomorrow ?

328.2. 1. In 1960, I was living with Mary.
2. I'd known her for a long time.
3. I was working for Barford. (*ou* ... at Barford's).
4. I often went to England in those days.

328.3. 1. 'What did you do last night (*ou* yesterday evening) ?' 'I listened to records.'
2. 'Have you (ever) been to Germany ?' 'No, never.'
3. I went to London at Christmas.
4. I've been reading all day.
5. I haven't written to Tom for three months.
6. 'Sorry, I've forgotten your name.' 'Daniel.' (*Pour* excuse me *et* sorry, *voir* 241 R).

330. 1. the - 2. — - 3. — - 4. the - 5. — - 6. the - 7. — - 8. the, the.

331. 1. King David
2. Folkestone Station
3. Mary's house
4. 'Is this your coat ?' 'No, mine's black.'
5. Would you like to have lunch with me ? (*ou* Do you want to...)
6. I always play football on Saturday(s).
7. English is a very beautiful language.
8. I'll be on holiday next week.
9. She's got fair hair.
10. Next Tuesday, Queen Elizabeth will have tea at Portsmouth Town Hall.

332. 1. There will be (*ou* There'll be) a meeting tomorrow.
2. There was no post. (*ou* There wasn't any post).
3. There were a lot of birds in the garden.
4. How many houses are there in the village ? (*Pour* how many, *voir* 155).
5. There was a good programme on TV last night / yesterday evening.
6. There's nothing for you.
7. There should be a swimming-pool here.
8. There must be a key somewhere.

333. 1. There are six of us in my family.
2. There are a lot of us.
3. There were five of them.
4. How many of you will there be ?

334. 1. She thought (that) she was in Coventry, but in fact, she was in Wolverhampton.
2. We're thinking of spending Christmas in Italy.
3. I didn't think (that) I would (*ou* I'd) find you here.
4. He thinks (that) he speaks German well. (*Pour* l'ordre des mots, *voir* 231).

335. 1. these - 2. those - 3. that - 4. this - 5. that - 6. this - 7. this - that.

336. 1. journey - 2. travel - 3. trip - 4. journey.

337. 1. too hot
. too much snow
3. too many cats
4. He smokes too much.
5. too slowly.
6. too much work
7. It's too expensive.
8. Don't take too many.

338. 1. to stop - 2. using - 3. to run - 4. listening - 5. to find - 6. to pass.

339.1. 1. I used to hate dancing.
2. We used to live in Glasgow.
3. I used to smoke twenty cigarettes a day.
. I used to be bad at English.

339.2. 1. I used to be very fat.
2. My brother used to play the piano.
3. People used to travel very little.
4. I used not to like nature.

340. 1. It's difficult to get used to a new car.
2. I'm not used to this typewriter.
3. I'm used to loneliness.
4. She got used to her new life little by little.
5. I'm used to travelling.
6. I hope I'll get used to living in the USA.

341.1. 1. I gave my mother all the money.
2. Don't buy Lewis cigarettes, please.
3. He owes his sister a lot of money.
4. I sent my boss a telegram.

341.2. 1. Explain your plan to me.
2. Show me your photos.
3. Can you describe your ideal house to me ?
4. I'm going to write a long letter to Philip. (*ou* ... to write Philip a long letter).

343. 1. I want to sleep.
2. 'Do you want (*ou* Would you like) an ice-cream ?' 'Yes, please.' (*ou* 'Yes, I'd like one').
3. 'Shall we go out tonight (*ou* this evening) ?' 'If you like.'
4. You can come on Saturday, my parents don't mind.
5. My mother doesn't want me to go to Christian's party.
6. 'Do you smoke at home ?' 'No, my father doesn't let me.' (*ou* '... won't let me'.)

344. 1. You drive well.
2. It's a very good hotel.
3. Their latest record is not good.
4. The film was very good.
5. It's very well written.
6. 'How are you today ?' 'Not very well.'

345. 1. what - 2. which - 3. which - 4. what - 5. what - 6. which.

346. 1. Whose is this (*ou* that) glass ? / Whose glass is this (*ou* that) ?
2. Whose is the car ? / Whose car is it ?
3. Whose is this (*ou* that) house ? / Whose house is this (*ou* that) ?
4. I've found (some) keys. Whose are they ?

348. 1. will ... smoke - 2. will not bite - 3. will go - 4. will not cut - 5. would begin - 6. would forget.

349. 1. If you will wait for a few minutes...
2. Will you give me your address ?
3. 'Can anybody / somebody come with me ?' 'I will.' *(Pour* "Moi, je...", *voir* 259).
4. Would you wait for me in the living-room ?
5. She won't explain.
6. The door wouldn't open.

350.1. 1. I wish I was younger.
2. I wish I had a brother.
3. I wish you could drive.
4. I wish I could stay in bed all day !
5. I wish I saw you more often.
6. I wish they didn't live so far away.

350.2. 1. I wish I had not said anything. (*ou* ... I hadn't said...)
2. I wish you had come. (*ou* ... you'd come.)

3. I wish I had not left school ! (*ou* ... I hadn't...).
4. I wish I had believed you ! (*ou* ... I'd...).
5. I wish we had not bought this house ! (*ou* ... we hadn't...).
6. I wish you had listened to me. (*ou* ... you'd...).

350.3. 1. I wish she would make an effort.
2. I wish they would accept.
3. I wish he would leave me alone.
4. I wish my uncle would come back.
5. I wish she would stop talking about it.
6. I wish Tom would look for a job.

351. 1. job - 2. work - 3. works - 4. job.

352. 1. Charlie is the worst player in the team.
2. You're worse than your brother.
3. You work even worse than him / than he does / than he.
4. What's your worst memory ?

353. 1. It's not worth listening to his ideas.
2. Cornwall is worth visiting.
3. It's not worth reading his latest book.
4. She's not worth arguing with.

INDEX

a

b

C

e

f

g

h

i

l

m

n

O

p

q

r

S

t

u

V

W

y   z

Avec les logiciels d'anglais Hatier, progresser est un jeu

Wormy

Fini la hantise des verbes irréguliers.
Un jeu pédagogique en 3 étapes.
A partir de la 2e année d'anglais.
Cassette sur : T07, M05, ATARI et ORIC 1.

Bingo bay

La folie du Loto à Bingo upon Sea.
Ce jeu pédagogique allie vos compétences
linguistiques et culturelles à votre habileté
au jeu.
Plusieurs niveaux de difficultés.
Trois étapes.
A partir de la 3e année d'anglais.
Disquette sur ATARI et APPLE IIe.

East side story

Vous êtes le détective Mc Intosh sur la
piste d'un meurtrier dans Manhattan.
Cette énigme policière passionnante vous
permet de mettre à l'épreuve vos compé-
tences linguistiques, culturelles et déduc-
tives.
Plusieurs niveaux de difficultés.
Trois étapes.
A partir de la 4e année d'anglais.
Disquette sur ATARI et APPLE IIe.

en vente chez votre libraire

Aubin Imprimeur
LIGUGÉ, POITIERS

Achevé d'imprimer en février 1988
N° d'édition 10180 / N° d'impression L 26121
Dépôt légal, février 1988
Imprimé en France